Vivre

Christopher Reeve

Vivre

*Traduit de l'américain
par Blandine Houdart*

EDIT1IONS

À tous ceux
dont la vie a été touchée par le handicap.

La formidable richesse de l'aventure humaine perdrait de
son allégresse s'il n'y avait des obstacles à surmonter.
Atteindre la lumière du sommet ne serait pas si exaltant si,
pour y parvenir, il n'avait fallu traverser des sombres vallées.

HELEN KELLER

Chapitre premier

Quelques mois après mon accident, il me vint l'idée d'un court métrage dont un tétraplégique était le héros. Pendant la journée, cet homme reste cloué sur son lit d'hôpital, sans pouvoir bouger : il rêve la nuit, qu'il est de nouveau indemne, qu'il peut tout faire, aller partout. Il a navigué toute sa vie et a toujours aimé la mer. Il possède un vieux sloop, un magnifique voilier en bois dont les vernis brillent au clair de lune. Il est différent du mien, le *Sea Angel*, un bateau moderne en polyester.

Dans son rêve, l'homme navigue sous la pleine lune, par légère brise. Les conditions sont idéales, le type même de la navigation romantique. Mais à 7 heures du matin, il se retrouve dans son lit, au centre de rééducation, et tout se fige à nouveau.

Le rêve est intense, et de plus en plus au fil des jours. Au début, il ne s'agit vraiment que d'un songe et l'homme le sait. Puis soudain une nuit, il se lève de son lit, quitte l'hôpital. Il marche dans le couloir, franchit la porte, monte à bord de son bateau, magiquement ancré aux environs.

Il part naviguer à la voile, loin dans la nuit, au clair de lune, et ces sorties en mer prennent bientôt une telle réalité que lorsqu'il se réveille dans son lit, vers 7 heures du matin, ses cheveux sont mouillés. En s'en apercevant, l'infirmière s'excuse : « Oh, je suis désolée ! Vous avez dormi les cheveux humides, je ne les ai pas suffisamment séchés hier soir après votre shampooing ! »

Il ne répond pas mais il sait que ses cheveux sont mouillés d'embruns.

Un matin, il rentre avec sa tenue de gros temps qu'il cache dans un placard pour éviter que les infirmières ne la voient et ne se demandent d'où elle vient.

Sa femme et ses enfants sont consternés car il les a exclus de sa vie. Depuis sa paralysie, il est plongé dans une profonde dépression : ses enfants ont peur de lui, sa femme a consulté médecins et psychologues de l'hôpital... lui ne sort plus de sa coquille.

Cependant, au fur et à mesure que ses navigations deviennent plus réelles, son humeur s'améliore, il est moins replié sur lui-même. Le matin, il est apaisé et beaucoup plus communicatif. Sa femme a bien noté ce changement mais sans en deviner la raison. De son côté, il ne veut pas lui expliquer, il ne peut pas en parler car il redoute de devenir fou. D'ailleurs, il pense qu'il est probablement en train de perdre la raison. Pourtant, ses rêves rendent la vie moins difficile à toute la famille.

Parfois, il navigue le long des côtes du Maine, à Tenants Harbor, ou dans tout autre endroit merveilleux. Il y a là un type qui vit sur un bateau, un vieux qui allume une lampe dans sa cabine lorsque notre homme part en mer. Il ne dort pas très bien et se lève toujours pour voir sortir le bateau en bois. Parfois, même, il descend sur son ponton pour le regarder et l'éclat de ses yeux montre tout l'amour qu'il porte à ce voilier. Il n'est pas envieux, non, mais il ne manque jamais une occasion d'admirer le magnifique sloop évoluer dans le clair de lune.

Petit à petit, notre homme s'aperçoit que ces sorties en mer lui offrent la possibilité de s'évader, d'échapper à sa condition de paralysé. Il se dit qu'une nuit, il pourrait s'embarquer, sans aucunes provisions, et naviguer – c'est ce qu'il aime le plus au monde – jusqu'en plein océan. Il naviguerait jusqu'au bout et il mourrait heureux. Il naviguerait dans la clarté de la lune, aussi loin que possible, et laisserait derrière lui tout et tout le monde.

Et un soir, il met son projet à exécution. Il part, sans but ; il met les voiles pour toujours. Cependant, en sortant du port, il se met à penser à ce qu'il possède dans la vie, notamment à sa femme, à ses enfants, et à la chance qu'il a de les avoir à ses côtés. Pendant toute cette période, en effet, il a changé ; ses enfants ont moins peur de lui, ils jouent avec lui. Et sa femme... il est clair qu'ils sont amoureux. Il est en train de sortir de sa dépression.

Il commence à mesu

rer ce qu'il laisse derrière lui. Il hésite : ce serait pourtant facile de continuer à naviguer et d'oublier tout le monde ! Soudain, il vire de bord et revient. Il va droit au ponton du vieux, celui qui a toujours admiré son bateau. Il amarre le voilier et, quand le vieil homme sort sur le pont, notre rêveur lui dit : « Tenez, c'est pour vous. » Il abandonne son bateau : il n'en a plus besoin. Et il retourne à l'hôpital. Il se réveille, figé, tétraplégique. Mais il a jeté les bases d'un nouveau départ, d'une nouvelle vie vers la guérison.

Voilà l'essentiel. Bien sûr, cette aventure s'inspire de la mienne mais ce n'est pas ma propre histoire. Je suis différent de cet homme car c'est ma famille qui m'a sauvé, au tout début. Lorsqu'arrive un drame, il est facile, en s'apitoyant sur son propre sort, de s'isoler, de ne plus vouloir voir quiconque, alors que la solution se trouve dans les relations avec les autres. La seule façon d'échapper à la détresse, à l'obsession, est de concentrer son attention sur ce dont ont besoin ceux qui vous entourent, votre petit garçon, vos enfants adolescents. C'est très difficile et parfois il faut se forcer, mais c'est là que se trouve la clef du problème – tout au moins celle que j'ai trouvée.

Il reste que ce type de rêve – pouvoir bouger, vivre comme avant –, peut devenir très réel, très fort. Lorsque je refusais mon état de tétraplégique, mes songes prenaient encore plus d'importance. Et c'est toujours un choc, au matin, de réaliser où l'on se trouve, on se dit : ce n'est pas ma vie, il y a une erreur ! J'ai mis du temps à m'y habituer. Ce n'est d'ailleurs pas complètement terminé, mais la situation est moins pénible qu'auparavant.

Je dors la bouche ouverte et en me réveillant le matin, j'ai la gorge horriblement sèche à cause des médicaments que je prends et du manque d'humidité de la pièce. Souvent, au cours de la nuit, j'ai des spasmes musculaires qui me laissent dans une position très inconfortable, ou bien, ce qui m'arrive fréquemment, j'ai le cou douloureusement tordu. Et je gis là, dans ce lit étroit, tout seul car il n'est pas assez grand pour que Dana le partage avec moi. Elle dort dans un autre lit, mais toujours dans la même chambre pour que nous puissions nous parler, sentir que nous sommes ensemble.

En 1995, le jour du Memorial Day[1], j'étais allé à Culpepper, en Virginie, avec mon cheval Buck, participer à un concours complet d'équitation. J'étais en passe de devenir assez bon cavalier. J'avais commencé à pratiquer l'équitation une dizaine d'années auparavant, pour interpréter Vronsky dans *Anna Karénine*. Allergique aux chevaux depuis l'enfance, je commençai par me bourrer d'antihistaminiques et, pour me préparer au rôle, je pris des leçons quotidiennes dans un manège de Martha's Vineyard, où je passais en général une partie de l'été. Au bout d'un mois d'entraînement intensif, je savais aller au pas, au trot, au petit ou au grand galop. Le cheval que je montais était un immense étalon Trakehner qui répondait au nom de Good Boy ; et lorsque Charlotte, mon instructeur, disait sur un ton flatteur : « bien, Good Boy », elle ne s'adressait pas à moi !

---

1. Jour de commémoration des soldats américains morts à la guerre, célébré le dernier lundi de mai. *(N.d.T.)*

À l'automne 1984 je me rendis à Budapest pour le début du tournage d'*Anna Karénine*. Rapidement, je découvris que les autres cavaliers du film faisaient partie de l'équipe nationale hongroise d'équitation. L'une des scènes clés du film est un steeple-chase au cours duquel le cheval du capitaine Vronsky est blessé et celui-ci doit l'abattre sur-le-champ. Le moins qu'on puisse dire est que je n'étais pas vraiment prêt à sauter des haies de 1,20 m à 40 km/h mais je me sentais tout à fait capable de faire cette course et de galoper sur la piste sans avoir recours à une doublure Au XIXe siècle, on n'utilisait pas de starting-gates ; les cavaliers marchaient en cercle avec leur cheval et lorsque le starter baissait le drapeau, ils se retournaient et prenaient la piste. J'ai demandé à l'entraîneur de l'équipe comment je saurais quand partir, si je tournais le dos au drapeau. Il me répondit dans son anglais approximatif : « Quand votre cheval voit que les autres vont, il va aussi. » Ce qui se révéla un doux euphémisme. Les caméras tournaient, le drapeau s'abaissa, les cavaliers éperonnèrent leur cheval et soudain je me retrouvai filant sur la piste au milieu du groupe, si vite que nous dépassâmes le camion-caméra censé rouler le long de notre groupe. Au bout de deux ou trois prises, le metteur en scène comprit et donna au camion plus d'une longueur d'avance.

Ce fut une expérience exaltante ; j'avais attrapé le virus de l'équitation. De retour aux États-Unis, je décidai de m'y mettre sérieusement, comprenant que j'avais été complètement dépassé en Hongrie. Je commençai à m'entraîner dans un petit manège de Bedford, dans l'État de New York, près de l'endroit où nous habitons aujourd'hui. Je me mis à monter avec de bons amis à Williamstown, dans le Massachusetts, où je séjournais souvent pour le festival de théâtre. À l'automne, nous allions régulièrement à Woodstock, dans le Vermont, faire des randonnées de quelques jours dans les Green Mountains. J'ai beaucoup appris à monter différents chevaux, notamment Hope, une jument que je pratiquai heureusement peu de temps et qui était certainement la plus vicieuse et la plus imprévisible des créatures à quatre pattes que j'aie jamais rencontrée. Lorsque j'entrais dans sa stalle pour lui donner à manger ou la seller, elle se retournait, me collait sa croupe dans la figure, les oreilles couchées – signe infaillible qu'elle s'apprêtait à m'envoyer un coup de pied dans les dents. Un jour, dans le Vermont, j'attendais tranquillement en selle au sommet d'une colline que les autres me rejoignent : au moment où je déchaussais les étriers pour me détendre les jambes, Hope partit en pirouette, sans aucune raison, et se débarrassa de moi. Son nom, Hope, qui signifie espoir, lui allait comme un gant car lorsqu'on devait la monter, le seul espoir qu'on pût avoir était de la trouver de bonne humeur.

En 1989, j'avais fait de tels progrès que je pouvais envisager de participer à des concours complets. Cette discipline me plaisait car elle comporte trois épreuves : le dressage, le saut d'obstacles et le cross. L'objectif est d'établir un lien si fort entre le cheval et son cavalier qu'ils réussissent successivement à exécuter et enchaîner les mouvements et figures précis, très codifiés, du dressage, puis quelques heures plus tard à sauter au galop des obstacles relativement importants dans les bois, ce qui exige vitesse, précision et confiance. J'ai eu plusieurs chevaux tout au long de ces années. À chaque tournage, je me débrouillais pour prendre discrètement des leçons avec le meilleur entraîneur du coin, en espérant que producteurs ou assureurs ne le découvriraient pas. J'ai ainsi eu la chance de travailler avec les meilleurs cavaliers et enseignants du pays.

Or chaque entraîneur possède sa propre approche, légèrement différente de celle des autres. L'un insiste sur la qualité du galop avant chaque saut, l'autre suggère de pousser le cheval sur l'obstacle afin de lui faire évaluer la distance parfaite pour sauter par-dessus.

Mes allergies disparurent. J'étais mordu, je voulais monter aussi souvent et aussi bien que possible. Cependant, je gardais toujours en tête le conseil de Robert Hall, mon premier instructeur de pilotage, juste après que j'eus obtenu mon brevet : « On ne doit jamais faire de manœuvre dont on doute sérieusement de la réussite. » En tant qu'enragé de sport, particulièrement attiré par des activités que certains considèrent comme risquées ou dangereuses, j'ai fait de ce conseil une règle de vie.

À l'automne 1994 je tournais *Le Village des damnés* en Californie du Nord mais je mourais d'envie de participer à un concours complet d'équitation avant la fin de la saison. Je pris donc l'avion pour la côte Est et montai chez Mark Weissbecker dans les Berkshires, où il entraînait Denver, mon pur-sang irlandais, lorsque j'étais absent. Le samedi, j'emmenai Denver à une compétition à Stonleigh-Burnham. Les trois épreuves avaient lieu le même jour : dressage et saut d'obstacles le matin, cross l'après-midi. Je n'avais pas monté mon cheval depuis plus de trois mois, mais Mark l'avait maintenu en forme. À la fin des deux premières épreuves, nous étions bien classés. En entamant la troisième, je me rendis compte que Denver reprenait une de ses mauvaises habitudes, celle de baisser la tête en approchant l'obstacle. Je n'étais pas satisfait de la manière dont il exécuta les quatre premiers sauts et sentais que nous n'étions pas en phase. Je l'ai arrêté en plein parcours, préférant me retirer de la compétition plutôt que de risquer un accident pour gagner un prix.

J'étais bon marin, naviguant depuis l'âge de sept ans sur toutes sortes de voiliers, en régate comme en croisière. Je pilotais des avions depuis vingt ans et j'avais traversé deux fois l'Atlantique en solitaire ; j'avais fait des courses de planeur ; j'étais même monté un jour à plus de neuf mille cinq cents mètres dans les puissants courants ascendants de Pikes Peak, au Colorado. J'aimais plonger, jouer au tennis, skier… Je n'ai jamais eu le sentiment de flirter avec le danger car je n'ai jamais dépassé les limites que je m'étais fixées. J'ai toujours voulu contrôler ma vie. C'est pourquoi

17

mon accident fut un choc terrible non seulement pour moi mais pour tous ceux qui me connaissaient.

Ma participation au concours de Culpepper tenait déjà du hasard. À l'origine, ce week-end-là, j'étais inscrit à un concours dans le Vermont : l'année précédente, j'avais eu de bons résultats dans cet État. J'avais terminé premier lors d'un concours à Tamarack et troisième aux championnats de première catégorie de l'automne 1994. J'y avais rencontré beaucoup de gens charmants. De surcroît, je préfère les climats frais : en ce week-end de Memorial Day, il y ferait sans aucun doute meilleur qu'en Virginie.

Ce concours était mon dernier de la saison car je devais partir cinq jours plus tard pour l'Irlande, tourner *Kidnapped*, un film produit par Francis Ford Coppola et réalisé par Ivan Passer. J'y étais déjà allé la semaine précédente louer une maison et j'en avais déniché une parfaite, à une trentaine de kilomètres au sud de Dublin, située de plus juste à côté d'un manège : j'avais pris des dispositions pour m'entraîner avec l'un des meilleurs cavaliers de concours d'Irlande, établi justement à cet endroit. Cette idée me remplissait d'excitation et je devais aussi monter à cheval dans le film.

Je voulais donc participer à ce concours avec mon nouveau cheval, Eastern Express, surnommé Buck, que j'avais acheté en Californie, lors du tournage du *Village des damnés*. C'était un pur-sang américain qui, avec ses douze ans, possédait une bonne expérience du concours complet – en fait, son précédent propriétaire et lui avaient été entraînés par Brian Sabo. Brian m'avait recommandé le cheval, le décrivant comme un intrépide sauteur, à la fois en saut d'obstacles et en cross, qui n'était cependant pas une star en dressage, et suffisamment grand pour moi. Il s'agissait d'un hongre alezan clair, très gentil, facile à séduire avec des carottes. Je l'essayai dans les trois disciplines chez Yves Sauvignon, pas très loin du tournage du *Village des damnés*. Nous trouvâmes tous deux que le cheval et moi allions bien ensemble. Je sentais que la tendance de Denver à baisser la tête dans les épreuves de cross ou à faire parfois tomber des barres en saut d'obstacles montrait que je ne pourrais probablement pas le mener à des niveaux plus élevés de compétition. Buck, lui, était expérimenté, ardent, et plein de ressources.

Après le tournage, je le ramenai sur la côte Est pour travailler avec Lendon Gray, l'un des meilleurs entraîneurs de dressage, installé tout près de notre maison de Bedford. (Dana et moi avions quitté New York en 1992, sous prétexte de ne pas vouloir y élever notre jeune fils Will mais en fait, j'étais ravi de cette décision car je pouvais monter à cheval six jours par semaine.) Je m'entraînais donc avec Lendon pendant tout l'hiver de 1994-1995. Cela marchait très bien et le dressage de Buck avançait magnifiquement. J'alternais le travail de plat avec les promenades : je lui faisais monter et descendre les collines pour fortifier ses membres postérieurs, son galop ayant besoin de gagner en puissance. En janvier, je commençais à remporter des premiers prix dans les concours locaux de dressage, avec les scores les plus hauts que j'aie jamais atteints. J'étais très heureux de l'évolution du cheval et de notre entente.

Je prévoyais de terminer la saison 1995 à ce niveau de concours (le Training Level) et de passer à la catégorie supérieure (le Preliminary Level) en 1996. Au Training Level, les obstacles dépassent rarement un mètre et les combinaisons ne sont pas trop difficiles. En revanche, on exige bien davantage pour le Preliminary Level et il est indispensable non seulement de disposer d'un cheval courageux et compétent mais aussi de se consacrer à ce sport à plein temps. Certes, j'avançais prudemment, sans prendre de risques, mais néanmoins je voulais progresser. J'avais dépassé le niveau Novice et le Training commençait à m'être assez facile. Je voulais pourtant m'assurer que j'étais prêt pour le Preliminary.

Lors d'un concours dans le Massachusetts, une quinzaine de jours avant l'accident, Buck fut éblouissant dans l'épreuve de cross : il dévora littéralement le parcours. Nous étions enchantés l'un et l'autre et tout cela était très encourageant car nous avions manqué un bon nombre de séances d'entraînement et un ou deux concours en avril : une fois, il avait mal au dos, une autre un abcès au pied, ce qui m'avait empêché de le monter une dizaine de jours au moment où j'aurais dû passer à la vitesse supérieure pour préparer la saison. Peut-être aurais-je dû voir un avertissement du ciel dans ces contretemps mais Buck avait un tel talent, paraissait prendre tant de plaisir au cross et notre entente semblait si parfaite que je nous pensais suffisamment préparés, ce que notre résultat du 14 mai dans le Massachusetts semblait d'ailleurs confirmer.

En avril, j'avais changé de manège : le nouveau, toujours dans la région de Bedford, était un endroit charmant, malgré son nom de « Paix et carottes », que je trouvais ridicule. J'y avais retrouvé Bill McGuinness, mon premier entraîneur. Tandis que la plupart de ceux de la région s'occupaient de dressage, de saut d'obstacle, voire de parcours de chasse, Bill était le seul à faire du concours complet d'équitation. Il entraînait un groupe d'une demi-douzaine de fidèles, tous aussi motivés que moi, qui avaient décidé d'aller à Culpepper pour le week-end de Memorial Day. Bill me convia à me joindre à eux : plus on était nombreux à partager les dépenses, moins elles étaient élevées. Je savais aussi d'expérience qu'il est plus agréable de participer en groupe à un concours. J'acceptai donc de les accompagner et m'inscrivis à la dernière minute. Depuis, j'ai appris qu'on retrouve dans beaucoup d'accidents ce genre de décision impulsive : au dernier moment, on décide de prendre une autre voiture ou un vol précédent. En fait, j'aurais préféré aller dans le Vermont ; nous avons en effet une maison de vacances à Williamstown, non loin de là, où nous aurions pu habiter. J'ai souvent pensé que si je m'en étais tenu à ce projet initial, il ne me serait rien arrivé de mal. Mais Dana m'a aussi fait remarquer que si ce week-end-là nous avions fait de la voile, j'aurais très bien pu recevoir un coup de bôme sur la tête, tomber à l'eau et me noyer : on a beau faire attention et contrôler la situation, un accident survient n'importe quand.

Au printemps de 1995, je me souviens que Dana et moi étions très occupés chacun de notre côté. Merveilleuse chanteuse et comédienne, Dana préparait des auditions et de mon côté je montais beaucoup, en vue de la saison, tout en participant à la réécriture du scénario de *Kidnapped*. Par ailleurs, je militais activement dans la Creative Coalition, une association d'artistes dont j'étais co-président, ce qui m'astreignait à participer à des émissions et une vie sociale très remplie. Ce week-end devait être une parenthèse, des mini-vacances familiales, en somme, avant de reprendre le travail.

Je devais me rendre à Culpepper en voiture, Buck voyageant dans le gros camion avec les autres chevaux. Quant à Dana, elle prendrait le train jusqu'à Washington et y louerait une voiture avec notre fils Will à qui nous pensions que l'aventure plairait. L'hôtel où nous devions descendre, le Holiday Inn, n'était pas très éloigné du lieu du concours et disposait d'une piscine et d'une belle pelouse où nous pourrions tous les trois jouer au ballon. J'arrivai le vendredi, avant Dana et Will, et passai l'après-midi à m'entraîner. Les épreuves de dressage et de cross étaient prévues pour le samedi, celle de saut d'obstacles pour le dimanche. Je répétai avec Buck la reprise de dressage toute l'après-midi : tout allait bien, nous étions prêts. Le soir nous dînâmes tous ensemble à l'hôtel.

Ce séjour à l'hôtel était une grande aventure pour Will qui allait avoir trois ans : il avait un lit et une chambre pour lui tout seul, comme un grand ! Il empila toutes ses affaires – vêtements, chaussures et jouets – dans un seul des tiroirs de la commode. Nous avions entouré son lit d'oreillers et laissé la porte de communication des deux chambres ouverte par mesure de sécurité (au prix, bien entendu, de notre intimité). Nos emplois du temps nous séparant souvent lors des week-ends de Memorial Day, Dana était probablement loin d'être enchantée à la perspective de passer ces deux jours à me regarder concourir. Elle m'avait dit, en ne plaisantant qu'à demi : « La prochaine fois, c'est moi qui choisirai où nous allons ! » Elle pensait que nous avions vraiment besoin de passer un peu de temps seuls ensemble et qu'après le week-end, nous pourrions nous retrouver.

Le samedi, je me levai de bonne heure car je devais passer l'épreuve de dressage à 9 h 08. Nous réussîmes très bien, quoique Buck fût un peu tendu ; je sentais qu'il comprenait que le cross allait suivre, la discipline qu'il préférait et pour laquelle il était fait. En voyant les autres chevaux s'échauffer en vue de l'autre épreuve, il se montra légèrement distrait pendant le dressage, comme s'il avait pensé : il faut que j'en termine avec ça car ensuite la partie de plaisir nous attend !

Malgré tout, nous nous en sortions bien et j'étais quatrième sur vingt-sept, ce qui me laissait une bonne chance de me classer en tête : l'un des trois premiers cavaliers ferait probablement tomber une barre à l'épreuve de saut d'obstacles. Comme chacune compte pour quatre points, si on est dans les six premiers après l'épreuve de dressage, on est bien placé pour remporter le concours. J'étais heureux. La température de Buck redevenue normale, je le ramenai dans son box et retournai à l'hôtel voir Dana et Will et me rafraîchir. Vers 13 heures, je me mis en tenue de cross et rejoignis le concours.

Je refis à pied le parcours : je l'avais déjà reconnu deux fois la veille mais je préférais recommencer. Si les six premiers obstacles n'offraient guère de difficulté, ils devenaient ensuite plus difficiles, jusqu'aux 16 et 17. Le 16 était un gué : il fallait d'abord sauter dans l'eau, puis changer de direction et enfin ressortir de l'eau en sautant par-dessus un tronc. Ensuite venait un long galop dans un champ, jusqu'au 17, un grand banc entre deux arbres, qu'il fallait aborder assez rapidement. C'étaient là les deux obstacles qui me préoccupaient le plus et sur lesquels je me concentrais.

Il est indispensable de reconnaître à pied un parcours de cross pour repérer la configuration du terrain, l'enchaînement des obstacles et les éventuelles difficultés : c'est au moment de cette reconnaissance que l'on décide comment attaquer chaque obstacle. On note son plan de course sur une carte : « quand je passe cet arbre, je ralentis le cheval ; quand je passe ce deuxième arbre, là, je me redresse ; après cet obstacle, je regarde à gauche car je dois faire un virage sec... » On décide aussi à quel moment se mettre au galop, quand ralentir, quand sauter, comment exécuter chaque saut et l'on reporte toutes ces observations sur la carte, qu'on étudie pendant la nuit. Le parcours de cross ouvre à 15 heures le vendredi, et l'épreuve a lieu le samedi ou le dimanche, de telle sorte qu'on a toujours le temps de se préparer. Malgré tout, je refis le parcours à pied, pour plus de sécurité.

Plus tôt dans la journée, tandis que je mettais au point ma stratégie, je ne me suis pas particulièrement inquiété du troisième obstacle du parcours, un zigzag d'un mètre de haut, en forme de grand Z, c'était surtout le 16, le gué, qui me tracassait, car je n'avais pas souvent fait sauter Buck dans l'eau. Quant au 17, il fallait l'aborder avec un rythme soutenu mais Buck avait été si brillant deux semaines auparavant que j'étais pleinement confiant. De plus, j'avais récemment pris des cours particuliers avec Steven Bradley, l'un des meilleurs cavaliers de concours du pays, qui avait été impressionné par mon cheval et m'avait félicité de notre entente. Buck et moi commencions vraiment à trouver nos marques.

En revenant aux écuries, je rencontrai mon ami John Williams, un cavalier de niveau olympique qui était aussi entraîneur et s'était occupé de Denver en 1993 alors que celui-ci récupérait d'une blessure aux tendons. Williams habitait à côté et était passé me dire bonjour : je lui dis que le parcours me plaisait, que j'étais content d'être venu en Virginie, que mon nouveau cheval était superbe et que j'espérais faire une bonne course. Il me souhaita bonne chance.

À partir de ce moment et jusqu'à ce que je reprenne conscience quelques jours plus tard dans le service de réanimation de l'hôpital University of Virginia, je n'ai plus aucun souvenir.

Plus tard, j'ai essayé de reconstituer les événements ; on m'a raconté que j'ai fini de m'habiller, mis mon protège-dos et mon casque, sorti Buck de son box, et que je me suis dirigé vers le paddock. Il y avait là trois obstacles d'essai, un croisillon, un vertical et un oxer – deux barres, séparées par un espace –, qu'il fallait franchir dans le même sens. On s'échauffe toujours au galop, on ne trotte pas car on veut faire comprendre au cheval que le moment de l'offensive est venu. Pour sauter un vertical, il faut ralentir et se redresser mais comme le temps est compté (il y a une vitesse imposée), on doit réaccélérer. Les obstacles sont en général larges mais pas très hauts, ce qu'on appelle des obstacles de volée, qu'on franchit dans la foulée au galop, bien en suspension, de manière à ce que l'animal conserve toute sa liberté de mouvement. Je faisais très attention au dos de Buck, encore fragile, probablement parce que je l'avais travaillé un peu trop durement à l'entraînement pour rattraper le temps perdu. Cette position haute est plus agréable pour le cheval mais, en cas d'arrêt brutal, plus précaire pour le cavalier, surtout s'il est grand.

L'échauffement se déroula sans problème. Je quittai la ligne de départ à 15 h 01. Dans les concours, en effet, l'heure est toujours très précise : les cavaliers partent toutes les deux minutes. Nous avons pris un fort et beau départ ; les témoins disent que Buck était tout à fait ardent et prêt. Premier saut : pas de problème. Le deuxième obstacle était une pile de troncs : aucune difficulté non plus. Puis arriva le zigzag. Le rapport du juge d'obstacle dit que j'allais vite, pas excessivement mais néanmoins bon train.

Apparemment, Buck prit son élan pour sauter l'obstacle puis, d'un seul coup, refusa, sans aucun avertissement, aucune hésitation, aucun signe anormal : le juge déclara que rien ne laissait supposer que le cheval était inquiet. Il s'arrêta net, tout simplement. C'est ce que les cavaliers appellent un « arrêt vicieux ». Quelqu'un a dit qu'un lapin l'avait effrayé, un autre que c'étaient des ombres.

Quant à moi, je suis passé par-dessus le cheval, arrachant filet, mors et rênes pour atterrir en plein sur la tête, les mains empêtrées dans le filet et sans pouvoir libérer un bras pour amortir ma chute.

Je m'écrasai de l'autre côté de l'obstacle. Le casque m'avait protégé le crâne, mais le choc me cassa la première et la deuxième vertèbres cervicales. On appelle cela le « coup du pendu » : c'est en effet le genre de fracture qui apparaît quand la trappe s'ouvre et que le nœud coulant se resserre. Ce fut comme si on m'avait pendu, décroché de la potence et envoyé à l'hôpital. On m'entendit dire : « Je ne peux pas respirer », et ce fut tout.

Buck avait probablement baissé la tête juste après s'être arrêté. Cela arrive souvent : le cheval baisse la tête parce que le poids du cavalier se porte vers l'avant et qu'il veut s'en débarrasser. En sautant un obstacle, on est censé rester au centre du cheval – en fait, on doit toujours y être – mais si cavalier et cheval sont tous deux engagés dans un saut et que le cheval refuse, il devient très difficile pour le cavalier de lutter contre la force qui le pousse vers l'avant, surtout s'il est bien en suspension, comme cela doit être le cas pour le cross. De plus, pour soulager Buck, j'avais raccourci mes étriers un peu plus que d'habitude.

Je me suis probablement pris les mains dans le filet car je tentais désespérément de rester en selle. En effet, une chute au cours de l'épreuve de cross coûte soixante points et fait perdre toute chance de se placer. Si j'avais eu les mains libres, je me serais probablement cassé un poignet, ou bien j'aurais boulé par-dessus le cheval, je me serais relevé en jurant et j'aurais sauté de nouveau en selle. Au lieu de quoi, je fonçai sur la barre du haut de l'obstacle, le cou en hyperextension, et m'écroulai tête la première : 1,95 mètre et 97 kilos droit sur la barre. En quelques secondes, j'étais paralysé et ne pouvais plus respirer.

Dans beaucoup d'autres sports, il est essentiel d'être léger sur ses pieds. Au tennis, impossible à un lourdaud de se déplacer efficacement sur le court ; à ski, on porte son poids vers l'avant. Je me rappelle que, lorsque j'appris à skier, quelqu'un me conseilla d'essayer de retourner vers le haut mes orteils dans mes chaussures, geste qui contraint genoux et poids à se déplacer vers l'avant. Si on essaie de s'arracher à la montagne, de relever les épaules ou qu'on tente d'alléger les skis, on glisse et on tombe. L'important est de rester penché en avant.

En revanche à cheval, se placer trop en avant alors que l'animal va sauter, c'est courir au devant des ennuis. Et c'est peut-être ce qui m'arriva sur cet obstacle : en sautant, les talons doivent pousser vers le bas et les fesses rester levées pour que les centres de gravité du cheval et du cavalier coïncident. Comme cette position est antinaturelle, il faut un certain entraînement pour garder les talons bas et rester au centre. Être sur la pointe des pieds, en équitation, appelle la catastrophe.

Pendant plus d'un an, je me suis demandé si cet accident était purement dû au hasard, s'il s'agissait d'un événement anormal ou si j'étais responsable de ce qui m'était arrivé : jamais, auparavant, Buck n'avait stoppé sur un parcours de cross, pourquoi alors a-t-il refusé cet obstacle si facile qu'il aurait presque pu l'enjamber ? Lapin ou pas, ombres ou non, j'ai probablement fait quelque chose qui a provoqué l'accident, j'en porte donc la responsabilité.

Je pense souvent à mon ami Tim Murray, qui partit naviguer un jour de novembre 1994 et se noya. Pourquoi ?

Il avait enlevé les caissons de flottabilité pour travailler dessus et il sortit en mer un jour de vent sans gilet de sauvetage. Son ami et lui – tous les deux de très bons marins – envoyèrent le spinnaker ce qui, en temps normal, ne présente aucun problème, mais cette fois, à deux milles au large, les vagues se creusaient, le vent soufflait à vingt-cinq nœuds et le bateau fut submergé. L'eau était à neuf degrés : ils n'avaient aucune chance de regagner la côte et se noyèrent tous les deux.

De même pour mon camarade Robert Robertson, un pilote exceptionnel qui venait de remporter le championnat national de planeurs et qui, revenu chez lui, alla voler dans un aéroport différent de celui qu'il fréquentait d'habitude. C'était un jour de grand vent et il oublia de signaler au pilote remorqueur qu'il fallait le tirer à 130 km/h, ses ailes étant lestées d'eau à ras bord. Il fut donc remorqué à la vitesse normale de traction pour un petit planeur de toile, 105 km/h. Lorsque le remorqueur le largua, Robbie tenta de monter, s'éleva d'une trentaine de mètres et décrocha. Le planeur s'écrasa au sol : Robbie fut tué sur le coup.

Pour en revenir à mon propre cas, ce 27 mai 1995, à l'approche du troisième obstacle, je me suis peut-être porté vers l'avant plus tôt que je ne l'aurais dû, erreur assez facile à commettre mais qui, d'un autre côté, n'aurait pas suffi à provoquer l'arrêt brutal de Buck.

Alors ? Alors, j'ai appris que spéculer sans fin sur ce qui avait pu provoquer l'accident ne servait à rien sinon à me tourmenter. Indépendamment de ce qui s'est vraiment passé, je sais maintenant que je ne peux pas le revivre indéfiniment et si j'ai commis une faute, il faut que je me pardonne à moi-même d'être un homme, donc faillible. Je suis sur le chemin d'y parvenir.

Certes, je ne suis tombé que de quelques centimètres mais assez pour me fracasser la première cervicale sur la barre d'obstacle. Je me suis aussi cassé la deuxième vertèbre mais moins gravement. Cependant, en luttant pour aspirer de l'air, comme quelqu'un qui se noie, j'ai agité la tête en tous sens : il est possible alors que les esquilles osseuses de la première vertèbre et les fragments de la deuxième aient coupé, endommagé des cellules, des faisceaux nerveux de la moelle épinière : j'ai probablement été mon pire ennemi à ce moment-là.

Lorsque les secours d'urgence arrivèrent sur les lieux, je ne respirais plus depuis trois minutes. On m'a immobilisé la tête et maintenu en vie en m'insufflant de l'air avec un ballon d'oxygène. Apparemment, j'étais toujours conscient car, plus tard, les secouristes ont dit que j'étais « combatif ». J'ai eu beaucoup de chance qu'ils soient arrivés si vite : au bout de quatre minutes sans oxygène le cerveau commence à subir des lésions irréversibles. Ils m'immobilisèrent le cou dans une minerve, m'installèrent dans l'ambulance et conduisirent extrêmement doucement en sortant du champ, de façon à ce que les cahots ne causent pas d'autres dégâts.

Plusieurs mois après l'accident, j'ai téléphoné à ces gens dévoués pour les remercier de m'avoir sauvé la vie. Ils me répondirent très simplement que cela faisait partie de leur travail. Leur délicatesse me toucha beaucoup : ils n'ont même pas voulu me donner leurs noms.

Dana, qui était toujours là quand je montais en concours, se plaçait en général près des obstacles les plus difficiles et filmait en vidéo le maximum de la course. Je passais ensuite d'innombrables soirées à visionner ces cassettes pour trouver comment m'améliorer. Cette fois-là, pourtant, elle était encore à l'hôtel car la sieste du petit Will se prolongeait. Soudain, le téléphone sonna dans la chambre : c'était Peter Lazar, l'un des membres de notre groupe. Il commença par lui dire : « Ne panique pas ! » Dana lui demanda ce qui se passait. Fille de médecin, elle sait garder son calme dans les cas d'urgence et se douta tout de suite que j'étais tombé, il n'y avait pas d'autre raison pour que Peter l'appelle en lui disant de ne pas paniquer. Mais lorsqu'il lui annonça : « Chris a fait une chute », elle pensa que c'était le genre d'euphémisme qu'on utilise pour minimiser l'importance d'un accident. (L'une de ses sœurs avait eu un jour un accident de ski où elle s'était cassé le nez et déchiré le visage ; son autre sœur l'appela pour la prévenir de cette « mésaventure à ski ».) Puis Peter ajouta : « Je ne sais pas pourquoi, mais ils l'ont emmené sur une civière. »

Dana partit en voiture, avec Will, lequel, bien entendu, ignorait ce qui se passait, et se rendit à l'hôpital de Culpepper, aux urgences. Une infirmière entra. Dana se présenta : « Bonjour, je suis Dana Reeve. Mon mari est ici. » L'infirmière répondit : « Ah, oui ! » Dana demanda si j'allais bien : l'infirmière lui répondit simplement que le médecin serait là dans une minute.

Dana commençait à avoir le sentiment que quelque chose de terrible était arrivé mais devait néanmoins s'occuper de Will qui continuait de parler et voulait jouer. Il n'y avait qu'une seule autre personne dans la salle d'attente. L'hôpital de Culpepper est tout petit, tout était calme et endormi. Puis l'infirmière passa la tête par la porte et annonça : « Le docteur arrive. » Et ils étaient là tous les trois en silence, Dana, Will et une femme qui lisait un magazine.

Elle vit alors atterrir dans la cour un hélicoptère dont le nom, *Pégase*, était peint sur le flanc, et pensa cette fois qu'on ne déplaçait pas un hélicoptère pour un bras cassé.

Deux infirmières vinrent lui dire que le médecin désirait la voir. Chacune la prit sous un coude pour l'emmener dans le bureau, au bout du couloir. Dana portait Will dans ses bras et pensait : « Elles me soutiennent. C'est donc vraiment quelque chose de grave, d'horrible ! »

Le médecin des urgences, le Dr Maloney, lui dit dès l'abord qu'il était très inquiet pour moi, sans lui annoncer tout de suite que je m'étais cassé le cou. Will était assis sur les genoux de sa mère. Le médecin commença à lui donner des précisions qu'elle recevait comme autant de coups de poing : je m'étais cassé les deux premières vertèbres cervicales (C1 et C2), j'avais des problèmes pour respirer et on m'avait donc placé sous respirateur. À chaque nouvelle information, Dana aspirait une goulée d'air et répondait : « d'accord, d'accord, d'accord ». C'était comme si elle livrait un combat de boxe et qu'elle devait se préparer entre chaque coup pour le suivant.

Will était sur ses genoux et lui pinçait le nez pour qu'elle dise bip, l'un de ses jeux favoris. Dana écoutait ce que lui assénait le médecin et continuait à faire bip, essayant de rester une mère responsable alors qu'elle apprenait les nouvelles les plus catastrophiques de sa vie.

Complètement perdue et déconcertée, elle ne savait que penser : si j'étais sous respirateur, cela signifiait que j'étais quasiment mort et qu'on ne faisait que maintenir ma respiration. Elle ne connaissait rien des fractures du cou et ne comprenait pas comment les morceaux de ce puzzle pouvaient tenir ensemble. Il fallait qu'on lui explique, qu'on lui traduise tout : « Il faut que j'appelle mon père », finit-elle par dire au médecin.

Par chance, Chuck Morosini était chez lui en ce week-end de fête. Dana lui annonça : « Chris a eu un grave accident de cheval, une fracture du cou. » Son père fit seulement : « Oh, mon Dieu ! » Ce fut suffisant : elle comprit immédiatement que ma vie était réellement en jeu. À l'hôpital de Culpepper on lui suggéra de venir me voir avant que l'hélicoptère ne m'emmène car ce serait peut-être la dernière fois qu'elle me verrait vivant.

Il fallait qu'elle récupère Will et lui explique ce qui se passait en essayant de ne pas l'effrayer, puis qu'elle quitte l'hôtel.

Elle dut aussi faire face au public. Elle savait bien que les médias allaient s'emparer de l'histoire, mais ne voulait avoir affaire à personne en dehors de la famille. Elle devait nous protéger, Will et moi, et pensa : « Tout le monde sur le pont, ceci est une crise. » La seule manière de s'en sortir était bien de former un cercle étroit, une véritable cellule de crise.

Elle fit ma valise, rassembla affaires de toilette, rasoir, chaussettes et vêtements, tout en ayant parfaitement conscience que je n'en aurais peut-être plus jamais besoin. Elle tomba sur la carte du parcours de cross que j'avais étudiée quelques heures auparavant mais garda son calme, boucla la valise, regarda sous le lit, dans les tiroirs, ramassa les clefs, bref, elle accomplit les gestes habituels d'une personne qui va quitter une chambre d'hôtel.

Will voulait jouer au ballon, cherchant visiblement un peu de normalité dans ce monde qui avait perdu la tête. Alors, Dana sortit jouer au ballon quelques instants avec lui puis revint finir ses préparatifs : « Maman doit finir les bagages ! Nous devons partir, ils emmènent papa en hélicoptère. Nous devons partir ! »

Puis elle régla la note à la réception. Un peu plus tôt dans la journée, un employé était venu lui dire que le directeur de l'hôtel serait heureux de dîner avec nous et qu'il n'y avait pas de problème pour faire garder Will, car l'hôtel disposait de baby-sitters. En rendant les clefs, Dana demanda à la réceptionniste de « prévenir le directeur que nous ne pourrions pas dîner avec lui ce soir-là, et de le remercier de son invitation ». La jeune femme lui demanda : « Où est votre mari ? » Et Dana répondit : « Il a dû partir. » « Oh, dit-elle, j'aurais tant voulu une photo. Puis-je prendre une photo de vous ? » Et Dana posa pour la photo, assise avec Will, car elle ne voulait pas expliquer ce qui se passait.

Ensuite elle prit la voiture jusqu'à l'hôpital University of Virginia, où j'avais été transporté par l'hélicoptère *Pégase*, le nom du cheval volant de la mythologie.

Chapitre 2

En arrivant à l'hôpital University of Virginia, Dana ne savait toujours pas à quoi s'attendre. Aux urgences, le Dr Nadkarni commença par se présenter, lui demanda de l'appeler Mo, s'assit et lâcha tout à trac : « J'ai de mauvaises nouvelles. » Elle avait déjà tellement reçu de mauvaises nouvelles, la pauvre Dana, allait-elle entendre quelque chose comme : « Votre mari n'a pas survécu au transport en hélicoptère », ou bien : « Son cerveau est trop abîmé pour être réparé » ?

En fait, il lui répéta à peu près la même chose que ce qu'avait dit le médecin de Culpepper : que je ne pouvais pas respirer seul, que j'étais intubé et ventilé. Mais il ajouta une précision nouvelle : « Il existe un risque pour qu'il ne puisse jamais plus respirer naturellement. » Dana dit qu'en entendant cela, ce fut comme si on la jetait contre un mur : elle se tourna involontairement de côté, comme si on l'avait frappée.

Will découvrait progressivement l'histoire. Pendant les deux grandes semaines qui suivirent, il demandait inlassablement : « Pourquoi Mo avait-il des mauvaises nouvelles ? » Et, inlassablement, Dana lui répétait que j'étais tombé de Buck, que je m'étais gravement blessé au cou, et que je ne pouvais plus bouger. Il avait besoin d'en entendre et réentendre le récit. Pendant ma première semaine d'hôpital, Will revécut l'accident des dizaines de fois. Perché sur un cheval de bois dans la salle de jeu de l'unité pédiatrique, il se laissait tomber au ralenti et disait : « Oh, mon cou, mon cou ! » Dana le rassurait en lui disant qu'il allait très bien, mais que mon cou à moi était blessé et que je ne pouvais pas bouger.

Comme tout le monde d'ailleurs, Mo fut formidable avec Will. Il l'emmena dans une salle de jeu afin que Dana reste un petit moment seule avec moi avant que je ne passe une IRM. Ils devinrent amis : Mo fut d'ailleurs la première personne avec laquelle l'enfant accepta de rester en dehors de notre famille.

Comme Will mourait de faim, Dana alla lui chercher à manger puis revint aux urgences. Il était environ 17 h 30, il faisait encore jour. Dana essayait de protéger Will, de faire en sorte qu'il continue à se montrer joyeux, tout en évitant de s'écrouler elle-même.

Un médecin la conduisit près de moi. J'étais allongé sur un brancard, intubé, encore inconscient. Elle rencontra le Dr John Jane, patron du service de neurochirurgie, et le Dr Scott Henson, son adjoint, lesquels lui expliquèrent que j'avais beaucoup de chance d'avoir survécu à l'accident, que ma tête fût intacte et que le tronc cérébral, si proche de l'impact, eût été épargné. Lorsque ce tronc cérébral est atteint, le visage ne fonctionne plus ; on ne peut bouger ni la bouche ni aucun muscle de la figure.

J'étais sous morphine et hypnotiques, complètement drogué. Je reprenais conscience par brefs instants. La seule chose qu'on pouvait faire pour moi était de m'humecter la bouche avec de petits tampons – de petits morceaux de mousse au bout d'un bâtonnet, parfumés à la cerise, à la framboise ou à l'orange. On devait m'opérer et je n'avais le droit ni de boire ni de manger pendant les jours précédant l'intervention. Je refaisais à moitié surface, un court moment, sans vraiment me rendre compte de grand-chose, avant de replonger à nouveau. Pendant tout ce temps, Dana était assise à mes côtés. Je ne sentais absolument rien, je n'avais aucune idée de ce qui se passait : même dans les courts laps de réveil, je n'avais conscience de rien.

Au bout de plusieurs jours de sédatifs lourds, je me mis à développer ce qu'on appelle le « délire de réanimation ». Lorsqu'on perturbe longtemps et profondément les rythmes du sommeil de quelqu'un, il arrive fréquemment qu'il perde tout repère et devienne légèrement psychotique. Il s'agit d'un symptôme temporaire qui disparaît quand les rythmes sont rétablis et je crois qu'il s'agit là d'un problème lié à la lumière et à l'obscurité, au fait de dormir dans le noir mais de sentir qu'on est en plein jour.

On m'a dit plus tard que je sortais brusquement de ma torpeur, encore dans une sorte de rêve et imaginant des situations extravagantes : je regardais Dana et je lui parlais – ou plutôt j'articulais silencieusement, car je ne pouvais pas parler, je n'émettais aucun son – comme si nous étions des complices, membres d'un même gang. Je lui disais par exemple : « Prends le pistolet ! » Dana me demandait : « Le pistolet ? » et je répondais : « Oui, prends le pistolet dans le sac, ça sent le roussi ! Ils nous en veulent, ils nous poursuivent ! » Et Dana me demandait : « Mais qui ? » et je répondais : « Les méchants ! » Cela ressemblait à une partie de gendarmes et de voleurs mais je donnais vraiment l'impression d'être persécuté, qu'on voulait m'attraper. Dana était glacée, terrifiée. Elle alla prévenir les médecins que je tenais des discours vraiment bizarres : ils la rassurèrent en lui affirmant que je n'avais pas de lésion cérébrale, que le scanner avait montré que mon cerveau était en bon état, que j'étais simplement victime d'hallucinations dues aux drogues qu'on me donnait, lesquelles disparaîtraient lorsque je cesserais de prendre ces médicaments. Ce qui se produisit, d'ailleurs.

J'eus beaucoup de chance d'avoir été pris en charge par le Dr Jane, un brillant professeur de neurochirurgie. Il est non seulement patron du service de neurochirurgie de l'hôpital University of Virginia mais aussi président du Département de neurochirurgie à la faculté de médecine de l'Université de Virginie, où il a formé plusieurs des meilleurs spécialistes et professeurs de neurochirurgie du monde entier. Son curriculum vitae est aussi épais que l'annuaire du téléphone du comté. C'en est même à se demander comment un homme a pu réaliser tout cela dans sa seule vie. En 1993, il fut élu président de la Society of Neurological Surgeons et directeur du *Journal of Neurosurgery* (« Le Journal de la Neurochirurgie ») ; pendant un semestre, il a occupé les fonctions de directeur de l'American Board of Neurological Surgeons ; il a donné d'innombrables conférences, enseigné partout dans le monde, des États-Unis à Taiwan, de Stockholm à Prague et jusqu'en Corée, a reçu des dizaines de bourses et de subventions pour ses recherches sur les traumatismes crâniens et la régénération nerveuse. Co-auteur de plusieurs ouvrages sur le système nerveux central, il a aussi écrit des chapitres dans près de soixante-dix autres livres et publié plus de deux cent soixante articles dans des revues scientifiques : par bonheur, il était à l'hôpital lors de mon arrivée, me prit en charge et décida de m'opérer lui-même.

Le petit hôpital de Culpepper, sans gros moyens, n'avait pu évidemment faire grand-chose. Heureusement, les médecins y disposaient de méthylprednisolone (MP) et m'en avaient administré sur-le-champ. Cette substance est un corticoïde de synthèse qui, pour avoir quelque effet, doit être administré dans les huit heures qui suivent l'accident. Dans les années 1980, on avait découvert que ce produit pouvait limiter l'inflammation qui apparaît immédiatement après une lésion médullaire. En effet, non seulement la victime souffre des dégâts causés par son accident mais, rapidement, tout son système nerveux central s'écroule, comme une rangée de dominos. L'inflammation qui, dans mon cas, s'étendait jusqu'à la septième vertèbre cervicale, provoque la détérioration des graisses en composés instables qu'on appelle des radicaux libres et qui agissent comme de l'acide sur les tissus cellulaires. En d'autres termes, les cellules nerveuses saines, épargnées par l'accident, sont rapidement rongées vives, ce qui provoque de nouvelles pertes de sensibilité et de motricité. Cependant, chez la plupart des patients, le MP diminue cette inflammation de 20%. Vingt pour cent qui peuvent faire toute la différence entre un individu capable de respirer seul ou qui, au contraire, devra passer le reste de sa vie enchaîné à un respirateur.

C'est pourquoi il était si essentiel qu'on m'ait administré du MP. Après cela, l'équipe de Culpepper ne pouvait plus qu'attendre qu'un hélicoptère vienne me chercher pour m'emmener à Charlottesville, au service de réanimation de l'hôpital University of Virginia.

Dès mon arrivée, le Dr Jane me fit immobiliser pour éviter une compression plus importante dans la moelle épinière (conséquence de ma chute sur la tête). Cette compression provoque des décharges électriques qui se fraient un chemin anarchique à travers la zone endommagée, causant à leur tour la destruction d'autres cellules nerveuses. Après la mort de ces dernières, une nouvelle vague de destruction émane de la zone blessée car, prises d'une frénésie de nettoyage de tous ces débris accumulés, les cellules de l'immunité, les globules blancs, affluent et commencent à grignoter sans distinction neurones endommagés et neurones sains.

Ainsi, tandis que la victime d'une lésion de la moelle épinière au niveau de la vertèbre C2 est allongée, immobilisée et inconsciente, l'inflammation détruit sans hésiter ses fonctions essentielles : respiration, contrôle des intestins et de la vessie, réaction sexuelle et tout autre mouvement de son corps situé plus bas que le cou. Seuls le cœur et le cerveau continuent de fonctionner normalement car ils ne dépendent pas du même système neurologique.

Le Dr Jane me fit implanter dans la tête une structure métallique juste au-dessus des tempes, derrière laquelle il fixa un poids pour me maintenir immobile. J'étais relié à des machines pour surveiller ma fréquence cardiaque, mon pouls, ma tension artérielle et ma saturation artérielle en oxygène (SAO_2). Je continuais d'émerger puis de resomber dans l'inconscience. Parfois je tentais de me débattre et d'agiter la tête : on était alors obligé d'augmenter les sédatifs.

J'avais les bronches encombrées de liquide, ce qui me rendait extrêmement vulnérable à une pneumonie. Dans le passé, on ne connaissait aucun moyen de retirer ce liquide, et en général le patient mourait. Je fis une pneumonie dans un poumon mais les médecins réussirent à éradiquer l'infection à coups d'antibiotiques très puissants et d'aspirations répétées.

L'aspiration est une expérience très désagréable : on vous descend un tube dans les bronches pour aspirer le liquide. Le passage de ce tube dans la gorge est parfois très douloureux, et on est débranché du respirateur pendant au moins quatre ou cinq respirations, ce qui paraît une éternité. Ces aspirations étaient ce que je redoutais le plus, lorsque j'étais encore en réanimation.

Au bout de cinq jours, j'avais complètement repris conscience et tenais de nouveau des propos sensés. Les docteurs Henson et Jane m'expliquèrent la situation, me décrivirent en détail l'importance de la lésion, et m'expliquèrent qu'après la guérison de la pneumonie, ils devraient m'opérer pour me rattacher le crâne à la colonne vertébrale. Ils ne savaient pas si l'opération réussirait ni même si j'y survivrais : ils avaient pensé à une intervention, mais elle était si risquée qu'ils avaient beoin de mon accord pour la tenter. Contre l'avis de certains membres de la famille, Dana avait exigé que les médecins m'expliquent tout et que rien ne soit fait sans mon consentement.

Je répondis vaguement quelque chose du style : « D'accord, faites ce que vous avez à faire ! » Depuis l'enfance, j'étais habitué à régler mes propres problèmes : quel que soit le pétrin dans lequel je m'étais mis, j'étais sûr de trouver une solution pour m'en tirer. Je pensais que, comme d'habitude, je m'en sortirais, que ça irait. J'avais déjà réchappé de situations difficiles, à la fois physiques et émotionnelles.

Un jour, par exemple, je suis tombé d'un parachute ascensionnel à Martha's Vineyard : l'ami qui possédait le bateau avait oublié de me dire que le harnais ne supportait qu'une charge de quatre-vingts kilos. Alors que le bateau qui me tractait s'éloignait de la plage et que je prenais de l'altitude, les quatre sangles glissèrent hors des boucles. Je suis tombé de vingt-cinq mètres de haut dans un peu plus d'un mètre d'eau ! Je ne fus pas gravement blessé car, heureusement, j'eus la présence d'esprit de me rouler en boule et d'entrer dans l'eau sur le côté. J'ai craché un peu de sang et le lendemain j'avais tout un côté du corps bleu et noir mais j'étais entier. Je me suis aussi cassé une cheville à ski, fêlé des côtes en jouant au hockey, et j'ai attrapé la malaria en faisant des repérages pour un film au Kenya. Pendant le tournage de *Street Smart*, il fallut m'opérer d'urgence de l'appendicite, mais je revins sur le plateau le jour suivant : j'ai toujours récupéré très vite de ces ennuis physiques. Et, avec le temps, j'ai appris à me débrouiller aussi face aux épreuves psychologiques, par exemple le divorce de mes parents.

Si bien qu'au début, je pensais qu'il ne s'agissait encore une fois que d'un problème passager : certes, il fallait m'opérer, mais je serais remis sous peu. Ce n'est qu'après le départ des médecins que je commençai à comprendre ce qu'ils m'avaient dit : j'avais une lésion de la moelle épinière, une lésion paralysante. Et je réalisai avec horreur que, cette fois, la situation était différente.

Les médecins venaient de m'expliquer à quel point c'était grave. Il ne s'agissait pas d'une lésion des vertèbres C5 ou C6, qui condamne naturellement le patient au fauteuil roulant, mais lui laisse l'utilisation de ses bras et lui permet de respirer seul. Les lésions des première et deuxième vertèbres cervicales sont les pires. Alors pourquoi ne pas mourir et épargner ainsi des problèmes à tout le monde ?

Dana s'est approchée de mon lit et nous nous sommes regardés. Pour elle, j'articulai, en silence, mes premiers mots lucides : « Peut-être que nous devrions me laisser partir... » Elle se mit à pleurer : « Écoute bien ceci, dit-elle, je ne le répéterai pas : quelle que soit ta décision, je l'accepterai, car c'est ta vie et ta décision. Mais je veux que tu saches que je serai avec toi sur la longue route, quoi qu'il arrive. » Puis elle ajouta ces mots qui me sauvèrent la vie : « Tu es encore et toujours toi. Et je t'aime. »

Si elle avait détourné le regard, avait hésité, même légèrement, ou si j'avais senti qu'elle le faisait par « noblesse », par bonté d'âme, ou par je ne sais quelle obligation à mon égard, je ne crois pas que j'aurais pu m'en sortir. Car j'avais compris que j'allais être un terrible fardeau pour tout le monde, que j'avais gâché la vie des autres, en même temps que la mienne. Ce n'était juste pour personne et la meilleure chose qui me restait à faire était de m'éclipser.

Mais les paroles de Dana rendaient soudain la vie possible car je sentis la profondeur de son amour et de son soutien. J'ai même tenté une petite plaisanterie en articulant : « Cela va au-delà des promesses que l'on fait en se mariant : dans la maladie et la santé... »

– Je sais, répondit-elle.

À ce moment, je sus qu'elle serait toujours avec moi. Quant à moi, il fallait que je trouve comment surmonter ce qui m'arrivait en essayant de ne pas être une charge. Il me faudrait chercher de nouvelles manières d'être productif.

Les deux enfants – Matthew et Alexandra, âgés de quinze et onze ans à l'époque –, que j'avais eus avec Gae Exton, étaient arrivés d'Angleterre. J'avais rencontré Gae lorsque je tournais les deux premiers *Superman* à Londres. Nous ne nous sommes jamais mariés, mais nous avons vécu ensemble près de dix ans avant de nous séparer à l'amiable en février 1987. Dana leur avait téléphoné à Londres et tous les trois avaient immédiatement pris l'avion. Pendant les premiers jours, la seule chose qu'ils pouvaient faire quand ils venaient me voir était de me tamponner la bouche avec une éponge ou de me passer un linge humide sur le visage. Lorsque je repris finalement conscience, je les vis tous autour de moi, arborant leur air le plus courageux. Je compris alors combien ils avaient besoin de moi. Je sentis combien ils étaient heureux que je sois en vie, malgré mon état déplorable. En dépit de l'abominable dispositif qui me maintenait immobile, chacun d'eux réussit à me toucher, à me faire une affectueuse caresse ou à m'étreindre doucement.

Au début, Will était trop terrifié pour venir dans le service de réanimation. Il avait même peur lorsque Dana venait me voir et mit plusieurs jours à dépasser cette angoisse. Mais lorsque, finalement, il réussit à pénétrer dans ma chambre, qu'il vit que son papa était toujours le même, qu'il était simplement allongé, il eut une poussée de bravoure. Ce fut comme s'il avait surmonté le plus grand cauchemar de sa vie.

Peu de temps après, Dana me raconta une scène formidable à laquelle elle avait assisté : depuis qu'il avait deux ans, j'emmenais Will nager dans un groupe de bébés nageurs à Mount Kisco. Une partie de l'apprentissage consiste à ce que les enfants se jettent du bord de la piscine dans les bras de leur papa ou de leur maman qui, eux, sont dans l'eau. Or, Will avait peur de sauter et pour le convaincre il me fallait le rassurer interminablement et le tranquilliser pour lui donner confiance. Je me rapprochais progressivement du bord de la piscine jusqu'à ce qu'il se sente en sécurité. Et voilà que juste après la visite qu'il me fit, il sautait désormais sans problème dans la piscine de l'hôtel ! Il ne voulait plus de ses bouées-brassards et se lançait même sous l'eau. Je le vis sur des vidéos en train de nager et fus stupéfait de son courage.

Le soir, je regardais à la télévision les finales de hockey de la Stanley Cup. J'étais rarement seul : il y avait toujours quelqu'un pour me rendre visite et Dana restait dans les parages. Alexandra et Matthew étaient retournés à Londres finir leur année scolaire mais Will n'arrêtait pas d'entrer et de sortir de ma chambre. J'étais si heureux qu'il ne se sente pas mal à l'aise ou effrayé ! Il connaissait toutes les infirmières par leur prénom et se sentait comme chez lui. J'étais relié à un tas de perfusions, de tubes, de tuyaux, j'avais une trachéotomie, une canule qui me sortait de la gorge, semblable à celle que j'ai encore aujourd'hui, mais l'enfant regardait au-delà, à travers tout cela, pour me voir, moi. Il avait envie d'être avec moi, grimpait sur mon lit, s'installait confortablement et nous regardions ensemble les matchs de hockey à la télévision.

C'était vraiment très important pour moi : s'il m'avait évité, s'il avait paru effrayé, s'il n'avait pas osé me toucher, je me serais senti complètement rejeté. Mais voir s'encadrer dans la porte sa joyeuse petite frimousse de trois ans me remontait toujours le moral.

Je compris qu'il serait lâche d'abandonner ma famille. Et puis, je ne *voulais* pas partir. Ajouté à ce que m'avait dit Dana, cela mit fin à mes idées de suicide.

Ma mère, venue de Princeton, fut menée directement à la réanimation. Lorsqu'elle me vit là, inconscient, immobilisé, qu'on lui expliqua que mes chances de survie étaient minimes, elle perdit la tête et se mit à réclamer vigoureusement qu'on me débranche. Les médecins lui demandèrent de se calmer et d'attendre de voir ce qui allait se passer. Bien sûr, elle ne désirait pas que je meure mais elle ne pouvait tout bonnement pas supporter l'idée que je vive ainsi. Connaissant la vie que j'avais menée jusque-là, elle savait que pour moi être vivant c'était être actif. D'ailleurs, auparavant, j'aurais été d'accord avec elle.

Elle insista tant qu'elle déclencha une véritable polémique. Elle en parla aux aumôniers de l'hôpital, aux médecins, tout en évitant Dana, sachant à quel point celle-ci estimait que la décision m'appartenait. Et à moi seul. Un jour qu'elle était au plus profond du désespoir, ma mère déclara au père de Dana : « Demain, nous le ferons. » Et Chuck Morosini lui répondit : « Attendez, vous n'allez rien faire du tout. »

Isolé dans ma chambre en réanimation, j'étais protégé, à l'abri du drame qui se jouait à l'extérieur. Mon jeune frère

Ben, venu de Boston, s'était rangé du côté de Dana et de Chuck : à eux trois, ils parvinrent à calmer ma mère.

Dana continuait à s'occuper de tout, discutant avec mon agent, Scott Henderson, et mon attachée de presse, Lisa Kasteler, tous deux de bons amis. Harcelée par les médias qui réclamaient n'importe quel petit bout d'information, elle ne se sentait pas prête à les affronter. C'est donc Ben qui tint une petite conférence de presse, le lendemain de mon opération. Pendant toute cette période, Dana ne dormit que deux heures par nuit et je ne sais comment elle réussit à tenir. Probablement grâce et à cause de Will, à qui elle tentait d'épargner le spectacle de la désolation peinte sur tous les visages. Sa force intérieure, sa capacité à faire face continuent de m'étonner. Will allait avoir trois ans le 7 juin ; mon opération eut lieu le 6. Dana lui organisa un anniversaire, avec un clown et des tas de gens adorables de Virginie que l'enfant n'avait jamais vus auparavant. Il s'amusa beaucoup et passa une journée merveilleuse. Plus tard, lorsque je regardai la bande vidéo, je ne pus retenir mes larmes : de le voir fêter son anniversaire sans moi m'était insupportable. Il aurait dû être à la maison avec tous ses amis, les voisins, la famille, nous aurions dû être ensemble tous les trois et nous embrasser au moment où il ouvrait ses cadeaux...

Le personnel de l'hôpital fut incroyablement gentil avec nous. Le Dr Jane nous offrit l'hospitalité dans sa propre maison à Charlottesville, et Becky Lewis, la directrice de l'hôpital, proposa de nous laisser son appartement. Parfois, lorsque Will venait en visite, les infirmières lui prêtaient leur stéthoscope ou lui donnaient des gants de caoutchouc à gonfler pour faire des ballons. L'équipe médicale ne perdit jamais patience devant les innombrables et incessantes questions de ma famille et de mes amis.

Nous disposions de toute une aile de l'hôpital et l'administration ne nous fit jamais rien payer pour le personnel de sécurité ou les chambres supplémentaires. Nous avions installé dans l'une d'elles un bureau avec fax et téléphone, ce que nous appelions la salle du courrier car la pièce débordait de milliers de missives provenant du monde entier. Des cartons pleins de lettres non ouvertes s'empilaient dans le couloir. Une autre chambre devint celle de Dana (Will dormait dans un hôtel proche avec mes parents).

Ma famille ne manquait de rien : le réfrigérateur était en permanence bourré de ce qu'apportaient les amis. Il y avait un espace salon que Will adorait car on y avait vue sur les trains de marchandises, les atterrissages et les décollages de l'hélicoptère médical mais Dana détestait le ronflement du *Pégase* qui amenait blessés et malades à l'hôpital.

Les jours précédant l'opération, j'eus de nombreuses visites. Helen et Chuck Morosini furent les premiers à venir me voir : sitôt la nouvelle de mon accident, ils laissèrent tout tomber, voyagèrent toute la nuit et arrivèrent à l'hôpital le dimanche matin à 9 heures. Gregory Mosher fut aussi l'un des premiers visiteurs : il produisait le film *American Buffalo* avec Dustin Hoffman, dans le Rhode Island. Bien que notre amitié remontât à mes années d'études à Juilliard, nous nous étions entre-temps perdus de vue. Cependant lorsqu'il entendit à la radio la nouvelle de mon accident, il sauta dans le premier avion pour la Virginie : je fus surpris et extrêmement ému de sa visite.

À ce moment, je commençais à être moins dopé donc plus apte à communiquer. Mes parents, divorcés depuis de longues années, étaient tous deux auprès de moi, mon demi-frère Jeff Johnson était venu du Vermont, mon adorable tante Annie Childs, la plus jeune sœur de mon père, ma grand-tante Hellie, magnifique octogénaire, Scott Henderson... tout le monde était là.

Plus le jour de l'opération approchait, plus j'avais peur. Malgré les efforts de tous pour m'épargner la vérité, je savais que j'avais seulement une chance sur deux de survivre à l'intervention. Et j'étais cloué sur ce lit d'hôpital, figé, en proie aux pensées les plus noires...

En un moment particulièrement sombre, la porte s'ouvrit à la volée et un type courtaud fit irruption ; il portait une espèce de mauvais chapeau bleu râpé, une blouse jaune de chirurgien, des lunettes et s'exprimait avec un fort accent russe, clamant qu'il était proctologue et devait m'examiner sur-le-champ ! Ma première réaction fut de penser que j'avais dépassé les doses de médicament, ou que j'avais réellement une lésion cérébrale. La vérité était plus gaie : c'était Robin Williams. Sa femme Marsha et lui s'étaient matérialisés on ne sait comment. Et pour la première fois depuis l'accident, je me mis à rire : mon vieil ami m'avait fait comprendre que, d'une manière ou d'une autre, j'allais m'en sortir.

Nous passâmes beaucoup de temps ensemble : il m'affirma qu'il était prêt à tout, qu'il ferait n'importe quoi pour moi. Et je pensais à ma chance d'avoir non seulement Dana et les enfants mais aussi des amis fidèles et sûrs comme Robin et Gregory. Peut-être, après tout, cela irait-il ? Peut-être cela valait-il le coup d'en prendre le pari ? Bien sûr, la vie serait très différente, mais je pouvais encore rire, il y avait toujours de la joie.

Un jour, la famille était réunie presque au complet dans la salle du courrier, occupée à trier des piles de lettres. Will, qui jouait sur le sol, leva les yeux et dit : « Maman, papa ne peut plus bouger les bras.

— C'est exact, lui répondit Dana, papa ne peut plus bouger les bras.

— Et papa ne peut plus courir.

— C'est vrai, il ne peut plus courir.

— Et papa ne peut plus parler.

— C'est vrai, il ne peut plus bien parler maintenant, mais il le fera plus tard. »

Will marqua une pause, fit une grimace de concentration et éclata de joie : « Mais il peut encore sourire ! » Ils lâchèrent tous ce qu'ils faisaient pour se regarder avec émotion.

D'autres membres de la famille arrivèrent, ainsi que d'autres amis. Mon demi-frère Mark et sa femme Tracy, de l'Oregon ; mon demi-frère Brock et sa femme Polly du Massachusetts. Adrienne, la sœur de Dana, vint de Cape Cod pour la soutenir et l'aider à s'occuper de Will. Je découvris ainsi autour de nous énormément d'amour, de celui qui n'attend qu'une occasion pour se manifester. Je ne m'en étais jamais rendu compte auparavant : j'avais plutôt tendance à préserver mon intimité, à garder mes émotions pour moi, à tenir les gens éloignés.

Au bout de dix jours en réanimation, j'étais maintenant prêt pour l'opération. J'avais les bronches dégagées et l'on pouvait envisager de me laisser allongé sur le ventre pendant sept heures d'affilée sans que je m'étouffe ou que je suffoque. L'une des grandes préoccupations de l'équipe chirurgicale était de savoir comment me retourner sur le ventre sans m'endommager davantage la moelle épinière. Finalement, le Dr Henson me tint la tête pendant que dix personnes me retournaient avec d'infinies précautions. On me déposa sur une table où l'on avait découpé un trou pour que s'y encastre mon visage. Et pendant huit heures, toute une équipe travailla patiemment à me rabouter.

À l'époque, je ne savais pas que j'étais le premier à subir ce genre d'intervention : le Dr Jane devait me rattacher la tête à la colonne vertébrale, en évitant bien entendu de m'endommager le cerveau, tout en me donnant la possibilité de bouger. Il réalisa une sorte de laçage en passant de petits fils de métal sous les deux lames (la partie postérieure des vertèbres), ajusta les corps vertébraux de C1 et C2 avec de l'os prélevé sur la hanche et, enfin, consolida le tout par une tige de titane recourbée en forme de fer à cheval qu'il fixa aux fils métalliques. Enfin, il me perça dans le crâne deux trous par lesquels il passa et fixa les fils de métal : en gros, il me replaça la tête sur les épaules.

Un an plus tard à peu près, quand il vint me voir à Bedford, je lui racontai comment, au centre de rééducation, j'avais eu tout le temps de regarder à quoi ressemblaient un squelette et une colonne vertébrale, de feuilleter des livres d'anatomie et de lire le compte rendu de l'intervention. « Vous avez fait un miracle ! Je voudrais vous remercier de m'avoir redonné la vie ! »

Cependant, je suis bien content de ne pas avoir su d'avance ce que les chirurgiens prévoyaient de faire, de ne pas en avoir mesuré le danger. Par exemple, lorsqu'ils fixèrent la tige de titane, leurs outils passèrent et repassèrent à un millimètre du tronc cérébral : s'ils l'avaient touché, c'était la catastrophe. Mais ils firent un parcours sans faute ! Même maintenant, j'ai du mal à croire à la prouesse qu'ils ont accomplie.

À la sortie de la salle d'opération, je ressemblais à un boxeur qui vient d'encaisser une série de directs au visage : j'étais, paraît-il, méconnaissable. Les interventions sur les vertèbres C1 et C2 sont parmi les plus dangereuses : il faut savoir que trente et une paires de nerfs émergent de la moelle épinière dont chacun innerve un segment du corps. Les plus proches du cerveau sont les huit nerfs cervicaux qui conduisent l'information au cou, aux épaules, aux bras et aux mains, puis, à l'intérieur de la moelle épinière, des faisceaux nerveux prennent le relais de ces nerfs jusqu'au cerveau. Avant l'opération, je ne pouvais bouger que la tête : en effet, les nerfs qui commandent les muscles de la tête sortent du tronc cérébral, non de la moelle épinière, et n'avaient pas été touchés lors de l'accident. Un an plus tard, je parvenais à hausser les épaules et à respirer seul pendant de brefs moments, ce qui montrait que les nerfs au niveau de la première, de la deuxième et de la troisième vertèbres cervicales avaient recommencé à fonctionner. En général d'ailleurs, la plupart des patients peuvent raisonnablement espérer recouvrer certaines fonctions et « descendre » de deux étages sous la lésion.

J'en suis à peu près là actuellement. Je pourrais récupérer le mouvement du biceps si les nerfs au niveau de la cinquième vertèbre cervicale se reconnectaient, et une partie de l'usage des mains reviendrait avec ceux de la sixième vertèbre cervicale ; je retrouverais celui du triceps avec ceux de la septième et, avec les nerfs de la huitième vertèbre, d'autres fonctions de la main – notamment celles qui permettent d'utiliser un couteau et une fourchette. Si les nerfs au niveau de la onzième vertèbre dorsale refonctionnaient, je pourrais alors bouger le torse, et le contrôle des hanches et des jambes reviendrait avec les nerfs des cinq vertèbres lombaires. Avec ceux de la région sacrée de la moelle épinière, je pourrais exercer un contrôle intestinal, urinaire, et avoir une activité sexuelle autre que des contractions involontaires.

Tout cela serait possible à condition que d'énormes progrès soient réalisés dans la recherche sur la régénération nerveuse mais, pour le moment, aucun patient atteint au niveau de C1-C2 n'a progressé au-delà de C4. Et pourtant, j'ai beaucoup de chance. Si les secours n'étaient pas arrivés aussi rapidement sur les lieux de l'accident, si le Dr Jane n'avait pas été présent à l'hôpital lorsque j'y ai été admis, si j'avais été opéré par un chirurgien moins brillant, si j'avais eu la même lésion en faisant le concours du Vermont, je n'aurais certainement pas survécu.

Après l'intervention, l'équipe médicale continua d'être aussi prévenante envers Dana, Will et moi. Les infirmières étaient très douces. Je me souviens comment, de leurs mélodieuses voix du Sud, elles savaient trouver le ton juste entre la compassion et la franchise. Un matin, l'une de mes infirmières préférées me fit porter sur la terrasse de l'hôpital pour que je profite du lever du soleil. Pleins de tact, les aides-soignants et les agents de sécurité se tenaient à l'écart pour nous laisser Dana et moi, la main dans la main, regarder le soleil se lever sur Charlottesville.

Ma famille commença de me lire quelques-unes des lettres qui affluaient à l'hôpital. L'accident avait été largement annoncé et commenté. Il y avait des télégrammes de chefs d'État et une lettre de Bill Clinton.

En fait, le président avait téléphoné à l'hôpital quelques jours auparavant pour parler à Dana et lui demander de me transmettre ses vœux de rétablissement. Dana se trouvant à ce moment-là au service de réanimation ne pouvait en sortir pour répondre à l'appel. Elle fit donc demander à Bill Clinton s'il pouvait rappeler cinq minutes plus tard. Là-dessus, le téléphone – le seul de notre étage – sonna : c'était ma demi-sœur Alison qui appelait d'Albuquerque. « Bonjour, lui dit Dana, je suis contente que tu appelles, mais je ne peux pas te parler maintenant, j'attends un appel du Président. » Sans se laisser démonter, Alya enchaîna : « C'est formidable, c'est génial. Alors, comment va Toph ? Et que se passe-t-il ? Que disent les médecins ? » etc. Dana ne cessait de lui répéter qu'elle devait libérer la ligne car le président Clinton allait téléphoner mais Alya était très inquiète et ne voulait pas raccrocher. Cinq minutes passèrent, puis dix et le président des États-Unis ne parvint jamais à joindre Dana. Finalement il abandonna et retourna diriger le pays.

Il m'écrivit cependant une lettre et depuis lors, Hillary et lui n'ont jamais manqué de nous envoyer leurs vœux, leurs encouragements ou de me souhaiter mon anniversaire. Et chaque fois que nous avons eu à appeler la Maison-Blanche, nous avons obtenu beaucoup plus facilement la communication que lui ne l'avait pu en Virginie.

D'autres vœux arrivèrent d'Angleterre, d'Australie, de partout, de personnes que je connaissais depuis l'école primaire, ou auxquelles je n'avais pas pensé depuis des années, ou bien encore dont j'ignorais qu'elles puissent me porter le moindre intérêt. Nous reçûmes ainsi plus de quatre cent mille lettres ! Les gens sont étonnamment gentils.

Je suis particulièrement redevable à ma tante Annie. Après l'opération, je maigrissais à vue d'œil : je n'avais aucun appétit, et cependant, pour récupérer, il fallait vraiment que je mange. Je n'avais eu à me mettre sous la dent que les fameux petits tampons parfumés et il me fallait maintenant des aliments plus consistants. Depuis mon arrivée à l'hôpital, j'avais perdu quelque sept kilos : on me fit subir un examen pour vérifier que je pouvais maintenant déglutir. Les résultats furent positifs : je pouvais avaler mais la nourriture de l'hôpital ne me disait rien.

Annie et Faye Grant demandèrent alors à un restaurant de me préparer des repas. Le chef fut on ne peut plus accommodant : « J'arriverai tôt, je partirai tard, leur promit-il, et je lui cuisinerai ce dont il aura envie. » Il refusa même d'être payé. Annie et Faye m'apportaient ainsi du poisson ou un plat de pâtes et Annie me donnait à manger.

Je mis du temps à m'habituer à l'idée d'être nourri : c'est très, très dur de ne pas pouvoir s'alimenter soi-même. On n'imagine pas à quel point l'on se trouve dépendre des autres pour tout, boire une gorgée d'eau, se gratter le nez, tout. Il faut du temps pour s'y faire, même si tout l'entourage est très coopératif.

Donc, Annie me nourrissait et chacun à tour de rôle me lisait le courrier. Je recevais d'authentiques marques d'intérêt, d'affection même, d'endroits parfois inattendus. Elles me soutenaient, tout au long de la journée, j'étais porté par ces lettres et cet amour.

Un garde se tenait en permanence à l'extérieur de l'aile où j'étais hospitalisé et quelqu'un restait assis devant la double porte séparant cette aile du reste de l'étage. Dana attendait que Will s'endorme à l'hôtel pour venir me rejoindre au service de réanimation. Elle me parlait, chantait, même si j'étais souvent sous sédatifs. Elle reprenait les chansons que nous avions coutume de fredonner en famille. À cette époque, je m'asseyais au piano avec Will et nous chantions ; Dana, de son beau timbre clair, faisait la seconde voix. Nous avons toujours adoré faire de la musique ensemble.

Dana disposait de très peu de moments à elle ; elle avait constamment affaire à des amis, à des parents, aux médias encore présents en force, répondait à tous les appels amicaux. Le lendemain de l'accident, notre répondeur avait enregistré trente-cinq messages téléphoniques. Elle appela notre homme d'affaires pour s'assurer que tout – testaments, situation financière, assurances – était en ordre. Nous venions de prendre une bonne assurance incluant une clause d'invalidité – ce qui se révéla un choix judicieux nous permettant de toucher de l'argent tous les mois. Nous ne nous doutions pas alors des problèmes d'assurance qui nous attendaient. Dana s'occupa de centaines de détails, alors que nous étions tous dans l'expectative de ce qui allait se passer.

Après l'intervention, le Dr Jane et son équipe vinrent évaluer mon état et déterminer les sensations et les fonctions qui me restaient. Ils me piquèrent avec une épingle, en quête d'une éventuelle réaction motrice, et m'effleurèrent d'un coton-tige pour mesurer mes sensations. Ces tests les aidaient à établir un pronostic sur mon avenir.

Certains médecins pensent que vos facultés après l'opération déterminent grosso modo votre état pour le reste de votre vie. D'autres soutiennent au contraire qu'on peut récupérer six mois, un an, voire dix-huit mois plus tard. Tel chirurgien me raconta qu'un de ses patients s'était soudain mis à bouger le pied cinq ans après l'intervention. La moelle épinière est un tissu si étrange et si imprévisible, les réactions des individus sont si diverses, que deux personnes ayant subi la même lésion peuvent se trouver dans des situations entièrement différentes : j'ai ainsi entendu parler de deux patients souffrant de la même atteinte médullaire, hospitalisés dans la même chambre. L'un remarcha, l'autre jamais. La personne qui me raconta leur histoire en concluait que l'un avait davantage la foi que l'autre. C'est une explication tentante, il est même certain qu'une attitude positive aide énormément à faire des progrès, mais je ne crois pas que la foi seule puisse réparer une moelle épinière endommagée.

Le Dr Jane est un homme extrêmement gentil, presque l'archétype du médecin idéal : une soixantaine d'années, un peu râblé, le visage doux, chaleureux et d'une grande modestie quant à ses compétences. Il s'est montré très bienveillant à mon égard mais il m'a peut-être trop épargné.

J'ai le sentiment qu'il voulait tellement que j'aille bien, que j'aille mieux, que chaque fois qu'il venait me voir après l'opération, il édulcorait un peu la situation, disant que j'étais « incomplet », que je récupérerais probablement encore deux étages. Il affirmait que j'avais de bonnes chances de pouvoir un jour me passer du respirateur car le nerf phrénique (qui contrôle la motricité du diaphragme) n'était pas touché et que le diaphragme n'était pas endommagé. Je me sentais toujours transporté par ces informations, notamment lorsqu'il précisa que je n'avais eu d'hématome qu'au niveau de C2, et uniquement dans la partie gauche de la moelle. Il y existait bien un œdème – ce qui était prévisible – s'étendant jusqu'en C6, C7, mais au fur et à mesure que l'hématome régresserait et que l'œdème se résorberait, je récupérerais de manière significative sensations et fonctions.

Un C2 incomplet signifie que la moelle épinière est intacte et qu'une évolution est possible. Complet, en revanche, signifie qu'il n'y aura pas de récupération ultérieure soit parce que la moelle épinière a été sectionnée, soit parce qu'elle est tellement endommagée qu'on ne peut espérer la sauver. Lorsqu'on est atteint à l'étage de la vertèbre C2, on ne peut rien faire à part bouger la tête et parler ; à l'étage de C3, on respire un peu ; à C4, on respire normalement ; à C5, on dispose de certaines fonctions des bras ; à C6, on commence à utiliser les mains. La première question à poser aux médecins est donc à quel étage de la moelle épinière se situe la lésion. La réponse donne une idée de l'avenir qui attend le patient, dans quel genre de fauteuil il sera, s'il pourra respirer seul ou non… Quand j'ai entendu parler de l'accident de Travis Roy, le hockeyeur, victime d'une lésion médullaire au cours d'un match, j'ai immédiatement demandé à quel étage se situait la blessure : en apprenant que c'était en C4, je me suis dit que c'était formidable, qu'il pourrait respirer.

Mais la définition d'un patient complet ou incomplet a changé lors d'un congrès en 1992. Jusque-là, si la moelle épinière n'était pas sectionnée, le patient était dit incomplet. Depuis ce congrès, le terme incomplet est réservé aux patients qui ressentent une sensation à la base de la colonne vertébrale. Or, je n'en avais aucune.

Néanmoins, le Dr Jane continuait de voir le verre à moitié plein plutôt qu'à moitié vide et ne cessait de m'annoncer de bonnes nouvelles : « Vous avancez, vous allez encore récupérer, vous pourrez vous passer du respirateur ! Vous pouvez bouger un peu les trapèzes, bientôt ce seront les deltoïdes et alors vous pourrez utiliser vos bras, etc. ». Je soupçonnais que le Dr Jane désirait que nous nous sentions mieux tous les deux.

Une nuit, une interne entra dans ma chambre vérifier que j'allais bien. Nous engageâmes la conversation et je lui demandai incidemment : « À propos de cet hématome dans la moelle, quand il sera résorbé, je retrouverai des sensations, n'est-ce pas ? » Et elle me répondit : « Mais vous n'avez aucun hématome dans la moelle ! D'ailleurs vous n'avez presque pas saigné. » Je fus stupéfait et bouleversé. Lorsque, le lendemain, j'interrogeai le Dr Jane, il se fâcha : « Qui préférez-vous croire ? Une interne ou moi ? »

Je ne savais que penser, j'étais comme sur des montagnes russes. À certains moments, je me sentais bien, par exemple lorsque je recevais la visite d'un ami cher, ou lorsque j'étais avec ma famille. Ou encore lorsqu'on me lisait les lettres qui continuaient d'affluer ; j'aimais entendre les gens dans ces lettres.

Cependant le moment arrivait immanquablement où tout le monde devait partir. On me donnait bien un somnifère vers 22 h 30 ou 23 heures, mais ses effets s'estompaient vers 1 heure ou 2 heures du matin. Alors, je me réveillais et je fixais tout, le mur, moi-même, demain, avec incrédulité.

Je ne cessais de penser que j'avais gâché ma vie. J'avais gâché ma vie et on n'en a qu'une. On ne peut pas aller au comptoir et dire : « J'ai perdu celle-ci, puis-je en avoir une autre, s'il vous plaît ? » comme on le ferait d'un cornet de glace. J'avais gâché non seulement ma vie mais aussi celle des autres. Celle de Dana, celle de Will, celles de Matthew et d'Alexandra. Le fardeau allait être énorme à porter, pour tout le monde. Cette blessure n'est pas uniquement la mienne : elle est notre blessure. Toute la famille est frappée. Nous avons tous été détruits par cet accident stupide. Pour un obstacle de rien du tout. Pour je ne sais quelle raison, je n'ai pas baissé les mains pour protéger ma chute, je suis un crétin qui a tout gâché. Pourquoi ne peut-on faire appel ? Pourquoi n'y a-t-il pas une autorité supérieure à qui l'on puisse dire : « Attendez, il y a erreur, vous n'aviez sûrement pas l'intention que cela m'arrive. Pas à moi » ?

Je ne parvenais toujours pas à y croire et j'avais très peur. Une peur qui venait en grande partie de ce que je ne réussissais pas à respirer seul, que j'étais dépendant d'un respirateur. Or, les connections des tuyaux des respirateurs sont pour le moins fragiles. Les infirmières les consolidaient en les entourant de sparadrap, mais cela ne tenait pas toujours très bien. J'étais donc cloué sur ce lit, à 3 heures du matin, dans la crainte du pop, le bruit de bouchon qui saute que produit le tuyau au moment où il se débranche. Et ce pop, je l'ai entendu plusieurs fois. Certes, au bout de deux respirations manquées, une alarme se déclenche, il ne vous reste alors qu'à espérer que quelqu'un va venir très vite, allumer la lumière, trouver le point de rupture et réparer. C'est une sensation épouvantable que je ne peux comparer à rien de connu, même pas à la plongée en apnée car il m'est impossible de retenir ma respiration : lorsque j'expire, il ne me reste plus aucun air dans la poitrine, à l'exception de toutes petites quantités nichées dans les alvéoles, dans les recoins des poumons.

Un individu en bonne santé supporte que la saturation artérielle en oxygène (SAO_2) descende à 70% (la valeur normale est voisine de 100%), ce qui permet au cerveau de tenir quelques minutes. Des minutes très, très angoissantes. Le poste des infirmières n'était pas très éloigné, mais je n'étais jamais sûr de leur vigilance et de plus, elles avaient en charge de nombreux patients. J'étais tout seul dans ma chambre et je ne maîtrisais, je ne contrôlais rien. Ce sentiment d'impuissance était très dur à accepter.

Devenir totalement dépendant des autres réclame une affreuse adaptation. Pendant un mois, je suis passé par tous les sentiments et toutes les humeurs : gratitude, horreur, apitoiement sur moi-même, confusion, colère. L'une des médecins de l'hôpital était le fléau de mon existence. Elle faisait irruption dans ma chambre à n'importe quelle heure du jour et de la nuit pour tester ma sensibilité : et je m'aperçus que je ne sentais absolument rien au-dessous des trapèzes, juste à côté des muscles du cou. Elle me parlait aussi à la troisième personne. Un jour, je n'ai plus pu le supporter et me suis mis à hurler : « Allez vous faire foutre ! Je suis un homme de quarante-deux ans ! Soit vous me traitez comme tel, soit vous ne remettez plus les pieds dans cette pièce ! » Cela la calma un peu. Je sais qu'elle ne me voulait pas de mal mais elle aggravait mon sentiment de désespoir, de malheur, d'humiliation et de honte.

Aussi étrange que cela paraisse, je ressentais en effet de l'humiliation et de la honte. Ce sont des sentiments qui ont d'ailleurs tendance à me submerger lorsque quelque chose va vraiment mal dans ma vie. Lors de mon premier vol transatlantique, un contrôleur radar du Groenland releva et me transmit une vitesse au sol erronée, il avait mal lu le chiffre sur son écran. Cependant son ton professionnel était si convaincant que je ne remis pas un instant en cause ce qu'il affirmait : si son information était exacte, j'étais bon pour tomber en panne sèche à trois cents kilomètres à l'ouest de l'Islande et m'écraser dans l'océan en pleine nuit. Je m'attendais absolument à mourir et ma première pensée fut : j'ai fait une idiotie et cela va être très gênant pour les autres.

J'eus la même réaction lors de cet accident de cheval : « Comme c'est gênant ! » Je me souviens que pendant les années Superman je plaisantais souvent sur mon obligatoire prudence, car je ne voulais pas lire à la une du *New York Post* un titre du style : « Superman renversé par un autobus ». J'étais humilié, gêné de cet accident.

Comment avais-je pu le laisser arriver ?

Et maintenant j'avais honte que mon corps flanche : les médecins pouvaient bien me tester dans tous les sens, je savais. Ils ne parvenaient qu'à augmenter mon malaise.

Un jour, ma belle-mère Helen, la femme de mon père, entra dans ma chambre une lettre à la main. Elle a toujours les meilleures intentions du monde et je l'aime beaucoup mais la lettre provenait d'un homme qui avait eu, comme moi, une lésion en haut de la colonne vertébrale et me racontait par le menu tout ce qu'il pouvait faire. Il ajoutait qu'il aimait vraiment son fauteuil roulant, la camionnette qui le transportait et qu'il pouvait utiliser quinze heures d'affilée son respirateur sans avoir à en changer les bouteilles ! Sur un ton involontairement condescendant, elle commenta : « Tu vois, tu as encore beaucoup de possibilités, il y a tellement de choses que tu peux faire ! » Je me mis en colère et la priai de sortir. Je n'étais pas prêt à entendre cela, je n'avais pas encore accepté l'idée d'être un tétraplégique, j'étais dans la phase de refus, persuadé d'être victime d'une erreur. D'une minute à l'autre, quelqu'un allait apparaître et me dire : « Désolé, vous n'êtes pas la bonne personne, on s'est trompé avec un autre. Ce n'est pas vous, vous êtes libre. »

Quant aux visites de la famille, elles étaient parfois pénibles, parfois formidables. J'étais souvent de mauvaise humeur car certains de mes parents parlaient à la presse sans me consulter auparavant. Et puis, apparut un désaccord sur la suite, sur l'endroit où aurait lieu ma rééducation, ce qui fut une période stressante. Je devais m'habituer à tant de choses désagréables !

Le service de réanimation comportait évidemment des kinésithérapeutes. Une semaine environ après l'intervention, ils commencèrent à me stimuler très légèrement les muscles du cou par pression isométrique, alors que j'étais encore en permanence dans ma minerve.

Puis vint le supplice qui consistait à me redresser. Je devais tout d'abord porter des bas spéciaux, des sortes de bas de contention montant au-dessus du genou et que je détestais : j'avais l'impression de porter des bas de vieille dame. De nouveau, j'avais le sentiment d'être un étranger en moi-même. Après quoi on m'enroulait des bandes Velpeau par-dessus les bas et une sorte de gaine autour de la poitrine. On me glissait alors sur un fauteuil roulant qu'on redressait très lentement, en vérifiant sans cesse ma tension artérielle, mon organisme étant si faible que lorsque je n'étais plus en position allongée, mon sang avait du mal à arriver jusqu'au cœur. Puis on me roulait jusqu'à la salle du courrier ou une autre petite pièce aménagée pour les visiteurs. Je pouvais regarder les arbres par la fenêtre, un joli panorama qui me changeait de la vue du plafond de ma chambre.

Les journées étaient à peu près tolérables mais les nuits demeuraient horribles. Les démons continuaient de me poursuivre. Je me torturais, en proie à la terreur et à l'auto-accusation. Je n'ai jamais su appeler une infirmière pour lui dire : « Je suis seul et triste. » Je supposais qu'elles avaient d'autres occupations plus importantes. Cloué sur ce lit, le souvenir m'est souvent revenu d'une fête foraine dans le New Jersey, quand j'étais enfant. L'une des grandes attractions était « l'homme dans la boîte » : un type enfermé dans une caisse en bois ensevelie à près de deux mètres sous terre respirait par un tube qui émergeait à la surface. Le ticket d'entrée donnait le droit de le regarder à travers une petite vitre. Tout ce qu'on pouvait voir était son visage. Les seuls signes de vie étaient ses yeux qui vous fixaient ou qui, de temps en temps, cillaient. À la sortie, on pouvait inscrire son nom et son adresse sur une carte et parier sur le temps qu'il tiendrait enfermé.

Lorsque finalement je parvenais à m'endormir, j'étais de nouveau indemne : je pouvais sortir, accomplir des choses merveilleuses. De nouveau je montais à cheval, j'étais avec Dana et Will, ou bien je jouais une pièce de théâtre. Et puis soudain, je me réveillais et je regardais l'écran dans l'angle de ma chambre, en haut à droite, où s'affichaient les graphiques de mes fonctions vitales : fréquence cardiaque, tension artérielle et saturation artérielle en oxygène (SAO_2). Et je gisais là, éveillé, le regard rivé à l'écran. Des petits points rouges qui défilent. Au dessous, une petite courbe bleue qui ondule. Très jolies couleurs. Et je me disais que j'étais enchaîné à tout cela, que je ne pouvais pas m'en libérer. Je suis enchaîné. Je suis échoué. Je ne pourrai plus jamais piloter un avion, faire de la voile, monter à cheval, skier, faire l'amour avec Dana, lancer une balle à Will, je ne pourrai plus faire une seule putain de chose ! Je ne fais qu'occuper de la place.

Il est 3 heures du matin et il n'y a rien à faire. Une infirmière entre pour m'aspirer. Et voilà qu'il me faut encore endurer cette souffrance pour retirer le liquide de mes bronches. Au moins, cela fera passer vingt minutes. Tôt ou tard, d'une manière ou d'une autre, le matin va venir. Non, il n'arrivera jamais. Il n'est encore que 4 h 15. Pourquoi y a-t-il une horloge sur le mur ? On devrait l'enlever. Le temps ne signifie rien, il mesure seulement les intervalles entre les aspirations et les moments où l'on me retourne pour éviter les escarres. Je ne veux pas regarder la télévision, il n'y a rien à la télévision, je ne vais sûrement pas perdre mon temps à regarder un film idiot à 4 heures du matin, particulièrement si j'y joue.

J'avais peur qu'on ne change la position du lit et que je ne puisse plus voir le moniteur de fréquence cardiaque et de saturation artérielle en oxygène. J'étais terrifié dès que le niveau descendait au-dessous de 97%. Je me disais que si la SAO$_2$ baissait, je ne pourrais plus respirer, que j'allais mourir. Ils ne vont pas venir me tirer de là, ils ne peuvent rien faire pour moi. Mes pensées, que je ne contrôlais plus, devenaient de plus en plus paranoïaques.

Quand j'étais enfant, j'avais deux héros : Houdini et Charles Lindbergh. Lindbergh parce qu'il a accompli un exploit alors que tout était contre lui. Armé de quelques sandwiches au thon et d'une détermination absolue, il vola trente-trois heures au-dessus de l'océan. Imaginez-vous demeurant en éveil et pilotant un avion sans arrêt pendant trente-trois heures ! En 1927, ma grand-mère avait passé un an à Paris avec les Annenberg. Le jour de l'arrivée de Lindbergh, ils étaient allés au Bourget en voiture et avaient ramené le pilote chez eux. Elle avait vu Lindbergh, l'avait touché. Je me disais que c'était cela un héros. Il avait vaincu les limites du corps humain, les caprices du temps.

Et puis, il y avait Houdini. On lui passait une camisole de force et, en se contorsionnant les épaules, il parvenait à en sortir. Au milieu de la nuit, parfois à 3 heures du matin, je m'imaginais que j'étais moi aussi dans une camisole, tout entier emprisonné. Et je ne peux pas bouger. Je ne peux pas me contorsionner les épaules. Il n'y a pas de truc, aucune clef, rien que je puisse faire avec mon corps. Je suis juste étendu sur ce lit, fixant le moniteur.

J'essayais en vain de me rendormir et la sarabande des tourments reprenait. Elle démarrait toujours par : « Ce ne peut être moi » ; puis venait le « Pourquoi moi ? » et : « Il y a forcément une erreur » Pour finir par : « Mon Dieu, je suis piégé, emprisonné ! Pour la vie. Je suis coincé, je ne m'en sortirai jamais. Je ne survivrai pas. Je ne peux rien faire. Je ne peux pas me tenir debout, bouger. Je suis pitoyable. Qu'est-ce que je vais faire de moi ? J'ai quarante-deux ans et aucune perspective. Je ne vais être qu'un cas dont on s'occupera par pure charité. »

Alors, surgissait la supplique désespérée : « Qu'on me libère ! S'il vous plaît, libérez-moi ! »

J'ai déjà dit qu'une lésion des vertèbres C1 et C2 ressemble à une pendaison et je me souviens de m'être fait la remarque que si l'on survit à une pendaison, on vous libère. Le bourreau n'essaie qu'une seule fois ; on ne vous relève pas de terre pour vous repasser la corde au cou. Je commençais à être influencé par ces pensées mélodramatiques. Mon esprit me précipitait dans toutes sortes de scènes et d'idées absurdes : si seulement j'avais pu utiliser de manière productive toutes ces heures, entre 2 heures et 7 heures du matin ! Mais je ne le pouvais pas, j'avais déjà du mal à les affronter, j'essayais de focaliser mon attention sur tout l'amour et le soutien que je recevais. Pourtant, la plupart du temps, je me disais : je me fiche pas mal qu'on m'aime ou pas, ce que je veux, c'est marcher ! Je donnerais toute cette affection pour monter un escalier ! Lorsqu'ils se battent pour survivre, le corps et l'âme peuvent être très égoïstes. On se dit : je me fiche du reste du monde, moi d'abord ! Ce qui m'arrive n'est pas juste.

Cet égoïsme fait probablement partie des mécanismes de survie, ce « moi, moi, moi » est une première réaction inévitable. Puis on évolue vers des pensées plus nobles, on change sa manière de penser. Certains trouvent une réponse dans la religion, dans la foi. J'ai essayé mais cela n'a pas marché. Je ne suis pas religieux mais je me suis dit que je devais lier rapidement une relation avec Dieu sinon j'étais perdu. Certaines nuits je priais, mais je me faisais l'effet d'un horrible simulateur, comme si j'étais en représentation, comme si cette prière n'était pas authentique, ne venait pas du plus profond de moi. Mon ami Bobby Kennedy m'a dit un jour : « Fais semblant jusqu'à ce que tu y arrives. Même si, au début, les prières te paraissent factices, à un moment donné elles deviendront réelles. Et ta foi aussi sera réelle. » Je commençais à penser que l'existence ou l'inexistence de Dieu n'avaient pas tellement d'importance, la spiritualité, la croyance qu'il existe quelque chose qui nous dépasse, est suffisante.

Dana traversait la même phase que moi. Elle a été élevée dans la religion catholique mais n'en acceptait pas le côté formaliste. Après mon accident, elle lut *When Bad Things Happen to Good People* (« Quand des choses affreuses arrivent aux gens bien »), le livre du rabbin Harold Kushner dont le fils était atteint de progérie, le nanisme sénile, une maladie épouvantable dont les victimes vieillissent à toute vitesse et meurent à l'adolescence. Voilà un homme de Dieu, qui servait Dieu, et ne pouvait se résigner à ce que cela lui arrive à lui. Il parvenait cependant à une conclusion avec laquelle tous les deux, Dana et moi, étions d'accord : ce n'est pas Dieu qui fait que ces choses arrivent. Nous avons tous un libre arbitre et toute chose obéit aux lois de la Nature. Si vous passez par-dessus la tête d'un cheval, vous pouvez très bien vous rompre le cou, cela arrive, c'est tout. Il ne faut y voir aucune volonté divine. En revanche, Dieu intervient et Sa grâce entre en jeu dans la force que vous trouverez pour affronter ce drame. Une énorme puissance est au travail, même si vous ignorez d'où vient cette puissance.

Parfois, vous découvrez que vous essayez de réagir le mieux possible, de la manière la plus généreuse. Je pense que le vieil adage « Dieu est amour » est littéralement vrai, qu'on soit croyant ou non en Dieu. Cette certitude m'aida à passer le cap du « moi, moi, moi » : mon corps, mes problèmes, mon état, moi.

Trois semaines après l'opération, il fallut donc se mettre à penser à la rééducation, choisir un endroit. Les gens m'avaient dit – et j'étais d'accord – que la qualité des équipements était certes importante mais qu'il était encore plus important d'être près de ceux qu'on aime, amis et famille. Cela désignait tout naturellement le Kessler Institute for Rehabilitation de West Orange, dans le New Jersey. La plupart de ma famille vit à une distance raisonnable de ce centre : ma mère habite à Princeton, Dana et Will sont à Bedford, à seulement une heure de route. Presque tout le reste des membres de ma famille vit en Nouvelle-Angleterre, sauf mon demi-frère Mark et de ma demi-sœur Alya qui habitent respectivement l'Oregon et le Nouveau-Mexique.

Fin juin, le Dr Marcia Sipski, directrice de l'unité médullaire de l'Institut Kessler, et le Dr Doug Green, pneumologue, vinrent à l'hôpital voir si j'étais prêt pour la rééducation. Le Dr Sipski me piqua un peu partout avec son épingle : je sentais quelque chose sur les épaules mais c'était à peu près tout. J'avais une petite sensibilité sous le pied gauche : lorsqu'on me massait profondément, je parvenais à le sentir. Autrement, rien. Je ne sentais réellement rien au-dessous des omoplates.

Le Dr Sipski m'annonça qu'elle devait vérifier si j'étais complet ou incomplet. Ainsi resurgissait cette question ; elle n'avait donc jamais été vraiment tranchée. Je lui dis qu'on m'avait déclaré incomplet, mais elle me rétorqua qu'elle devait se faire sa propre opinion. Elle m'introduisit un tube rectal que je ne sentis même pas : je ne sentais absolument rien. « Bien, laissa-t-elle tomber alors, vous êtes un C2 complet. »

Ce verdict m'anéantit. Comment le Dr Jane et les autres médecins de l'hôpital avaient-ils pu me dire et me répéter que j'étais incomplet, que j'allais « descendre », récupérer l'étage C4, que je n'aurais plus besoin du respirateur, que mon nerf phrénique fonctionnait ? Certes, il fonctionne, mais il ne fait rien. Il est peut-être intact mais il ne travaille pas. Être intact et travailler sont deux concepts totalement distincts.

De nouveau, je sombrais. J'étais perdu, perplexe, effondré. Les démons reprenaient leurs attaques avec encore plus de férocité – j'étais désespéré, la situation sans issue, j'étais ligoté dans une camisole de force et je n'étais pas Houdini, je n'étais pas magicien. J'avais été trahi. Toutes ces gentilles personnes m'avaient torturé de mensonges avec leurs douces voix du Sud. Parfois, même, je pensais qu'il était inutile d'aller en centre de rééducation. Qu'on me parque dans un coin ! Si quelqu'un veut me parler, il saura bien où me trouver car je passerai mes jours immobile devant la fenêtre !

Ainsi allait la vie. Des pensées de peur, des pensées sereines, spirituelles, morbides, des pensées d'apitoiement, des pensées pathétiques. Je sentais que le Dr Sipski disait la vérité, pourquoi tous les autres continuaient-ils à me mentir ? Me croyaient-ils incapable de regarder la vérité en face ? Ou était-ce simplement trop douloureux pour eux d'envisager que j'étais un C2 complet ? Je ne parvenais pas à comprendre. Le Dr Jane continuait de tenir son même discours : il venait me voir, toujours radieux, me tapotait l'épaule en disant « Je pense que vous allez bientôt récupérer une partie de vos deltoïdes. Et si vous les récupérez, vous pourrez bouger le bras. C'est aussi le signe que quelque chose fonctionne à l'étage de C4, donc vous allez pouvoir respirer. » Je le regardais mais je ne pouvais pas l'affronter, j'étais vraiment coincé dans un dilemme.

Les lettres que je recevais prenaient d'autant plus d'importance. L'une d'elles venait de Deborah Huntington, notre voisine de Princeton lorsque nous étions petits. Comme il n'y avait pas beaucoup de garçons dans le voisinage, nous avions recruté Deborah et ses sœurs pour jouer au base-ball. Elle m'écrivit une lettre de cinq pages pour me rappeler cette période, comment je faisais de spectaculaires reprises hors jeu, lançant la balle par-dessus la haie du jardin d'à côté. Elle me disait aussi qu'à l'époque je l'intimidais, et qu'elle me considérait comme une espèce de héros du quartier.

Je recevais des lettres de camarades de Cornell, ou d'un copain d'école à Juilliard ; beaucoup de messages de gens placés dans une situation similaire à la mienne et qui m'encourageaient à me battre. Je reçus une longue missive compatissante d'une femme qui me confiait s'identifier avec moi étant donné que, des années durant, elle avait souffert d'indigestion chronique. Certains me racontaient leur scène favorite dans un film ou une pièce dans lesquels ils m'avaient vu jouer, d'autres se rappelaient m'avoir vu sur scène à Williamstown ou à Broadway. Toutes ces lettres étaient vitales pour moi. J'avais besoin de soutien, j'avais besoin de positif. Je demandais à Dana : « Lis m'en une autre, emmène-moi ailleurs. Fais-moi retourner en arrière et revivre ce temps où je pouvais faire des choses ! »

Et puis, il y avait des lettres qui m'assuraient que j'allais passer par une période très morbide, d'apitoiement sur mon sort. « Mais tenez bon, vous en sortirez. Et vous verrez qu'il y a une vie possible. » Je n'arrivais pas à le croire, surtout après ce que m'avait dit le Dr Sipski à propos des patients complets. En partant, elle avait ajouté : « Nous ferons ce que nous pourrons. »

Tout ce que je pouvais espérer, c'était d'apprendre à manœuvrer un fauteuil roulant avec la bouche. Et peut-être un ordinateur avec la voix.

Mais lentement, j'ai remonté la pente, comme on le fait quand on plonge en eau profonde. Progressivement, j'ai cessé de me poser des questions sur la vie que je menais et commencé à envisager celle que je pourrais avoir, celle que je pourrais construire. Y avait-il une manière de me rendre utile, de servir à quelque chose, peut-être à des gens dans ma situation ? Existait-il une manière d'être de nouveau créatif ? Une façon de retravailler ? Et par-dessus tout, y avait-il une façon d'exister pour Dana et Will, Matthew et Alexandra, d'être de nouveau un mari et un père ? Je ne trouvais aucune réponse, mais cela m'aidait de me poser ces questions.

Quelqu'un, que je ne connaissais pas, m'avait envoyé une carte postale d'un temple maya au Mexique, la pyramide de Quetzalcoatl. Des centaines de marches menaient au sommet. Au-dessus du temple, dans le ciel bleu, flottaient des nuages. J'avais fait coller cette carte postale au pied du moniteur, là où je pouvais toujours la voir. Et j'en fis le symbole de mon avenir. Même lorsque je regardais les chiffres glacés défiler sur l'écran, je m'imaginais gravissant ces marches, une par une, jusqu'à atteindre le sommet et le ciel.

Chapitre 3

« Tu es encore et toujours toi, et je t'aime. » Cette simple petite phrase de Dana était beaucoup plus qu'une déclaration de fidélité et de dévouement. C'était la preuve, la confirmation que l'essentiel restait le mariage, la famille, que tant que les nôtres demeuraient intacts, mon univers le restait aussi. Beaucoup de gens l'ont su toute leur vie, pas moi. Depuis ma petite enfance et jusqu'à ma rencontre avec Dana, à près de quarante ans, je n'ai pas cru au mariage, bien que j'aie toujours eu envie d'une famille. J'avais grandi déchiré entre deux familles qui ne m'avaient semblé, ni l'une ni l'autre, sécurisantes. D'où un farouche sentiment d'indépendance, qui comportait d'ailleurs beaucoup d'aspects positifs. Pourtant, je ne pouvais m'empêcher d'envier ces foyers où régnaient la communication, le respect, l'amour, et qui offraient à leurs enfants une base solide pour partir dans la vie.

Je suis né le 25 septembre 1952, au Lenox Hill Hospital de New York. Mon père, le poète et universitaire Franklin d'Olier Reeve, était à l'époque étudiant à Columbia, et travaillait à une maîtrise de russe. Ma mère, Barbara Pitney Lamb, était de son côté étudiante à Vassar, qu'elle quitta, juste avant son mariage en novembre 1951, pour l'Université de Barnard. Au début de leur mariage, mes parents vivaient à Prince Street, dans le centre ville et le matin, mon père prenait le métro pour aller à Columbia. Ils déménagèrent rapidement pour un rez-de-chaussée de la 88ᵉ rue Est, près de l'East River. Notre immeuble était proche de la station des marins-pompiers. On m'avait offert un petit camion de pompiers à pédales au volant duquel je sillonnais la cour derrière la maison, en actionnant la cloche. Je me souviens aussi du trajet cahotant en poussette, pour aller au parc regarder les bateaux de la brigade fluviale.

Mon frère Benjamin, lui, naquit en octobre 1953. Nous n'avons donc qu'un an et onze jours d'écart : mon père et son plus jeune frère Richard avaient la même différence d'âge et le même type de problème, l'aîné qui fait tous les essais est souvent le préféré. Lorsque nous étions tout petits, nos parents nous habillaient de la même façon. Plus tard, le fait qu'on ne pouvait nous reconnaître qu'à la couleur de nos moufles, moi portant les bleues et Ben les rouges, devint un sujet de plaisanterie. Je pense qu'aujourd'hui la plupart des parents ont pris conscience du besoin qu'éprouve chaque enfant de trouver son identité, mais au début des années 1950, on avait encore tendance à mettre frères et sœurs dans le même sac, notamment les jumeaux ou les enfants très rapprochés. On nous surnommait Tophy et Beejy. Je me souviens avoir très tôt voulu me différencier de mon frère ; Ben aussi je pense.

Mes parents s'étaient rencontrés pendant les vacances de Noël de 1950, rencontre qui eut pour origine des circonstances familiales inhabituelles. Mahlon Pitney, l'oncle de ma mère, avait en effet épousé la mère de mon père, Anne d'Olier Reeve après son divorce d'avec Richard Reeve Sr.

Mahlon et Anne invitèrent ma mère et ses parents, Horace et Beatrice Lamb, à passer les fêtes de fin d'année à Basking Ridge dans le New Jersey. Ma mère n'avait pas particulièrement envie d'y aller jusqu'à ce qu'Horace lui apprenne qu'Anne avait deux fils de son premier mariage, Franklin et Richard Reeve Jr, tous deux de brillants et séduisants étudiants. Franklin lui plut tout de suite. Ils étaient en train de décorer le sapin dans le grand salon quand Franklin prit une boule sur une branche et, pour la taquiner, la lança à ma mère laquelle riposta aussitôt avec une autre qu'elle lui lança à son tour. Le jeu dégénéra immédiatement en bataille générale de boules de Noël.

Ils passèrent ensemble la plus grande partie des vacances. À peine était-elle de retour à Vassar que mon père l'appela pour lui demander s'il pouvait venir la voir le week-end suivant. Elle était à la fois excitée et un peu réservée devant l'intensité de l'intérêt que lui portait Franklin. C'était là un trait du caractère de mon père, dont j'ai d'ailleurs hérité : il avait une manière obsessionnelle de poursuivre un objectif. À l'époque, mon père était un vrai romantique, prompt à se passionner aussi bien en politique qu'en amour. S'il avait un centre d'intérêt, il y consacrait toute son énergie, au moins pour un temps. Il fit une cour passionnée à ma mère, fonçant sur la route de Columbia à Vassar presque tous les week-ends pour la voir. Ils faisaient de grandes promenades le long de l'Hudson ou flânaient dans les cafés proches du campus. La boîte à lettres de ma mère fut rapidement encombrée de ses poèmes et de ses lettres d'amour.

Pendant l'été 1951, ma mère partit pour l'Europe avec quelques camarades de fac. Mon père souhaitait vivement participer à ce voyage mais Horace et Beatrice s'y opposèrent fermement, pensant probablement que leur fille était trop jeune pour une telle histoire d'amour. À la place du voyage, Franklin passa l'été sur les docks du West Side, à battre le pavé chaque matin en espérant être embauché pour décharger les cargos bananiers. C'est de cette époque que date son intérêt pour le mouvement ouvrier et le socialisme.

De son côté, Franklin venait d'une grande famille de Philadelphie. Son grand-père, le colonel Richard Franklin d'Olier, fut PDG de la compagnie d'assurance Prudential pendant plus de vingt-cinq ans. L'argent n'était pas un problème chez les d'Olier et tous avaient fréquenté les meilleurs écoles et collèges de l'Est. Quant à la branche maternelle de ma famille, mon grand-père, Horace Lamb, était originaire d'une famille ouvrière de l'Ohio. Il devint l'un des principaux associés d'un gros cabinet d'avocats de New York. C'était la parfaite incarnation du *self made man*. Je pense qu'il n'approuvait guère le fait que mon père, jeune et riche diplômé de Princeton, jouât les ouvriers.

Malgré les longues heures passées sur les docks, Franklin trouvait toujours le temps d'envoyer des lettres passionnées à ma mère, aux bureaux d'American Express en Europe.

Quand le bateau du retour accosta à New York début septembre, mon père l'accueillit sur la jetée avec une bague de fiançailles. Passant outre aux objections de mon grand-père, ils se marièrent à l'église presbytérienne de New Canaan, le 23 novembre 1951. Barbara avait dix-neuf ans et Franklin vingt-trois.

Dès ma naissance, un fossé commença de se creuser entre mes parents. Franklin s'éloignait peu à peu de son milieu de privilégiés et se passionnait de plus en plus pour le socialisme et, en même temps, pour la langue et la littérature russes. Ma mère, qui venait de la société très protégée de New Canaan, avait une vue quelque peu étriquée et étouffante du monde. Je pense qu'elle manquait totalement de confiance en elle-même. Pour ses dix-huit ans, ses parents donnèrent à New York le traditionnel bal des débutantes, sans résultat notable : à la suite de la soirée, aucun beau parti ne s'était présenté. Un jour, je lui ai demandé comment cela s'était passé : « Eh bien, me répondit-elle, je suis sortie dans le monde, mais je suis rentrée aussitôt. »

Elle était fort jolie et sur ses photos de jeune fille, elle est vraiment ravissante. Malheureusement, elle était asthmatique et, pensant lui faire du bien, ses parents l'envoyèrent toute jeune dans un pensionnat de jeunes filles en Arizona. Puis elle revint sur la côte Est, passer son bac. Elle n'avait jamais eu de petit ami, n'était même jamais sorti avec un garçon. Franklin lui aura probablement paru magnifique, presque trop beau pour être vrai. Il faut reconnaître qu'il était extrêmement séduisant, brillant, drôle, charmeur, que c'était un érudit, un poète, un athlète qui battit, et pour des lustres, le record du lancer de javelot à Princeton… Il était aussi quelque peu acteur, ayant écrit et joué dans la troupe de l'Université.

La vie de ma mère fut bouleversée par ce Noël de 1950 : tout à coup, elle se retrouvait plongée dans une étourdissante histoire d'amour avec un jeune homme extraordinaire ! Elle se maria moins d'un an plus tard, fut enceinte à dix-neuf ans et demi et eut un bébé à vingt ans. Petit à petit, elle se rendit alors compte qu'elle était mariée à un homme qui s'éloignait de plus en plus pour vivre sa propre vie, de son côté. En effet la passion pour le travail et pour ses collègues de Columbia se substitua peu à peu chez mon père à celle qu'il avait éprouvée pour ma mère. Elle n'était certes pas une intellectuelle et rapidement mes parents n'eurent plus grand-chose à se dire. L'atmosphère de la maison devint de plus en plus tendue.

Elle dut se sentir écrasée, si jeune, par le poids de la responsabilité de deux gamins turbulents. Il est vrai que Ben et moi nous chamaillions souvent : c'était à celui qui attirerait le plus l'attention en faisant le plus de bruit et de désordre. Mon père s'occupait beaucoup, et très bien, de nous deux. À mon avis, il pensait même qu'il pourrait faire mieux que ma mère. Cependant, mes parents se séparèrent. Notre garde fut attribuée à notre mère qui dut ainsi assumer d'autres responsabilités. Au fond de moi, j'aurais aimé qu'elle soit plus sûre d'elle, capable de nous prendre en main.

Toute jeune mère, elle nous aimait vraiment beaucoup mais elle se laissa marcher sur les pieds par beaucoup de gens, y compris par moi. Je regrette aujourd'hui d'avoir abusé de sa gentillesse. À l'époque, en fait, je la testais, je voulais l'entendre dire : « Non, tu ne vas pas t'en tirer comme cela ! » Je cherchais des limites. Je réalise maintenant à quel point elle a dû se sentir perdue et sans défense lors de son divorce.

Le souvenir le plus marquant que je garde de cet appartement de New York se situe le jour où nous le quittâmes. Un énorme camion de déménagement vint se garer devant l'immeuble, éblouissant pour l'enfant de trois ans que j'étais.

Je me revois courant à l'intérieur pendant que les déménageurs chargeaient les meubles, les vêtements et tout le bric-à-brac habituel d'une maison. Je me rendais à peine compte que nous déménagions parce que mes parents divorçaient.

Nous sommes allés à Princeton uniquement parce que ma mère ne savait pas quoi faire d'autre. Elle y avait encore des amis de l'époque où elle sortait avec Franklin. Nous avons loué la moitié d'une maison au 66, Wiggins Street où nous emménageâmes, le 1er janvier 1955. Mon grand-père Horace payait les factures. Ben et moi allions à l'école de Nassau Street, juste au coin de la rue. J'y étais très heureux. Nous portions de belles chaussures marron, si belles que l'après-midi, dès que je rentrais, je montais les enlever pour ne pas les salir en jouant !

Au début, Ben et moi allions voir régulièrement notre père. Puis, progressivement, nos visites s'espacèrent. Nous étions censés passer six semaines avec lui chaque été et alterner week-ends et vacances, mais ces arrangements ne tinrent pas. Dans le courant de l'année qui suivit le divorce, les termes du jugement devinrent peu à peu caducs.

Lorsque nous étions petits, notre père était très fier de nous, s'occupait beaucoup de nous, nous changeait, nous faisait manger, nous emmenait nous promener. Mais lorsque nous partîmes pour Princeton et surtout lorsque ma mère se remaria avec Tristam Johnson, un agent de change, républicain de surcroît, nos relations avec Franklin devinrent difficiles. Après son doctorat de russe, mon père postula pour un poste de professeur à Princeton, afin de se rapprocher de nous. Mais des amis de ma mère l'accusèrent auprès du président de l'Université d'être communiste et empêchèrent son engagement, ce qui eut un effet déplorable à long terme sur nos relations car il ne pouvait ni nous voir ni s'occuper de notre éducation autant qu'il l'aurait souhaité. En 1956, il épousa Helen Schmidinger, une camarade de promotion de Columbia. En février de cette même année, ils eurent leur premier enfant, ma demi-sœur Alya (celle du fameux coup de fil du président Clinton) et deux fils, Brock et Mark, suivirent rapidement. L'échec de Princeton causa beaucoup d'amertume à notre père, d'autant qu'il comprit qu'il aurait moins d'influence sur nous, tandis que Tris allait prendre plus d'importance que lui dans nos vies. Bien que sa porte nous fût toujours ouverte, sa nouvelle femme, sa nouvelle famille l'occupaient désormais davantage.

Je me souviens bien de mon père à la fin des années 1950 et au début des années 1960, de son magnétisme mais aussi de son comportement imprévisible. L'intérêt et la fierté qu'il nous portait nous rendaient, Ben et moi, exubérants la plupart du temps. Il nous apprit à skier, il jouait patiemment au tennis avec nous au parc, nous laissait nous allonger sur les grilles du trottoir pour regarder passer les rames du métro qui hurlait au-dessous de nous… J'adorais les retours à Princeton dans sa Coccinelle rouge. La voiture n'avait pas de jauge de carburant et mon père notait le kilométrage à chaque plein, puis nous pariions sur le nombre de kilomètres que nous pourrions faire jusqu'au prochain. Il coupait toujours le moteur dans les descentes pour économiser l'essence et préférait prendre la Route n°1 plutôt que de payer les 85 cents de l'autoroute du New Jersey ! Quand nous étions en vacances chez lui, il nous achetait de la root beer[1] pour boire après la sieste et nous avions souvent droit à un verre de ginger ale[2] à l'heure de l'apéritif avec les grandes personnes. Mais il avait parfois des moments soudains d'éloignement ou de désintérêt profonds. Plus tard, lorsque je pris mon indépendance et que ma vie se trouva de plus en plus exposée à l'opinion publique, ce que ni mon père ni ma mère ne pouvait maîtriser, nos relations devinrent vraiment compliquées. Une fois, pendant ma

---

1. La root beer est une boisson gazeuse non alcoolisée. *(N.d.T.)*
2. La ginger ale une boisson gazeuse au gingembre. *(N.d.T.)*

première année à Cornell, j'avais fait des kilomètres en voiture pour aller passer le week-end chez lui, dans le Connecticut. Je le trouvai très distant et je passai la plupart du temps à parler avec ma belle-mère. Mais soudain, je me décidai et lui demandai sans ambages : « Est-ce que tu t'intéresses à ce que je fais ? » Il me répondit : « Franchement, Toph, de moins en moins. » C'était une réponse honnête, à laquelle je m'attendais probablement, mais je ne l'oublierai jamais.

Cependant, j'adorais mon père et il avait une véritable influence sur moi. Par exemple, je pense que c'est en partie à cause de lui que je ne suis pas croyant. Je fréquentais l'église presbytérienne de Princeton surtout pour la chorale mais je n'aimais guère les hymnes : trop de leurs vers glorifiaient Dieu le Père Tout Puissant, son Glaive Vengeur et sans appel. L'image de ce père vengeur trônant au Jugement Dernier m'inquiétait beaucoup. Cependant le plaisir de flirter avec des sopranos et des altos compensait ces inconvénients. Franklin, lui, n'était pas pratiquant, il évitait même les églises. Lorsque le dimanche il nous ramenait à la maison ou à la gare pour prendre le train du retour, il faisait des commentaires méprisants sur les gens qui sortaient de l'office. Il les traitait de moutons. Bien sûr, j'approuvais aussitôt.

Mon père avait aussi un talent particulier pour donner des conseils même dans les disciplines qu'il ne pratiquait pas, y compris l'équitation. Je me souviens d'un jour où nous étions allés à un manège de Portland dans le Connecticut et où je regardais Alya et Brock prendre un cours. Je ne pouvais pas monter moi-même car j'étais allergique aux chevaux au point de ne même pas pouvoir m'en approcher sans problèmes respiratoires. Mon père se tenait dans l'angle de la carrière et tranquillement, chaque fois qu'ils passaient devant lui, il leur donnait des conseils : « baisse les talons », « redresse-toi », « n'écarte pas les mains », « mets les pouces en avant ». Lui-même n'était pas cavalier mais il était né pour enseigner.

À certains moments, pourtant, on s'amusait franchement avec lui. Il avait les traits fins, il était grand – 1,92 mètre –, et avait surtout de solides épaules sur lesquelles nous grimpions. Il était si jeune et si athlétique que nous jouiions avec lui comme avec un grand frère. Et parfois, il rendait la vie vraiment magique, même le quotidien prenait alors des allures joyeuses. Nous avions coutume de brûler nos ordures dans la cour : ce jour-là, ses cinq enfants se rassemblaient pour jeter dans le feu les cartons d'œufs et les papiers et chacun de nous pensait qu'être avec lui était un privilège. Quand le soleil de Franklin brillait sur vous, cette lumière valait tout au monde. Pas seulement parce qu'elle contrastait avec les moments sombres.

Lorsque Brock et Alya partirent à la fac, il se mit à regarder avec Mark les matchs de base-ball à la télévision. Il avait toujours été opposé à l'achat d'un téléviseur, mais il finit quand même par dénicher Dieu sait où un vieux poste en noir et blanc. Il l'avait installé dans le grenier, toujours glacial. C'était sa façon personnelle de ne presque pas avoir la télévision. Mark et lui montaient, s'enroulaient dans des couvertures et regardaient le base-ball ensemble. Ils allaient aussi à la pêche, leur activité commune. Chacun de ses enfants nouait ainsi avec lui une sorte de relation privilégiée.

Pour moi aussi le soleil pouvait briller. Souvent il me complimentait pour un devoir exécuté en classe. À douze ans, j'avais été distingué à l'école pour une rédaction dont le sujet était un enfant attiré par le suicide. Franklin porta aux nues cette histoire et ma façon d'écrire. Quelquefois il lisait tout haut mes rédactions à la table du dîner. Plus tard, il vint me voir jouer. Quand j'avais seize ans, il assista à Cambridge à une représentation de *Un mois à la campagne* de Tourgueniev, ou je jouais Beliaev, avec la troupe de Harvard. À la sortie, il était enthousiasmé. J'en étais particulièrement ravi parce que la pièce faisait partie de son champ de compétence et que je m'attendais à ce qu'il soit très critique à propos de la mise en scène. À ma grande surprise, je devins « l'homme du jour »... pour toute la soirée.

Vers treize ans, je me mis à la guitare et entrai dans un groupe de rock appelé, pour je ne sais quelle raison, *The Remnants* (« les vestiges »). Nous ne nous prenions certes pas pour des vestiges, mais pour des jeunes extrêmement cool. Nous jouiions aux fêtes de l'école et dans des boums, pour cinquante dollars la soirée à partager entre les quatre musiciens. Nous nous amusions beaucoup. Notre répertoire se composait de chansons des Beatles, des Rolling Stones, des Lovin' Spoonful, et même des Turtles. J'appris également des chansons folk. Un soir, je fis un petit concert pour Franklin et je lui jouai toutes mes chansons. De nouveau, il ne tarit pas d'éloges. Il faut dire qu'il a toujours aimé ma voix, mais lui-même chantait assez faux.

Un été, lorsque j'avais neuf ans, nous passions des vacances avec lui chez ma grand-mère dans les Poconos. Papa me demanda de traverser le lac à la rame pour aller à l'épicerie lui acheter du tabac pour sa pipe. Comme tous les autres enfants étaient là, c'était un honneur formidable que d'être choisi pour une telle mission. Je partis, l'argent en poche, pour une traversée de presque deux kilomètres sur notre grosse barque. C'est un autre de mes souvenirs heureux avec lui.

Le lendemain, il y eut une « soirée quadrille ». J'avais remarqué une fille avec une robe jaune. C'était ma première amourette, la première fois que je m'entichais de quelqu'un. Toute la soirée, j'essayai de rester près d'elle. Franklin s'en aperçut et se moqua de moi en public. Avec mon père, on pouvait passer d'un extrême à l'autre très rapidement.

À Princeton, ma mère se débrouillait comme elle pouvait pour nous tenir mon frère et moi, alors que nous devenions de moins en moins faciles. Si je lui causais une déception, elle éclatait en sanglots et répétait : « Oh, tu es vraiment un sale gosse, tu es vraiment un sale gosse ! », jusqu'à ce que je lui explique calmement mais d'un ton arrogant, que je n'étais pas si sale. Ce qui redoublait ses pleurs. C'était cruel, je sais.

Ces incidents étaient heureusement assez exceptionnels car la plupart du temps je m'appliquais avec beaucoup d'énergie à essayer d'être aussi parfait que possible. Je prenais toujours grand soin de mes chaussures d'école que je rangeais dans le placard, je suspendais mes vêtements et je faisais mon lit. Je pensais me distinguer ainsi de tous les demi-frères et beaux-frères qui avaient fait irruption dans ma vie lorsque ma mère et mon père s'étaient remariés.

Par ailleurs, secrètement, je prenais des risques pour mesurer comment je pouvais m'en tirer. L'un de mes coups préférés quand j'avais douze ans était d'emprunter en douce le break familial, une Rambler, et d'aller faire un tour lorsque ma mère et mon beau-père étaient absents.

Nous passions une partie de l'été à Bay Head, sur la côte du New Jersey, dans une vieille maison que la famille de mon beau-père possédait depuis quatre générations. Une fois – cela devait être l'été de mes treize ans –, par défi, j'entrai furtivement dans la maison d'un voisin et je m'emparai d'une bouteille de vodka dans le bar. Avec ma bande d'amis nous la mélangeâmes à de la limonade et la bûmes. Je fus si malade que je m'évanouis sur la plage, au bord de l'eau. La marée montante me réveilla le soir vers 10 heures, les vagues me roulaient doucement. Je rentrai en titubant à la maison, me hissant tant bien que mal par l'escalier de derrière. Avant d'atteindre la salle de bain du deuxième étage, j'avais vomi partout.

Je me traînai jusqu'à mon lit.

Le lendemain matin, cependant, je devais participer à une importante régate de Blue Jay comptant pour le championnat de la saison. Je parvins à peu près à me réveiller à l'heure et descendis à 8 heures. Dans la cuisine, ma mère grillait du bacon en faisant une tête épouvantable. Ah ! Dieu, cette odeur de bacon ! Je compris que j'étais pris. J'essayais de tenir debout et de me tartiner un toast, dans un silence de plomb. Finalement, elle parla : « Je me suis demandé comment te punir. Tu vas d'abord aller t'excuser chez les Brown et leur rembourser la bouteille de vodka. Puis, tu iras faire la régate. » Monter sur le Blue Jay était bien la dernière chose dont j'avais envie, dans l'état où j'étais. Cependant j'y suis allé. Bien sûr, je n'ai pas gagné la régate. Mais j'ai presque apprécié que ma mère me punisse, comme une exception à la règle.

Ce n'est que plus tard que j'ai éprouvé un réel respect pour ma mère. Elle cessa de laisser les gens profiter d'elle et commença à tenir compte de ce qu'elle voulait. Elle s'était toujours intéressée à l'écriture et devint rédactrice en chef adjointe du journal local de Princeton, le *Town Topics*. Elle s'acheta une maison et, à soixante ans, se mit à l'aviron malgré un asthme chronique. Elle a atteint actuellement un bon niveau de compétition. L'hiver, elle s'entraîne en chambre ; au printemps et à l'automne, elle fait souvent des courses sur la Charles River ou la Schuylkill où elle remporte fréquemment des coupes. Elle pratique ce sport avec le même sérieux que moi lorsque je pilotais un avion, que je faisais de la voile ou des concours hippiques.

En grandissant, j'étais déchiré entre les mondes si différents, si opposés de mes parents. La maison de mon père était pleine de livres, d'intellectuels, les conversations y étaient souvent stimulantes et, par comparaison, la confortable maison de ma mère et de mon beau-père semblait ennuyeuse. Je me mis alors à passer de plus en plus de temps dans d'autres familles du voisinage.

Heureusement pour moi, j'ai toujours aimé l'école. J'ai appris à lire très vite et, à partir de l'âge de cinq ans, j'ai désiré être plus grand, en savoir plus. Je réclamais à Mlle Griffith, l'institutrice de première année de l'école primaire, des devoirs à faire à la maison, comme les grands. J'aurais aimé rentrer, annoncer que j'avais des devoirs et monter dans ma chambre au premier étage pour les faire.

Ben était beaucoup plus brillant que moi et je pense que j'espérais ainsi conserver mon avance sur lui. Je me sentais obligé d'assumer des responsabilités, réelles ou imaginaires.

Ma mère et Tris se sont rencontrés à la fin de 1958. Au début, il ne venait à la maison que de temps en temps. Il avait grandi à Princeton et travaillait chez Laidlaw, une société locale d'investissements. (Mon père m'expliqua un jour qu'il était normal d'être payé pour une journée de travail, mais qu'il était immoral de gagner de l'argent en spéculant en bourse.) Tris était divorcé et avait quatre enfants de ce premier mariage. Ces enfants – Tristam Jr (connu sous le nom de Johnny), Tommy, Beth et Kate – vivaient en Utah avec leur mère, Bunny Miller. Il possédait une part de copropriété dans la maison de famille de Bay Head où, enfant, il passait lui-même ses vacances. Nous y allâmes tous après leur mariage, en 1959.

Tris était un homme généreux, détendu, un homme bon qui désirait ce qu'il y avait de mieux pour nous. Il pensait qu'il serait préférable que Ben et moi allions à l'école privée de son enfance, Princeton Country Day, près de Carnegie Lake, derrière le terrain de sports de l'Université. À l'automne de 1961, je suis donc entré dans la classe équivalente au cours moyen. J'adorais cette école. Le lundi soir, j'allais avec Tris à l'atelier de menuiserie où nous construisions ensemble de petites maisons à oiseaux. Il assistait à mes matchs de foot et de hockey. J'avais beaucoup d'affection pour lui, compliquée cependant du besoin que j'avais d'être reconnu, approuvé en cela par mon père.

Grâce à Tris, nous avons eu beaucoup de ce dont peut rêver un enfant : mini-hockey, des étés à Bay Head, un petit bateau pour naviguer. Franklin nous avait appris, en nous faisant des dessins, la direction du vent, le réglage des voiles. Tris nous laissa sortir seuls, emboutir le ponton, dessaler, nous échouer, pour que progressivement nous comprenions par nous-mêmes. À douze ans, je naviguais sur Blue Jay et faisais partie de l'équipe de match-racing du yacht-club de Bay Head. Mon désir de gagner me transformait en une sorte de tyran : je ne pouvais pas m'empêcher de hurler contre mes coéquipiers pendant les régates ! Après une saison particulièrement réussie, on me décerna le prix très convoité du meilleur marin et du sportif le plus fair-play, attribué au meilleur skipper junior de l'année. Manifestement, les officiels du club ne savaient pas ce qui se passait à bord de mon bateau ! Mais les autres enfants, eux, le savaient. Le jour de la remise des prix, je n'eus droit qu'à quelques applaudissements polis. Je me souviens avoir piqué un fard et m'être mis à transpirer en réalisant tout à coup que je ne méritais pas cette récompense : depuis, je n'ai plus jamais fait de régates.

À l'école, j'étais l'un des rares à être bon dans toutes les matières, y compris le sport. J'étais au tableau d'honneur tout en étant un bon joueur de foot, de base-ball, de tennis et de hockey. Le sport me rendait populaire auprès des gosses « branchés » dont je recherchais l'amitié, mais je voulais aussi être en tête de classe pour ne pas décevoir mon père.

Ainsi, j'étais constamment sous pression. Ma mère m'a raconté depuis que je m'efforçais toujours de paraître plus âgé, plus mûr que je n'étais, comme si je cherchais à fuir mon enfance, à m'en débarrasser. Je me souviens qu'à six ans je voulais déjà lire des livres difficiles, non seulement pour faire comme les grands, mais parce que mon père, lui, vivait entouré de livres, étudiait, écrivait en permanence. Plus tard, l'image du fort en thème commença de s'effriter car je n'étais pas très bon en maths, mais pendant des années, j'excellais à l'école, ce qui me posait vis-à-vis de mon père.

Ben entra à Princeton Country Day l'année suivante. Débuta alors l'une des meilleures périodes de nos relations. Nous jouions tous les deux au base-ball dans l'équipe des Hulit's Shoe Store Yankees ; nous allions skier ensemble sur une petite colline avec un remonte pente juste à la sortie de la ville ; nous avions installé un interphone entre nos deux chambres pour communiquer jour et nuit. Un été on nous envoya dans un centre aéré où nous avons adoré faire du tir à l'arc et construire des forteresses de boue près du ruisseau.

Ce fut aussi vers cette époque qu'on nous acheta des poissons rouges. Nous avions décidé que c'était mal de les garder en captivité et que nous devions les remettre en liberté. Nous les avons donc emporté dans leur bocal trois kilomètres plus loin, à Carnegie Lake et sur le pont de Washington Street nous leur avons fait une petite cérémonie : « Allez, soyez libres, profitez de la vie ! Au revoir ! » Nous avons alors retourné le bocal, envoyant les poissons à une mort instantanée. Leurs pauvres petits corps flottaient à la surface de l'eau. Nous étions bouleversés.

Nous allions à l'école à vélo. C'était à la fois excitant et dangereux. Nous roulions sans casque, sur la route 206. Un jour, j'ai failli me faire tuer par un camion en rentrant à la maison : j'ai dû me jeter sur le bas-côté pour éviter l'accident. Je suis revenu à la maison les bras et les jambes couverts de bleus et d'écorchures à cause de cet atterrissage forcé sur la chaussée. On ne nous retira pas pour autant la permission d'aller à l'école à bicyclette. Je traversais le campus de la fac en faisant la course avec mes copains jusqu'à l'école. Je savourais notre indépendance et le fait d'avoir autant de liberté.

Le samedi matin, je jouais au mini-hockey. J'allais ensuite chez Deebs Young pour patiner sur sa mare. Je me souviens d'un jour de février 1964 – je devais être en 5ᵉ. Je prenais mon petit déjeuner chez lui avant d'aller patiner. J'ai vu à la une du journal quatre garçons à l'air bizarre, avec de drôles de coupes de cheveux, qui descendaient la passerelle d'un avion. Les Beatles arrivaient pour le *Ed Sullivan Show*. Je me souviens que nous nous sommes dit : ils sont grotesques ! À l'époque, nous avions tous des coupes en brosse. On nous envoyait chez un coiffeur de Palmer Square. Si nous revenions les cheveux pas assez courts, ma mère nous y renvoyait illico. Mais j'ai toujours eu la coupe qu'il fallait.

Mon but était de ne jamais donner prise à aucune critique. Lorsque j'étais au cours moyen, notre professeur de lecture, Wesley McCaughn nous apprit à aimer les histoires. Il les enregistrait d'une voix sonore à la Walt Disney, et nous les passait en classe. Nous étions tous assis, fascinés par sa façon de raconter. Plus tard ce goût pour les histoires a nourri mon goût pour la scène.

Sur l'un de mes bulletins scolaires, il écrivit : « Si tous étaient taillés dans le même bois ! » Ces mots m'emplissaient d'aise, ils validaient tous mes efforts pour bien faire.

Et puis un jour du printemps de 1962, j'avais neuf ans, une femme du Princeton Savoyards passa à l'école. Le Princeton Savoyards était une troupe de théâtre amateur qui montait des opérettes de Gilbert et Sullivan une ou deux fois par an. Elle nous demanda si l'un de nous chantait et si nous aimerions faire un essai pour jouer. Je levai la main. Je fis le bout d'essai et fus choisi avec des adultes, au McCarter, le grand théâtre de mille places construit dans les années 1920 pour recevoir les mises en scène du Princeton Triangle Club. On me donna un petit rôle, celui d'un citadin. C'était la première fois que je montais sur scène et ce fut une expérience grisante.

C'était bien d'être un bon élève et un athlète, mais jouer la comédie était mieux encore ! J'ai même manqué l'école pour aller répéter. L'État subventionnait au théâtre McCarter des matinées pour étudiants, à 10 h 30 le matin ou 14 h 30 l'après-midi. Il m'est arrivé de ranger mes livres et de sortir de classe pour une représentation.

Ensuite, j'ai commencé à jouer à l'école. J'avais onze ou douze ans, lorsque nous avons monté une pièce d'Agatha Christie, *Témoin au procès*. Bien sûr, tous les rôles étaient tenus par des garçons : je fus choisi pour jouer celui de Janet Mackenzie, une femme de soixante-cinq ans, la gouvernante du manoir où sont commis les meurtres. Je portais une perruque grise et un tailleur démodé en tweed écossais.

À un moment, Janet Mackenzie se défend avec conviction, clamant son innocence. Le soir de la première, à la fin d'un dialogue enflammé à la barre des témoins, je fus applaudi par l'auditoire. Pile au milieu du premier acte ! Cela me monta à la tête et je pensai : c'est formidable.

Je cherchai tous les prétextes pour aller au théâtre. Même avant qu'on ne me demande de jouer, j'aimais l'endroit. Je me rendais utile en branchant les haut-parleurs des loges, en travaillant sur le tableau électrique : c'était un vieux modèle et quelquefois il fallait allonger la jambe pour attraper une manette avec le pied et tendre le bras pour en attraper une autre avec la main : j'étais juste assez grand pour le faire. J'adorais aussi m'occuper du rideau. Des ballets, comme le Joffrey ou le Pennsylvania Ballet venaient parfois se produire au McCarter. Souvent, je repérais l'une des danseuses. Le meilleur moyen, et le plus rapide, pour l'impressionner était le coup du rideau. Je le faisais tomber, puis je m'agrippais à la corde qui le faisait remonter dès qu'il touchait le sol. Je m'envolais à cinq ou six mètres dans les airs et mon poids le faisait retomber. Mes acrobaties attiraient souvent le regard des jeunes ballerines. Ensuite, il était facile d'entamer la conversation...

Rapidement on me confia de petits rôles dans la troupe professionnelle. Le théâtre était comme une famille. J'appartenais à un groupe de gens qui travaillaient ensemble, chaque jour, sur des projets auxquels ils croyaient. Embarqués sur le même bateau, nous ramions tous, tendus vers un même but : la soirée de la première. Pendant les répétitions, l'excitation grandissait à mesure que la pièce prenait forme. J'aimais cette ambiance. Aucun conflit, aucune tension, en tout cas rien dont je m'aperçus. Je me tenais bien, je travaillais dur et les adultes m'appréciaient. C'était probablement une façon d'échapper à une situation conflictuelle, déchiré que j'étais entre mes deux familles. Je suis sûr que c'est pour cette raison que je suis devenu acteur.

Ce succès prématuré a décidé de ma vie. Au début, je ne savais pas ce que je faisais, je n'avais aucun repère. Résultat, je le faisais plutôt bien. Je me contentais de réagir instinctivement et de faire ce que le metteur en scène me demandait. Au fil des années, on me fit jouer de plus en plus ; si bien qu'en terminale, je me retrouvais à tenir quelques vrais rôles.

Les acteurs du McCarter formaient une troupe merveilleusement excentrique. Ils étaient tolérants et gentils – sauf si on ratait une entrée ou qu'on faisait sérieusement cafouiller le travail. Et encore, même alors, les conséquences n'étaient pas trop dramatiques. Une fois par exemple, nous jouions avec quelques camarades dans une mise en scène médiocre de *Troïlus et Cressida*. Nous étions tous en bas dans la salle de repos en train de regarder un match de base-ball à la télévision. Le suspense progressait : les Knicks contre les Celtics en double prolongation. Nous entendions la pièce sur le moniteur, mais nous ne pouvions pas nous arracher au match. Nous avons tous raté notre entrée. Je crois que c'était la scène d'un conseil ou d'une assemblée où les Grecs préparent leur plan contre les Troyens. Malheureusement, la scène n'eut pas lieu. Les projecteurs s'allumèrent et l'un après l'autre six acteurs entrèrent en scène. Le simple fait que nous soyons plusieurs donnait l'impression que nous l'avions fait exprès.

Alors que je me passionnais de plus en plus pour le théâtre, le talent de Ben pour la mécanique et les mathématiques le conduisit au département d'ingénierie de Princeton. À douze ou treize ans, il travaillait sur des ordinateurs avec des cerveaux de l'Université, souvent jusqu'à une heure ou deux heures du matin. Il participa à la rédaction d'un langage informatique qui fut enseigné à Princeton pendant des années.

Ben avait aussi ses entrées à la station de radio de l'université, la WPRB. Il avait l'autorisation de se servir des studios libres au fin fond de Nassau Hall. Je faisais le DJ et lui l'ingénieur du son. Nous faisions semblant d'animer une émission avec des chansons, des publicités, nous imitions Walter Conkrite, le journaliste qui lisait les informations.

Ces moments de collaboration et d'amitié étaient formidables, mais se firent de plus en plus rares à mesure que nous entrions dans l'adolescence. Trop souvent nous nou⁀ poussions à bout jusqu'à ce que l'un de nous deux en ait assez et parte. Je me souviens d'une fois, je devais avoir treize ans. Je revenais de chez Franklin à Higganum dans le Connecticut. À ce moment-là, notre père enseignait à Wesleyan et ma belle-mère au Connecticut College. Je suis allé dans la chambre de Ben : il fumait une cigarette en écoutant un disque de Janis Joplin. J'ai essayé de lui raconter ce qui se passait chez Franklin, qu'ils venaient de déménager dans une vieille ferme victorienne (où ma belle-mère vit encore aujourd'hui). Ben me vira. J'eus l'impression qu'il avait envie de savoir, mais qu'il ne voulait pas avoir l'air trop intéressé. Peut-être n'appréciait-il pas que j'y sois allé seul.

J'ai tiré une nouvelle de cet épisode pour le cours d'anglais. À la fin, le personnage principal regagnait sa chambre en disant : « Oh, bon, il faudra essayer encore, mais il se fait tard. J'aurais pourtant pensé que l'éloignement physique pouvait résoudre les problèmes posés par la promiscuité. »

Ben et moi vivions dans la même maison mais souvent nous nous sentions à des kilomètres l'un de l'autre. Nous essayions de garder le contact. Chaque fois que nous le perdions, nous cherchions à le retrouver. Mais, en fait nous n'avons jamais pu établir une véritable intimité, une complicité qui nous aurait facilité la vie à tous les deux.

Nous avions emménagé dans une nouvelle maison. Nous faisions pas mal de bêtises à l'époque. Cependant, dès 1963, deux nouveaux demi-frères, Jeff et Kevin, arrivèrent pour détourner l'attention. Ben sortait souvent tard le soir, parfois même il ne rentrait pas du tout. Moi, j'« empruntais » la voiture familiale pour aller à Bay Head au milieu de la nuit. Puis il y eut l'épisode du raid sur le bar des Brown. Je traînais aussi beaucoup avec mon demi-frère aîné Johnny et ses amis, notamment pendant l'été qui suivit sa terminale. Une fois, à Barnegat Bay, je me suis retrouvé à bord d'un bateau à moteur, assis dans la cabine, une Marlboro dans une main, une bière dans l'autre et une blonde de dix-sept ans sur les genoux. Ma mère avait raison : j'avais manifestement hâte de grandir.

Et pourtant je n'ai presque jamais eu d'ennuis, peut-être parce que personne n'aurait pu soupçonner qu'une nature comme la mienne puisse commettre ce genre de choses. Je m'en suis presque toujours bien tiré. Contrairement à Ben, car mon père et lui n'arrivaient guère à s'entendre.

Alya, Brock, Mark et moi parvenions chacun à notre manière à obtenir l'approbation de Franklin. C'était beaucoup plus difficile pour Ben, tout simplement parce qu'il n'était pas dans sa nature de faire des concessions afin de plaire à qui que ce soit. L'amour de Franklin pour ses enfants paraissait toujours conditionné par les résultats. Mon père avait peut-être même un peu peur de Ben parce celui-ci était très intelligent et ne voulait pas se plier à sa volonté. Nous autres, nous étions plus malléables. Finalement, au cours des années, Ben et Franklin se virent de moins en moins jusqu'à cesser toute relation.

Longtemps, Franklin laissa entendre que nos rapports avaient été conditionnées par les termes du divorce. Il perdit notre garde, puis vit Tris Johnson prendre de plus en plus d'importance dans notre vie. À mon avis, il pensait que s'il avait obtenu son poste de professeur à Princeton, si nous avions passé plus de temps avec lui, s'il avait pu exercer plus d'influence sur nous, nous aurions mieux tourné. Souvent, quand on lui racontait ce que devenait Ben, il haussait les épaules en disant : « Qu'y puis-je ? Je le sentais venir depuis longtemps. » Heureusement, ses inquiétudes n'étaient pas fondées. Ben sortit diplômé de Princeton et fit son droit à Northeastern. Aujourd'hui, il travaille comme consultant et écrit un livre sur les rapports entre la politique et la loi. Depuis mon accident, il m'a formidablement aidé en faisant des recherches sur les lésions médullaires et il a souvent pris la parole en mon nom. Alya est neuropsychiatre, Mark avocat spécialisé dans l'environnement ; Brock a passé une maîtrise de gestion à Harvard et travaille comme conseiller en gestion. Moi, je suis devenu un acteur à succès, probablement un peu trop au goût de mon père. Néanmoins, je n'ai pas fini chauffeur de taxi ou serveur, en cherchant encore à percer à quarante-cinq ans.

Franklin lui-même avait eu une enfance difficile. La vie se répète d'une génération à l'autre, souvent sous ses pires aspects, et les modes de comportement changent difficilement. Tout comme Ben et moi, Franklin et son frère Dickie avaient à peu près un an d'écart. Dickie a littéralement essayé de tuer Franklin deux fois, l'une avec un fusil, l'autre avec un arc et une flèche. Eux aussi eurent des relations compliquées avec leur père qui disparut peu à peu de leur existence.

Je n'ai vu mon grand-père « Big Dick » Reeve que trois fois dans ma vie. Quand j'avais treize ans, au printemps de 1966, il nous emmena en avion, ma mère, Ben et moi chez lui en Arizona : ce fut une grande aventure. On vint nous chercher à Tucson pour nous conduire dans son ranch où il élevait du bétail sur cent soixante mille hectares et dressait des labradors retriever. Je crois qu'il aimait davantage ses chiens que sa propre progéniture.

Un jour, il nous convia mon frère et moi à chasser le coyote. Nous devions nous retrouver près de la cheminée dans la grande maison – nous étions logés dans le pavillon d'hôtes – le lendemain matin à 5 h 30. Fait typique des adolescents, nous ne nous sommes pas réveillés. J'étais mortifié de cette bourde. Chaque fois que je faisais une bêtise, que je me trompais, je m'effondrais de honte.

J'ai finalement réveillé Ben et nous sommes arrivés au rendez-vous avec quarante minutes de retard : notre grand-père nous tournait le dos et regardait fixement la cheminée. Nous nous sommes confondus en excuses. Il grommela enfin : « Bon, ça va, nous allons y aller quand même, mais il est trop tard. » Nous sommes montés dans sa Jeep et nous avons roulé en silence vers l'un des coins les plus reculés du ranch. Nous avons attendu un moment, en surveillant les alentours. Aucun signe d'aucune sorte, à l'exception d'un magnifique lever de soleil. Notre grand-père ne disait rien, gardant un visage de marbre. Tout à coup, il nous annonça qu'il avait du travail avec son contremaître. Avant même que nous ayons compris, il avait disparu. Il était reparti avec la Jeep, nous plantant au bord de la piste, armés chacun d'un fusil chargé.

Nous étions d'une humeur atroce, furieux l'un contre l'autre de notre sottise. Je me souviens avoir eu très peur et sur le chemin du retour, je m'assurai que Ben marchait devant – il n'était pas impossible que l'un de nous deux reçoive un coup de fusil. Preuve supplémentaire que Tophy et Beejy n'étaient pas si différents de Franklin et Dickie.

J'ai ensuite revu mon grand-père pendant l'été 1976, où je lui rendis visite avec mon premier avion, un petit Cherokee 140, que j'avais acheté d'occasion. Et puis je ne l'ai plus vu jusqu'à l'été 1985. Il avait appris qu'il était atteint d'un cancer incurable et, avant de mourir, entreprit un voyage dans l'Est pour rendre visite à chaque membre de la famille. Franklin n'avait probablement pas vu son père depuis trente-cinq ans, mais ils se réconcilièrent. Ils passèrent un moment ensemble dans le Vermont. Franklin me raconta quel vieil homme formidable était Richard et combien il le respectait. Le revirement était total.

À cette époque, je louais une maison à Martha's Vineyard avec Gae et les enfants. Mon grand-père loua un bateau à Newport et vint nous rendre visite. Moi, j'avais mon Swan 40, la *Chandelle*, et nous partîmes naviguer de concert. Nous avons mouillé pour la nuit puis dîné ensemble, essayant de rattraper en bavardant les années perdues. Je fus sidéré d'apprendre que ce fervent amateur de la nature, vétéran d'Iwo Jima et de Guadalcanal, n'avait pas hésité à faire plus de trente kilomètres pour aller à Tucson voir *Superman* et qu'il avait aimé le film. Il fut on ne peut plus gentil et envoûta Gae qui le trouva merveilleux. Le lendemain matin, nous sommes rentrés. Ce fut la dernière fois que je le vis. Il mourut l'année suivante.

En 1988, mes relations avec Franklin se dégradèrent complètement. Je venais de rentrer du Chili et je travaillais avec le romancier et dramaturge Ariel Dorfman sur un scénario fondé sur ce que j'avais vécu dans ce pays. J'y étais allé, avec d'autres comédiens, pour tenter de sauver la vie de soixante-dix-sept acteurs que le régime de Pinochet menaçait de mort. Un jour, j'ai montré à Franklin le synopsis du film et lui ai demandé son avis. Il protesta furieusement, me reprochant de l'exploiter et claqua la porte de la maison. Deux jours plus tard, il m'envoya une lettre pour me dire qu'il ne voulait plus me voir ni avoir rien à faire avec moi. J'étais abasourdi. J'avais pensé que partager avec lui mes idées sur ce film serait une amorce de collaboration, je n'avais jamais eu l'intention de profiter de son talent d'écrivain ! Je me souviens m'être demandé si nous n'allions pas jouer le même scénario que Franklin et son père. Nous ne nous sommes plus revus pendant quatre ans. Et je me disais : « Allons-nous attendre qu'il soit vieux pour nous réconcilier ? Ou qu'il soit à l'hôpital, complètement sans défense et qu'il réclame des visites ? Qu'allons-nous pouvoir nous dire ce jour-là ? » Évidemment, je ne pouvais pas prévoir mon accident, ni l'ironie du sort.

J'ai essayé cependant de mettre fin au malentendu, de briser le cercle vicieux. Une fois, pendant les années où nous ne nous parlions pas, je voyageais dans un train qui s'arrêta sur un pont du fleuve Connecticut. En regardant par la fenêtre, je me suis souvenu des ronds dans l'eau que nous faisions sur son petit voilier, le *Sanderling*, en attendant que l'écluse s'ouvre pour nous laisser passer. Je lui ai envoyé un mot pour lui rappeler ces bons souvenirs mais il me répondit en m'accusant de sentimentalité bon marché.

À ma grande surprise il vint à mon mariage, en 1992. Mais il y avait ce jour-là au moins soixante invités et nous n'avons pu trouver un moment pour parler. En août 1994, il vint me voir concourir avec Denver dans le Vermont. Nous avons pique-niqué ensemble. Il avait l'air content de voir notre petit Will, âgé de deux ans, courir autour de nous mais il ne se passa rien de vraiment concret jusqu'à mon accident. Depuis lors, j'ai senti un effort des deux côtés. Mon père a rompu les hostilités et est venu me voir : il reste constamment en contact avec nous et se fait beaucoup de souci chaque fois que se manifeste le moindre problème médical. Nous avons eu de longues, profondes conversations à l'hôpital. Cette catastrophe a marqué le début d'une ère nouvelle dans nos relations.

Pendant mon enfance et mon adolescence, Princeton, Tris Johnson et le théâtre McCarter furent mes trois points de repère, en quelque sorte mes bases arrières de sécurité. Sans vouloir le montrer, j'avais beaucoup d'admiration pour Tris. Il y eut même une époque où je pensais changer de nom pour m'appeler Christopher Johnson, comme pour signifier à ces Johnson que je les considérais comme ma vraie famille. Tris, Barbara, Jeff, Kevin, Ben et moi, tous dans le même bateau. J'admirais Tris pour sa faculté de donner sans rien attendre en retour. Il désirait que chacun de ses enfants trouve son propre chemin sans leur imposer ses propres valeurs.

J'avais besoin de la générosité de Tris. C'est grâce à lui que je suis allé à la Princeton Day School, à Cornell et à Juilliard. Nous avions en commun l'amour du théâtre : il avait été le technicien lumière du club de théâtre lorsqu'il était étudiant à Yale. En terminale, je jouais le rôle de Hal dans *Picnic* de William Inge, qui remporta un beau succès.

Après les représentations, nous rentrions ensemble à la maison et, assis autour de milkshakes au chocolat, nous discutions de la pièce.

Une fois, Tris m'emmena voir Johnny à la Berkshire Academy, à Sheffield, dans le Massachusetts. Il me laissa « conduire » la voiture sur la Taconic : assis tout près de lui, je tenais le volant. Il pensait que c'était un bon entraînement : il ne pouvait pas savoir, bien sûr, que j'avais déjà « emprunté » la voiture et conduit jusqu'au bord de la mer.

Nous avions monté à la maison une sorte de petite industrie de compote de pomme. Nous allumions la radio pour écouter les matches de football de Princeton ; puis nous grimpions dans le gros pommier près de la rue, jusqu'en haut de l'arbre, pour cueillir les pommes que nous faisions descendre dans un seau pendant que maman préparait la compote dans la cuisine. J'adorais cela, d'ailleurs j'adorais les repas en famille.

Et puis, parfois Tris ne rentrait pas à la maison. Son couvert était mis et il ne venait pas. Il disparaissait ainsi pendant quelques jours sans aucune explication. Il déclarait simplement que c'était pour son travail. J'espérais avec conviction que notre petite famille allait se maintenir, surtout après la naissance de mes demi-frères Jeff et Kevin, mais ça ne marchait pas. Nous étions incapables de vivre tous ensemble sous le même toit. Ma mère réussit à convaincre Tris de déménager pour une maison plus grande, à Cleveland Lane, pensant que tout s'arrangerait avec plus d'espace. En réalité, cela ne fit que créer davantage d'isolement dans la maisonnée. Jeff et Kevin étaient entre eux, au deuxième étage ; Ben et moi étions séparés autant par le grand couloir que par notre jalousie réciproque ; quant à ma mère et Tris, c'était pour eux le début de la fin.

Depuis mon enfance, j'étais persuadé qu'une relation ne pouvait offrir au mieux que quelques moments isolés et fugaces de plaisir ou de bonheur. Tout paraissait construit sur des sables mouvants. Même au théâtre, une pièce, une saison ne duraient qu'un temps, qui passerait inévitablement. Et on se séparerait. De nouvelles amitiés, de nouvelles alliances naîtraient. J'avais de plus en plus tendance à me replier sur moi-même et à éviter les relations trop personnelles, persuadé qu'elles ne pouvaient qu'amener séparation et déception.

Je compensais ce sentiment d'incertitude en interprétant différents personnages. J'aimais connaître tout de la pièce, mais aussi prendre des risques. Sur scène ou comme gardien de but dans l'équipe de hockey, j'entrais à fond dans le jeu.

Malgré le côté douillet de la maison, les compotes de pomme à l'automne, le foot dans la cour, les jeux avec les enfants sur Allison Road et les étés à Bay Head, ces années à Campbelton Circle furent également pleines de fragilité. La maison dont je rêvais s'opposait à la maison réelle. Au moment où Jeff et Kevin entrèrent au lycée, tout commença à se désintégrer.

Tris quittait ma mère et j'ignorais l'étendue de sa détresse.

Mes deux familles étaient détruites. Je me souviens avoir demandé à mon père pourquoi il avait quitté ma belle-mère Helen à quelque cinquante-cinq ans alors qu'il avait toujours parlé de leur couple comme de deux doigts de la main, « tellement proches que nous sommes comme une seule et unique personne. Nous partageons tout. Voilà ce que doit être une famille ! » Et bien sûr, j'en étais convaincu : une ferme accueillante à Higganum, trois enfants brillants et adorables, une famille parfaite en quelque sorte…

Quand il se sépara d'Helen, fin 1970, je demandai à mon père à quel moment il s'était aperçu que son mariage battait de l'aile. Il eut cette réponse stupéfiante : « À Paris, en 1956. » Sables mouvants et illusions, toujours.

Je me demande maintenant pourquoi des gens si formidables ne sont pas parvenus à construire des relations durables. À l'époque, j'en arrivai à croire que le mariage n'était fait que d'une série de simulacres d'obligations. Je n'ai changé d'opinion qu'après avoir rencontré Dana et en être tombé sérieusement amoureux, mais venir à bout de cette peur du mariage nécessita du temps, une psychothérapie et toute la patience de Dana.

J'avais dans l'idée que le mariage était plus une perte qu'un gain, ayant toujours entendu les gens proclamer qu'ils s'aimaient, qu'ils passeraient toute leur vie ensemble, qu'ils ne se sépareraient jamais et puis soudain, du jour au lendemain, cela devenait faux. Ou bien des incompatibilités insurmontables apparaissaient subitement. Mon père était un intellectuel, pas ma mère. Mon beau-père était un républicain convaincu, un supporter de Nixon, alors que ma mère avait une vision très romantique des Kennedy et était très libérale. Finalement, eux aussi avaient peu de choses à se dire. Progressivement, j'avais vu leur respect mutuel s'effriter.

Mon père avait eu une aventure. Souvent mon beau-père ne rentrait pas à la maison. Lorsque je fus assez grand pour comprendre ce qui se passait, j'en tirai la conclusion que dans la plupart des cas le mariage est une supercherie.

Même la famille que j'ai fondée des années plus tard avec Gae, Matthew et Alexandra, n'était pas complètement authentique parce que je ne croyais toujours pas au mariage. Lorsque Gae et moi nous sommes rencontrés, nous avons vécu un amour fou. J'ai pensé par la suite que nous aurions dû être amis plus qu'amants, mais dans un sens c'était moi qui mettais les freins. En fait nous avions beaucoup d'affection l'un pour l'autre, si bien que lorsque nous nous sommes séparés en 1987, ce fut fait à l'amiable. Nous avons partagé la garde des enfants et discuté de leur éducation. Durant les dix dernières années, nous n'avons eu aucun désaccord sérieux, ni rancœur ni méfiance. Exactement l'inverse du divorce de mon père et ma mère. Mais ma séparation d'avec Gae m'a conforté dans l'idée que je n'avais pas grand-chose à espérer de l'amour. Un bon mariage paraissait plus improbable que jamais.

Puis il y eut Dana. Certes elle m'a secouru lorsque je me suis retrouvé brisé en Virginie. Mais en réalité, c'était la deuxième fois qu'elle venait à mon secours. La première fut le jour où je l'ai rencontrée.

Après mes premiers pas d'acteur sur la scène du McCarter, je fus admis au festival de théâtre de Williamstown dans le Massachusetts. J'y fis mes débuts comme stagiaire à quinze ans et y ai joué quatorze saisons. Même au sommet de ma carrière cinématographique, je m'arrangeais toujours pour garder mes étés libres et rejoindre la famille du festival.

Celui-ci incluait des spectacles de cabaret : beaucoup de comédiens venaient chanter à l'auberge locale après la représentation. Certains d'entre nous, y compris moi-même, n'avaient pas de véritable talent de chanteur, mais l'entrée du cabaret n'était pas chère et le public du théâtre aimait nous entendre reprendre les tubes des années 1950, ou des airs d'Irving Berlin ou de Cole Porter. C'était l'un des plaisirs du festival.

Heureusement pour le public, un groupe de quatre ou cinq vrais chanteurs, connu sous le nom de Cabaret Corps, animait les soirées. En 1987, Dana faisait partie de cette formation. Moi, je jouais dans *The Rover* d'Alpha Behn. J'étais séparé de Gae depuis cinq mois et venais de terminer le tournage de *Scoop* à Chicago. J'étais revenu à Williamstown, fermement déterminé à vivre seul, à m'occuper de mes propres affaires, à me concentrer sur mon travail et à aménager la maison que je venais d'acheter à la sortie de la ville. Située au milieu d'une quinzaine d'hectares, à flanc de colline, elle possédait l'une des plus belles vues des Berkshires. Je projetais de passer un été tranquille et réfléchi. Je ne cherchais aucune rencontre. Mais un soir je suis allé au cabaret, et Dana Morosini monta sur scène pour chanter. Elle portait une robe sans manche et chantait The *Music that Makes me Dance*.

J'ai aussitôt plongé avec hameçon, ligne et flotteur !

Tous les amis présents se rendirent compte de ce qui m'arrivait. À la fin de la chanson, je me dirigeai vers les coulisses. Ce fut un pas difficile à accomplir parce que lorsque je suis réellement attiré par quelqu'un je deviens très maladroit. À l'époque j'étais un acteur reconnu. Qui aurait pu imaginer qu'une simple conversation avec une femme me poserait un problème ? Je pouvais pourtant devenir complètement gauche et, en fait, jouer Clark Kent ne m'avait pas demandé de bien gros efforts !

En coulisses, je me présentai à Dana, la complimentai sur sa chanson et lui proposai de l'emmener à une fête au Zoo : un drôle de lieu situé dans une des résidences universitaires du Williams College, ouvert à tous et à tout, d'où son nom. « Non merci, fit-elle, j'ai une voiture. » Tout ce que je réussis à répliquer fut : « Ah ! »

Elle fut rattrapée par le tourbillon de ses amis et s'en alla. Je marchai lentement jusqu'au parking où je restai assis un moment dans ma vieille camionnette, réfléchissant à ce que j'allais faire. Plus tard, Dana m'a raconté que ses amis s'étaient exclamés : « Mais, tu es idiote ! Pourquoi n'es-tu pas partie avec lui ? Nous aurions ramené ta voiture ! »

Nous nous sommes retrouvés au Zoo et j'ai de nouveau tenté ma chance. Je me suis approché d'elle et j'ai entamé la conversation. Je ne sais pas de quoi nous avons parlé, mais ceux qui assistaient à la scène m'ont ensuite rapporté que nous sommes restés debout à parler, sans boire ni bouger, plantés au milieu du Zoo pendant… une bonne heure. Tout avait disparu autour de nous. Je ne voulais pas faire de faux pas et tout gâcher, il ne fallait pas que je précipite les choses. À ma grande surprise, je me suis entendu dire : « Bon, j'ai été très heureux de vous rencontrer. » Puis j'ai tourné les talons, et suis monté dans ma camionnette pour rentrer chez moi.

Nous avons commencé à sortir ensemble d'une façon très vieux jeu. Un jour, à bicyclette le long de la Route n°7 vers

Pittsfield, je me suis brusquement arrêté pour cueillir des fleurs sauvages dans un champ. N'ayant plus aucune envie de poursuivre jusqu'à Pittsfield, je fis brusquement demi-tour et me dirigeai vers le théâtre où je savais que Dana répétait un nouveau numéro de cabaret. Je tenais mes fleurs à la main mais au fur et à mesure que je me rapprochais, j'étais de plus en plus intimidé à l'idée de les lui offrir. À la porte de la salle de répétition, je perdis mon sang-froid. Je demandai à une fille qui passait par là : « Pourriez-vous donner ces fleurs à Dana Morosini de ma part. Mais n'en faites pas toute une histoire ! » Elle était contente de me servir de messager. Dana fut surprise et, je crois, ravie. Elle sortit immédiatement de la répétition pour me remercier. J'étais déjà parti.

Nous étions prudents car je ne voulais pas choquer Matthew et Alexandra qui passaient l'été avec moi. Je ne voulais pas que les enfants, âgés de sept et trois ans à l'époque, entrent un matin dans ma chambre et trouvent une étrangère dans mon lit. C'était un sujet délicat… C'est ainsi que, pendant pratiquement tout l'été, Dana et moi nous sommes contentés d'une relation platonique. Un soir, je lui ai proposé une baignade après le cabaret, dans un étang non loin de là, ajoutant immédiatement que nous pouvions passer chez elle prendre un maillot de bain. Plus tard, elle m'a dit que cela l'avait agréablement surprise et que la soirée en avait été plus romantique.

Les parents de Dana venaient souvent à Williamstown la voir chanter. Je fis ainsi la connaissance de Chuck et Helen Morosini. Nous nous entendions bien. Je me souviens d'avoir raconté à Chuck combien j'étais heureux de sortir avec Dana. Je lui ai aussi parlé des agrandissements que je faisais réaliser dans la maison, et notamment de l'énorme chambre à coucher octogonale qui avait une vue spectaculaire tous azimuts, et du gigantesque lit très confortable placé au milieu de la pièce. Chuck était suffisamment poli pour ne faire aucun commentaire, mais lors du dîner qui précéda notre mariage, en avril 1992, il me rappela cette histoire tandis que nous trinquions : il se souvenait s'être dit que sa fille sortait avec le roi des ploucs.

Souvent Dana et moi prenions ma camionnette et montions sur une colline qui dominait Williamstown. Je me garais au milieu d'un champ. Nous flirtions comme des adolescents puis je la ramenais à son dortoir. Juste à la porte, il y avait une grosse benne à ordures verte où l'on jetait les poubelles du festival. Assez curieusement, nous nous garions toujours devant ce container. Bien entendu nous mettions pas mal de temps à nous dire bonne nuit. Les amis qui passaient par là commentaient : « Tiens, tiens, voilà encore Christopher Reeve et Dana Morosini près des poubelles ! » Je ne suis jamais monté dans sa chambre et l'été passa sans qu'elle dorme une nuit chez moi. Elle venait dîner, faire connaissance avec les enfants, ou bien nous allions près de Pittsfield jouer au golf miniature, ce que Matthew et Alexandra adoraient. Tous deux se prirent d'une incroyable affection pour elle, et elle pour eux. Elle fut immédiatement à l'aise avec eux, ce qui me remplissait de joie.

Lorsque je constatai l'aisance de Dana avec les enfants, son don pour les amuser, je fus ravi de me dire que ce qui marchait pour moi marchait aussi pour eux. Tard dans l'été, après que Gae eut ramené Alexandra en Angleterre, Dana et moi allâmes naviguer sur les côtes du Maine avec Matthew et mon demi-frère Kevin. Ces derniers dormaient chacun dans une couchette du carré, tandis que Dana et moi occupions la couchette double à l'avant. Le premier jour, je m'inquiétai de ce que Matthew allait penser en nous voyant ensemble le matin, mais il grimpa sans hésiter entre nous deux. Aussitôt nous nous sommes mis à catcher, à faire une bataille d'oreillers, à jouer… tout avait l'air d'aller pour le mieux.

Lorsque les enfants revinrent passer les vacances de Noël à Williamstown, j'étais sûr qu'Alexandra était prête aussi à nous voir ensemble.

Elle et Matthew se livrèrent à leur rituel matinal. Ils descendaient de leur chambre sans faire de bruit, montaient l'escalier en colimaçon qui menait à notre chambre et grimpaient sur la commode derrière notre lit pour sauter sur nous en poussant des cris de joie. Dana et moi dormions souvent avec une couverture bleue que nous aimions beaucoup. Les enfants décidèrent alors que notre lit était une piscine : à tour de rôle, ils plongeaient de la commode dans la « piscine » pour « nager » autour de nous et imaginaient parfois que nous étions des alligators. Parfois nous entendions le grincement des marches et leurs rires étouffés pendant qu'ils essayaient de se glisser jusqu'à nous. Mais le plus souvent nous étions morts de fatigue après une journée de répétition, de représentations et de cabaret. Il faut avouer que c'était assez pénible quand ils nous tombaient dessus à 6 h 30 du matin !

En dépit de ce joyeux été, je n'oubliais pas le passé. J'avançais avec précaution, avec terreur même. Il me fallut très longtemps pour m'engager sérieusement, ce que je finis cependant par faire en avril 1992. Dana partageait un appartement en ville avec sa sœur, tandis que je logeais 78ᵉ rue Ouest. La plupart du temps nous vivions chez moi mais nous poursuivions notre carrière chacun de notre côté. En janvier 1991, je partis à Los Angeles pour jouer une nouvelle pièce. Dana resta à New York passer des auditions. Je jouais beaucoup au tennis avec des amis, tout en travaillant sur un scénario. Mais je souffrais de l'absence de Dana.

Un jour, j'ai organisé une fête pour toute l'équipe. Dana avait décidé de sauter dans un avion ce jour-là pour me faire une surprise. En apprenant son projet, l'un de mes bons amis, un partenaire de frasques du début des années 1980, le lui déconseilla : « Je ne crois pas que ce soit une bonne idée. Évite les surprises, elles ne sont pas forcément bonnes ! »

« Si je vais là-bas et que je le trouve avec quelqu'un d'autre, répondit Dana, il vaut mieux que ce soit tout de suite ! » Elle prit donc l'avion. Elle entra dans le restaurant

En famille, avec Dana et Will.

Christopher Reeve joue du piano
depuis l'âge de huit ans.

Tophy et Beejy,
un dimanche matin.

Tennis avec Franklin, son père.

Christopher (vers 9 ans)
se prépare à traverser
le lac Pocono à la rame.

Avec son frère Ben,
au mariage de Barbara,
leur mère et de Tristam
Johnson, en juin 1959.

Un Clark Kent inspiré
du Cary Grant de
L'Impossible Monsieur Bébé.

Petite balade nocturne
avec Lois dans le ciel
de Metropolis.

Tous les soirs,
après le tournage,
séance d'entraînement
pour Superman.

Avec William Hurt
dans *My Life.*

Avec Katharine Hepburn,
la scène des adieux de
A Matter of Gravity
en 1975.

En Vronsky dans *Anna Karenine*, avec Jacqueline Bisset.

Street Smart, en 1987, avec Morgan Freeman.

Été 1987, randonnée avec Matthew et Alexandra au mont Greylock.

L'arrivée de Will, juin 1992.

et me trouva en train de parler avec l'un des électriciens. Nous étions ravis de nous retrouver et vraiment soulagés de voir qu'aucun de nous deux ne s'était trompé !

Nous savions que notre relation s'épanouissait. Dana passa quelques jours très agréables avec moi dans la maison que j'avais louée à Tiana Road. Elle vint assister quatre ou cinq fois aux répétitions parce qu'elle aimait voir évoluer la mise en scène. J'avais déjà joué deux fois Dr Johnny : une fois à Juilliard et une autre à Williamstown, mais elle me donna de nouvelles idées pour interpréter le personnage. Après les représentations, en avril, je me rendis en Yougoslavie tourner *The Great Escape II*. Dana m'y rejoignit. Nous aimions nous retrouver sur un lieu de tournage. Lorsque je ne travaillais pas, nous partions nous promener en voiture, nous arrêtant pour déjeuner dans quelque château du XIVᵉ siècle.

Pour l'été, nous revînmes à Williamstown. Cette fois, Dana avait un contrat d'actrice. Nous vivions ensemble chez moi, endroit que nous commencions à considérer comme notre propre maison parce que des aménagements y avaient été réalisés après ma séparation d'avec Gae. Je sentais qu'une nouvelle vie commençait.

Lorsque les enfants arrivèrent, nous formions comme une petite famille. Dana était cependant dans une position difficile : elle n'avait aucun engagement ferme de la part de l'homme à qui elle consacrait tant de temps et d'attention, tout en remplissant pourtant le rôle de belle-mère auprès des enfants. Mais la crise n'éclata que plus tard.

Nous avons partagé des moments formidables, seuls ou avec des amis, en croisière le long des côtes du Maine à bord de la *Chandelle*. Au début, Dana n'avait pas vraiment le pied marin. Son père me racontait ses tentatives infructueuses pour enseigner à ses trois petites filles l'art de la navigation dans le Long Island Sound. Dana apprit pourtant très vite à bien barrer. En général elle se sentait à l'aise sur le pont, mais passer deux minutes à l'intérieur, quelle que soit la mer, la rendait malade comme un chien. Cependant, elle ne se plaignait jamais et était toujours partante pour une autre traversée, car elle savait à quel point j'aimais naviguer.

Une fois, Kevin, elle et moi avons croisé sans arrêt de Portland, dans le Maine, jusqu'à Shelburne, en Nouvelle-Écosse. Au milieu de la deuxième nuit, nous étions encalminés dans un brouillard dense. C'était une zone dangereuse que j'avais entourée sur la carte de trois points d'exclamation pour être sûr de l'éviter à tout prix. C'est bien entendu à ce moment-là que notre moteur diesel décida de ne pas démarrer. Je n'avais d'autre choix que d'appeler le garde-côte canadien de Clark's Harbour, espérant qu'il pourrait nous secourir avant que nous ne nous trouvions en réelle difficulté. Une vedette de quarante pieds arriva en moins d'une heure et nous remorqua jusqu'à la côte à une telle vitesse que je crus que nous allions nous transformer en sous-marin. Le lendemain matin, toute la ville vint à notre rencontre et Dana servit un petit déjeuner à l'équipage du navire garde-côte qui nous avait porté secours.

Cette aventure ne la découragea pas. En 1989, nous avons vendu notre bien-aimée *Chandelle* et acheté un Cambria 46, que nous avons baptisé *The Sea Angel*, « L'ange des mers ». Il fut construit en un temps record spécialement pour nous. Nous dépliions les plans sur la table de la salle à manger et discutions de la forme de la cuisine ou du carré. Une fois par semaine, au moins, nous prenions l'avion pour aller à Portsmouth étudier les détails avec le constructeur et surveiller l'évolution de « notre bébé ».

Il fut mis à l'eau en juillet 1989. Dana m'offrit un album de photos intitulé « La naissance d'un ange des mers » montrant chaque étape de la construction, depuis les premières réunions pour établir les plans jusqu'à la coupe de champagne après notre essai en mer. Créer ce bateau avec Dana fut pour moi une source de joie et une expérience totalement nouvelle. J'avais de plus en plus le sentiment que nous étions faits l'un pour l'autre.

En 1990, nous vivions ensemble 78ᵉ rue Ouest. Comme j'avais partagé cet appartement avec Gae, Dana avait le sentiment que nous devions commencer notre vie commune dans un endroit à nous. Je n'étais pas encore tout à fait prêt. Je ne me faisais toujours pas à l'idée du mariage. Notre relation faillit se briser en 1991, lors du tournage de *Morning Glory* à Vancouver. Nous avons passé l'été pendus au téléphone. Et finalement, Dana déclara qu'elle en avait assez.

Nous avions prévu de passer le week-end à Galiano Island, à quelques milles du continent. Nous devions y louer un voilier et avions réservé une chambre au Galiano Inn, l'un des endroits les plus romantiques du monde. Bien qu'elle ait décidé que tout était terminé entre nous, Dana finit par venir passer le week-end avec moi. Nous étions censés être en pleine rupture et pourtant nous ne pouvions nous empêcher de nous toucher. Ce fut un moment atrocement doux-amer.

Après ce week-end, nous avons été obligés d'admettre que nous ne pouvions pas vivre l'un sans l'autre mais que quelque chose devait changer. J'ai accepté de commencer une psychothérapie. C'est ainsi que pendant l'automne de 1991 et le début de 1992, je me suis efforcé, de dominer ma peur du mariage.

Et soudain, tout sortit. Je pris conscience qu'il fallait être fou pour perdre cette femme, cette relation. Nous avons alors emménagé dans un appartement de la 22ᵉ rue Est, sans fantômes ni souvenirs. J'avais toujours préféré vivre dans le Upper West Side, près de Central Park, mais Dana, qui a de neuf ans de moins que moi, voulait être au cœur de la vie new-yorkaise. Nous avons donc trouvé un superbe appartement près du Flatiron Building. C'était un endroit très amusant, avec une magnifique terrasse, entouré de restaurants et du marché d'Union Square.

Un soir à table, au milieu du repas, j'ai posé ma fourchette et lui ai demandé de m'épouser. Nous n'avons pas fini de dîner, nous sommes allés tout droit au lit. Je n'ai jamais été plus heureux, jamais. J'étais transporté d'avoir pu prononcer ces mots. Nous ne l'avions pas prévu. C'était le moment, tout simplement. Je ne l'ai jamais regretté.

Nous nous épousâmes à Williamstown en avril 1992, mais j'ai toujours pensé que c'est le 30 juin qu'il nous faut célébrer l'anniversaire de notre rencontre, le jour où je la vis pour la première fois au cabaret. J'ai aujourd'hui encore l'impression que c'était hier. Le choc que provoque un accident comme celui que j'ai eu ne change pas un mariage : il accentue ce qui existe déjà, mais ne le transforme pas. Nous formions une famille. Lorsque Dana m'a dit à l'hôpital University of Virginia : « Tu es encore et toujours toi », cela signifiait que nous étions toujours « nous ». Nous avions passé un contrat pour la vie : à présent, j'en ai la meilleure part.

Chapitre 4

Le 28 juin, on me transféra au centre Kessler afin de commencer le long travail préparatoire du retour à la maison. Rester en réanimation n'était plus nécessaire mais il me fallait encore beaucoup d'aide et d'attention. Outre une infection aux poumons, j'avais beaucoup maigri car je ne pouvais pas manger. À l'hôpital, j'étais nourri par une sonde gastrique, c'est-à-dire qu'on m'avait introduit dans l'estomac un tube par lequel j'absorbais chaque nuit deux mille calories, mais cela ne m'empêchait pas d'avoir l'air parfaitement décharné.

Mon corps ravagé était encore très fragile. J'appris que je n'avais pas entièrement récupéré d'une malaria contractée au Kenya en 1993. Mon taux d'hémoglobine, normalement de 13 ou 14, avait baissé de façon alarmante à 9. Mon taux de protéines était également très bas, quelque 2,7, alors que la normale se situe aux alentours de 4. On m'administra plusieurs transfusions au cours des premières semaines, sans aucun signe d'amélioration : on aurait dit que mon sang disparaissait. Le Dr Green était très inquiet, il ne comprenait pas ce qui se passait. L'une des hypothèses avancées, mais qui devait être vérifiée par une série de tests, était que ma moelle osseuse ne produisait plus de globules rouges. De surcroît, je passais une radio quasiment tous les jours, ayant encore du liquide dans les bronches et risquant une pneumonie. Il fallut donc retarder le processus de rééducation jusqu'à ce que tous ces problèmes soient réglés.

J'étais aussi très fragile psychologiquement. Le centre Kessler est une institution exceptionnelle : lumineuse, ouverte, elle s'étend au milieu des pelouses et des arbres mais elle n'en demeure pas moins un centre de malades, avec toute la tristesse que cela comporte. Partout je ne voyais que murs verdâtres, sols de linoléum et individus amoindris. J'avoue avoir eu du mal à admettre que j'allais devoir passer un assez long temps dans une institution pour handicapés : je ne pouvais m'accepter comme l'un des leurs.

Cette situation me paraissait surréaliste. J'ai pourtant tout de suite sympathisé avec plusieurs des personnes chargées de s'occuper de moi – notamment les infirmières et certains aides-soignants – et l'on m'avait installé dans la plus jolie chambre du centre : j'y étais seul alors que beaucoup de patients partageaient la leur à quatre ou six. Ils n'avaient aucune intimité et vivaient au vu et au su de tous. Je ne crois pas que j'aurais pu le supporter, du moins au début.

Je suis quasiment sûr qu'on ne me donna une chambre individuelle que parce que j'étais une célébrité. De son côté, l'équipe médicale se surpassa pour me protéger. C'en était presque drôle : on m'affecta des gardes du corps vêtus comme des agents des services secrets qui restaient assis dans le couloir, devant ma porte, et tenaient un registre détaillé des allées et venues dans ma chambre. Ils me suivaient partout mais ne levaient jamais le petit doigt pour m'aider.

Une nuit, le tuyau du respirateur sauta. Je m'asphyxiai aussitôt. Il était presque minuit, l'alarme hurlait et j'émettais des petits bruits de clapotis – clk, clk, clk, – qui signifiaient : « J'ai besoin d'air ! » Le garde entra et me demanda : « Ça va, M. Reeve ? » Il aurait pu allumer la lumière et tenter de trouver où le branchement avait sauté mais, plutôt que de se mouiller, il alla au bout du couloir chercher une infirmière. Quand elle arriva, j'étais agonisant.

Être ainsi coupé du respirateur me terrifiait encore plus à l'institut Kessler qu'à l'hôpital. Au fur et à mesure que les secondes s'écoulaient, que l'air quittait mon corps, je sentais des fourmillements, d'abord dans les genoux, puis dans la poitrine et, terrorisé à l'idée que personne ne vienne, je perdais encore plus d'air en agitant vainement la tête dans tous les sens. En Virginie, le poste des infirmières était juste à côté de ma chambre et il ne se passait jamais plus de dix secondes avant que l'une d'elles n'accourût rebrancher le tuyau. Mais dans les centres de rééducation, on perd le filet de sécurité des services de réanimation, on rentre dans le troupeau général des patients. Il me fut difficile d'accepter de devenir un malade parmi d'autres alors que pendant un mois d'hôpital j'avais été le seul sous respiration assistée.

Je bénéficiais cependant d'un bon nombre de privilèges, ce qui eut comme directe et rapide conséquence de m'enfermer dans une sorte de « splendide isolement ». Le Dr Sipski, dont j'étais le seul malade, encourageait ce traitement à part : cela partait sûrement d'une bonne intention mais j'étais ainsi coupé des autres malades, ce qui n'était pas une bonne chose. Peut-être aussi certaines infirmières étaient-elles plus intimidées que je ne le réalisais. Je pense pourtant ne pas être plus intimidant ou effrayant qu'un autre, mais pour le personnel de l'institut, je devais être un peu particulier, car je venais du monde de ceux dont on parle et qu'on photographie.

Le poste des infirmières était situé à une vingtaine de mètres de ma chambre et chacune avait plusieurs patients en charge. Kessler est un endroit très animé, de jour comme de nuit. Les « médullaires » sont regroupés dans l'aile ouest mais nous n'y étions que cinq ou six sous respiration assistée. Jusqu'en 1992, le centre ne recevait pas de patients dits « ventilés » et d'ailleurs, le catalogue des soins apportés aux traumatisés de la moelle épinière ne disait pas un mot sur les lésions au-dessus de la cervicale 4. En le consultant, je fus quelque peu inquiet car rien ne semblait correspondre à mon cas. J'éprouvais le sentiment d'avancer en terrain inexploré et même plusieurs semaines après mon arrivée à Kessler, j'étais toujours terrifié à l'idée que le tuyau du respirateur puisse se débrancher. Que se passerait-il si personne au poste des infirmières ne prêtait attention ? Le garde, à ma porte, ne pouvait, ou ne voulait pas m'aider.

Je plaisantais volontiers en disant que je vérifiais toujours si les infirmières de garde portaient bien des tennis parce que je voulais être sûr qu'en cas de nécessité, elles pourraient courir dans le couloir sans glisser.

Mais je ne plaisantais qu'à moitié : lorsque je ne pouvais plus respirer, je me sentais comme un poisson hors de l'eau, qui s'agite sur le pont d'un bateau, l'hameçon toujours accroché dans la bouche. Mon imagination aussi s'agitait : je ne peux pas respirer, je ne sais pas si quelqu'un va venir, on est au milieu de la nuit... Et s'ils viennent, est-ce qu'ils auront l'idée d'allumer ? Est-ce qu'ils parviendront à localiser l'endroit où le tuyau est débranché ? Cela peut être à la gorge, près du sol ou sur le ventilateur lui-même... Je perds du temps pendant qu'ils cherchent... Je ne peux pas respirer, je n'ai plus d'air, je n'y arrive pas, c'est trop... Je suis enchaîné, harponné, attaché à cette maudite machine... Et totalement dépendant des autres.

Cette panique traduisait mon état d'esprit général. En fait, les infirmières sont toujours vigilantes lorsqu'elles ont des patients sous respirateur : quand un tuyau se déconnecte, elles se précipitent. Je me souviens notamment de Janet, l'une des infirmières les plus anciennes, de celles que l'on souhaite de garde lors d'une crise. Janet était formidable dans les procédures d'urgence mais elle était assez forte et, lorsqu'elle faisait irruption dans ma chambre pour voler à mon secours, ses épaules et ses bras accrochaient souvent les murs, et la plupart des photos, papiers et notes du tableau d'affichage tombaient par terre. Le lendemain matin, il fallait tout remettre en ordre. Mais Janet allait droit à la source du problème.

Une certain nuit, ce fut une autre infirmière qui la remplaça. Elle commença par ne pas trouver l'interrupteur, puis elle ne parvint pas à localiser l'endroit où le tuyau s'était déboîté. Moi, je savais où c'était mais comme je ne pouvais évidemment pas parler, j'essayais vainement de le montrer de la tête. Finalement, elle s'empara du ballon d'oxygène accroché au mur et me fit respirer en pompant à la main tout en appelant à l'aide. Deux autres infirmières accoururent et rebranchèrent le respirateur. De tels incidents augmentaient mon sentiment d'absolue impuissance.

Au fil des mois, je me suis cependant habitué aux pop du tuyau de mon respirateur, qui devinrent presque routiniers. Ils ont fini par prendre pour moi des allures de symboles, de métaphores de mon séjour en rééducation : je me renforçais physiquement et psychologiquement et j'arrivais à me sortir de situations plus compliquées que je n'aurais imaginé. La nuit me devenait plus facile à passer, je prenais mes marques dans mon nouvel environnement. Je commençais à tisser des relations amicales avec certaines infirmières.

Je garde de très bons souvenirs de l'équipe médicale de l'institut Kessler et une profonde affection pour beaucoup de ses membres. Les infirmières et les aides-soignants sont en même temps de véritables psychologues. Souvent, ce sont eux qui vous aident à regarder la réalité en face. Certes vous voyez un psychologue une ou deux fois par semaine, mais vous vous appuyez beaucoup plus sur l'équipe avec laquelle vous travaillez tous les jours.

Il y avait ainsi Patty, qui devint pour moi comme une jeune sœur. Il y avait Meredith, âgée d'une vingtaine d'années, elle aussi ; je l'appelais Ruthie à cause d'une de ses vieilles patientes qui la confondait avec sa fille unique nommée Ruth. Elle était l'infirmière du matin et m'aidait souvent à reprendre pied dans la réalité après mes rêves complexes de la nuit – elle me racontait comment elle progressait dans son projet d'amener son petit ami Joe à lui passer la bague au doigt. Bien sûr, il y avait Janet mais aussi Sylvia, si douce et apaisante, qui remplaçait Meredith lorsque celle-ci était de repos. Et un merveilleux aide-soignant jamaïcain qu'on appelait Juice, mais dont le vrai nom est Glenn Miller. La première fois que je sortis de l'institut Kessler pour aller donner une conférence au Pierre Hotel, ce fut Juice qui poussa mon fauteuil sur scène. Je le présentai au public en ces termes : « Voici mon ami Glenn Miller. Il dirigeait un orchestre de jazz qu'il a laissé tomber pour devenir kinésithérapeute. »

Nous l'appelions Juice parce qu'il concoctait des mélanges fabuleux dans un mixeur. Je ne n'ai jamais su ce qu'il y mettait, mais ces cocktails étaient délicieux : probablement parce qu'agrémentés d'un zeste de gentillesse. Il est grand – à peu près 1,80 m –, il est doté de bras puissants et de mains énormes, porte des lunettes cerclées de métal qu'il perd tout le temps, et arbore le sourire le plus éclatant que j'aie jamais vu. Il parle comme une mitrailleuse et fait irruption dans les pièces comme propulsé par un coup de canon. Nous sommes devenus très proches. Il vit aux États-Unis depuis une vingtaine d'années mais continue de parler comme s'il avait débarqué de la Jamaïque la veille. Je lui ai souvent demandé pourquoi son accent restait aussi fort, ce à quoi il répondait immanquablement : « Parce que je ne veux pas perdre mes racines. »

Juice est très religieux. Il croit qu'il existe une raison pour laquelle j'ai survécu et que je suis à l'institut Kessler dans un but précis. Chaque jour, il entre dans ma chambre rayonnant d'énergie, d'optimisme et de générosité. Lui, Patty, Meredith, ma kinésithérapeute Erica Druin, et mon nouveau médecin rééducateur, le Dr Steven Kirshblum – directeur de l'unité médullaire, qui devint mon médecin principal après le Dr Sipski –, tous guidèrent mes premiers pas dans l'acceptation de ma nouvelle vie.

Passer sous la responsabilité du Dr Kirshblum me stimula prodigieusement. J'avais eu de sérieux problèmes de communication avec le Dr Sipski que je voyais souvent arriver avec un sentiment d'angoisse. Au contraire, entre Steven Kirshblum et moi s'établit une relation immédiate. Il était drôle, irrévérencieux et profondément dévoué à ses patients.

Lorsqu'en février 1996, longtemps après mon départ de Kessler, je fus hospitalisé au Northern Westchester Hospital pour une phlébite, il se matérialisa soudainement dans ma chambre, arguant qu'il était dans le coin et qu'il avait décidé de passer. Je suis sûr qu'il n'avait aucune raison d'être « dans le coin ». Il s'était visiblement libéré de ses activités à Kessler et avait fait plus de deux heures de route pour discuter de mon état avec les médecins.

Très souvent, le vendredi, alors que nous étions plongés dans une discussion, je devais lui rappeler l'heure, car il était juif orthodoxe et devait donc se trouver chez lui ce jour-là avant la tombée de la nuit. Sa maison était à sept minutes à pied et il partait toujours à la dernière seconde.

Quand nous nous connûmes mieux, je me sentis suffisamment à l'aise avec lui pour le taquiner sur sa manière de se tenir ; bien qu'il n'ait que trente-cinq ans, il a les épaules voûtées d'un homme beaucoup plus âgé. Je lui dis que par respect pour ceux d'entre nous qui ne pouvaient pas marcher, il devait se tenir droit. Chaque fois que nous nous croisions dans le couloir, il se rappelait qu'il devait se redresser, sinon je faisais l'adjudant instructeur et lui intimais l'ordre de se conformer au règlement. Parmi tous les médecins que j'ai croisés – beaucoup plus que je n'aurais jamais imaginé –, Steve Kirshblum remporte le prix d'excellence pour son talent, sa compassion et sa générosité.

Petit à petit, au fur et à mesure que je me sentais mieux à Kessler, je me mis à sortir de mon isolement et je rendis visite aux autres patients qui, bientôt, à leur tour, vinrent me voir. Au début, j'avais le sentiment qu'ils abusaient un peu : je n'avais pas forcément envie qu'ils viennent à ce moment-là. Puis, progressivement, je découvris qu'il était gratifiant de partager les expériences et les sentiments et je me mis à laisser ma porte ouverte. Je ne savais jamais qui arriverait dans son fauteuil roulant ni de quoi nous parlerions. Je me suis ainsi surpris à soutenir des discussions approfondies avec des personnes que je n'aurais jamais rencontrées d'ordinaire. Chacun a quelque chose à donner. Avant mon accident, j'avais tendance à cataloguer les gens : par exemple, je voyais le type derrière son comptoir à la station d'essence, je le payais avec ma carte de crédit, il me disait : « Bonne journée », et je me contentais de lui répondre : « Merci ». Ou bien, lorsque j'achetais un sandwich, je ne prêtais pas la moindre attention au vendeur, je ne pensais pas à lui en tant que personne, avec un caractère, une histoire personnelle. C'est si facile de ne pas voir les gens !

À Kessler, j'ai rencontré des personnes de tous milieux, de toutes nationalités et de tous âges : un garçon de quatorze ans qui était tombé sur la tête en luttant avec son frère ; un sexagénaire, machiniste au Radio City Hall, qui avait reculé sur un échafaudage et s'était écrasé sur la scène neuf mètres plus bas ; un type de mon âge qu'une vague avait planté dans le sable alors qu'il faisait du bodysurf ; des gens qu'une sclérose en plaques ou un accident vasculaire cérébral privaient progressivement de leurs fonctions corporelles. Et j'ai noué avec beaucoup d'entre eux des relations telles que je ne les aurais jamais pensé possibles. J'avais été séparé des autres patients par un mur de sécurité que quelqu'un avait jugé nécessaire d'ériger étant donné mon statut de célébrité. Jusqu'à ce qu'un jour, je dise : « C'est ridicule, je n'ai aucun besoin de ces gardes » et que je me mêle aux autres. Dès lors, j'opposais moins de résistance à l'idée d'être l'un d'entre eux.

Accepter son état est un premier pas essentiel de la rééducation.

Les gestes de la vie courante changèrent radicalement. Par exemple, tous les deux ou trois soirs je devais prendre une douche. Cette perspective me terrifiait : que se passerait-il si quelque chose arrivait au respirateur sous la douche ? Si de l'eau pénétrait dans le trou de la trachéotomie, ou dans le tuyau qui va du respirateur à ma gorge ? Pour me doucher, on m'installait sur un brancard spécial fait d'une sorte de filet. Une fois de plus, j'étais convaincu que je n'y arriverais pas. Jamais. L'idée d'être plongé dans l'eau me pétrifiait. Je ne cessais de repousser ce moment : « Faites-moi juste une toilette, je ne peux pas affronter la douche ! »

Janet et Juice furent très patients. Ils ne me ridiculisèrent pas, ni tentèrent de me faire honte. Juice répétait : « Vous allez voir, vous vous sentirez si bien, mon vieux ! Vous demanderez une douche tous les soirs ! » Mais je n'y croyais pas, j'avais peur du transfert sur le brancard, peur du trajet dans le couloir, peur de l'eau. Maintenant, cela paraît complètement absurde mais à l'époque cela ne l'était nullement. En tout cas pas pour moi.

Après m'être dérobé une semaine ou deux, un soir, j'acceptai finalement d'essayer. Dana qui était à mes côtés, dut littéralement entrer sous la douche avec moi pour que je puisse la voir et lui parler. Je ne sais pas quelle était exactement ma plus grande crainte, mais mon état laissait le champ libre à toutes les terreurs. Chaque pas à accomplir prenait l'allure d'une énorme et terrifiante aventure.

Sans Juice, je n'aurais jamais été capable de surmonter toutes ces épreuves. J'avais en lui une totale confiance : par exemple, il parvenait tout seul à me sortir de mon fauteuil roulant, en s'accroupissant comme un haltérophile, puis me soulevant. Quand il m'empoignait, que j'étais appuyé sur son épaule et qu'il se préparait à me sortir du fauteuil, j'avais le sentiment que tout allait bien, que je ne risquais rien. C'était un sentiment probablement analogue à celui qu'éprouve un enfant lorsque son père le prend dans ses bras pour l'emmener au lit : il se sent en même temps tout petit et en sécurité.

La première fois que je pris une douche, j'étais allongé sur le brancard, encore très effrayé. Juice me raconta alors cette histoire : « Vous pensez que vous n'avez pas de chance ? À une certaine époque, il y avait ici une dame dont la moelle épinière était traumatisée comme la vôtre. Et voilà comment ça lui était arrivé : elle se trouvait chez elle, dans la véranda, et son vieux chien fit un arrêt cardiaque. Alors elle se mit à lui faire du bouche-à-bouche. Elle tenait la gueule du chien fermée et lui soufflait de l'air dans le nez. Elle était si inquiète pour l'animal, elle luttait si fort avec lui pour l'aider qu'elle en oublia où elle se trouvait : elle tomba de la véranda et se cassa le cou. Et le chien mourut quand même. »

Je riais tellement que les larmes me ruisselaient sur les joues. Toute décence, toute compassion pour cette pauvre femme s'étaient envolées. Le pire était que cette histoire était vraie ! Pourtant je la trouvais tellement ridicule que je ne pouvais pas m'empêcher de rire, de façon presque convulsive. Ma réaction fut probablement décuplée par l'angoisse que je ressentais à être allongé sous la douche dans ce filet, redoutant de tousser ou de respirer. La dame et son chien devinrent l'une de nos plaisanteries favorites. Je me sentais pourtant un peu coupable d'être capable de rire des dizaines de fois de cette histoire mais finalement, je pense que cela m'aidait à accepter l'idée que la vie est plus imprévisible – et même plus absurde – qu'on ne peut l'imaginer.

Un jour, je lui dis : « Quand je partirai d'ici, j'aimerais que vous veniez travailler avec moi. » « Pas du tout, me répondit-il, quand vous partirez d'ici, vous irez bien. Et mon boulot à moi, c'est d'aider. Je dois aider un tas de gens. » C'est sa mission, la raison pour laquelle il travaille à Kessler depuis quatorze ans, pour un salaire de huit dollars l'heure (environ 50 F). C'est son service, son don, son cadeau.

Juice me poussait sans cesse à en faire un petit peu plus. Après m'avoir aidé à trouver le courage d'entrer sous la douche, il m'aida à trouver celui de m'asseoir dans un fauteuil roulant. Car au début même cela était effrayant.

On apportait un fauteuil qui ressemblait beaucoup à celui que j'ai actuellement, avec six commandes. Pour le manœuvrer – en avant, en arrière, à gauche, à droite, vite ou lentement –, il faut aspirer ou souffler de l'air par un chalumeau de plastique, à des intensités variables. Il m'est arrivé quelques mésaventures avant de parvenir, au bout d'un certain temps, à le conduire correctement.

Je me souviens notamment d'un vendredi après-midi où je m'entraînais dans la rotonde de Kessler, une large surface où je n'avais pas à négocier des angles ou des couloirs. À un certain endroit de cette piste d'entraînement, une très charmante vieille dame était assise devant un piano droit monté sur roulettes. Rituellement comme tous les vendredis, elle jouait des musiques de spectacles pour un groupe de patients, tandis que j'exécutais des virages à 360° et que je travaillais à contrôler ma vitesse. Au bout d'un moment, je décidai de retourner dans ma chambre, relativement sûr de pouvoir aller en ligne droite sans grande difficulté. En passant près du piano, j'ai dû souffler un peu trop fort ; soudain, je fis un écart à droite et tandis qu'elle jouait, je heurtai le piano à vive allure, le faisant reculer d'un mètre cinquante ! L'intrépide pianiste ne rata pas une mesure, elle se leva simplement et continua de jouer tandis que je me répandais en excuses et tentais de faire une marche arrière. Dans le public, personne ne sourcilla : visiblement c'était un incident habituel. Je parvins finalement à manœuvrer en arrière et à me diriger avec précaution vers l'aile ouest. Enfin… au bout de quelques semaines, je conduisais de manière beaucoup plus responsable.

Maintenant, je suis tellement habitué au fauteuil qu'il fait presque partie de moi-même, mais au début, il était lui aussi une source de terreur. Il fallait trois personnes pour déconnecter le respirateur du lit, me transporter jusqu'au fauteuil et m'installer, avant de me reconnecter au respirateur du fauteuil : ce qui signifiait que je ne respirais pas pendant quatre ou cinq secondes. J'ignorais à l'époque que le but de cette manœuvre était de me préparer à respirer seul : j'étais plus terrifié que je ne saurais le dire, totalement dépendant des trois aides-soignants. Et s'ils ne me branchaient pas à temps ? Et si le respirateur ne marchait pas ? De nouveau mon esprit fourmillait de toutes les catastrophes possibles !

Tous les auxiliaires n'avaient pas autant de patience et de compassion que Juice, et certains me lançaient des regards qui semblaient dire : « Il a un problème ou quoi ? » Je me sentais furieux contre moi-même et désespéré parce que je ne pouvais pas contrôler ma peur. J'étais allongé sur mon lit et le fauteuil semblait si éloigné ! J'étais convaincu de ne pas pouvoir aller jusque-là !

La première fois qu'on m'arrima dans ce fameux fauteuil, j'eus une véritable crise d'angoisse. Je fus pris de panique : je ne peux pas rester ici ! Sortez-moi d'ici ! Je ne peux pas ! Je ne peux pas ! Je ne peux pas rester dans ce fauteuil, je n'ai pas confiance, j'ai peur !

Dana, qui se trouvait auprès de moi à ce moment-là, me raconta par la suite qu'elle ne m'avait jamais vu dans un tel état. J'étais incapable de me maîtriser. Je me sentais prisonnier, je voyais les courroies qui m'attachaient aux bras du fauteuil, la ceinture, mes jambes sanglées sur les pédales, j'avais l'impression d'être ligoté sur la chaise électrique.

Six ou sept personnes m'entouraient tandis je hurlais : « Non, non, je ne peux pas, ne me faites pas cela ! Je ne peux pas m'asseoir là-dedans, je ne me sens pas en sécurité, cette chose va basculer ! » J'avais vraiment perdu tout contrôle, j'avais peur de ne pas pouvoir respirer, j'étais certain que si j'étais attaché, je n'aurais pas assez d'air…

Cette panique n'était pas totalement sans fondement. Le 5 juillet, une semaine après mon arrivée à Kessler, j'avais failli mourir : j'en avais gardé une si vive épouvante que mes réactions de terreur étaient peut-être liées à l'expérience de cette nuit-là.

Tout commença avec le Sygen, un médicament que beaucoup de patients atteints de lésions médullaires ont reçu, bien que ce traitement ne soit pas autorisé aux États-Unis par la Food and Drug Administration. Pour se le procurer, il faut se le faire envoyer d'Italie ou de Suisse, malgré son prix. Le Sygen est réputé efficace pour ce type de lésions et certaines personnes affirment que ce médicament les a considérablement aidées, d'autres, en revanche, déclarent que cela ne leur a rien fait : il n'existe pas de preuve concluante.

Mais à l'époque, j'étais prêt à essayer n'importe quoi : ma famille commanda le médicament. Les doses pour un mois de traitement arrivèrent d'Italie, et le 5 juillet, dans l'après-midi, on me fit une première injection de 400 mg.

Dès 18 h 30, j'étais au lit et Patty était dans ma chambre lorsque je commençai à sentir une vive contraction des poumons, à respirer difficilement, en faisant un bruit d'asthmatique. Cela empira très rapidement. Patty alla immédiatement chercher le Dr Kirshblum, le Dr Green et quelques autres infirmières, lesquels furent rejoints peu de temps après par les équipes médicales d'urgence de deux villes voisines. J'étais en état de choc anaphylactique (réaction allergique au produit), mes poumons s'étaient fermés et je ne pouvais plus du tout respirer !

Je me rendais bien compte de ce qui se passait, mais je ne pouvais pas intervenir, mon pouls s'emballa, tandis que ma tension artérielle chutait, je n'avais jamais vécu une chose pareille ! On poussa l'alimentation en oxygène à 100%, mais je ne pouvais plus avaler une molécule d'air. Je luttais, les médecins hurlaient… un vrai tohu-bohu.

C'était la fin. Les choses perdaient leur réalité. J'avais l'impression de me noyer, comme lorsqu'on plonge trop profond, qu'il faut remonter à la surface mais qu'on ne le peut pas. Autour de moi, tout devenait gris. J'entendais toujours les gens dans la pièce ; ils m'administraient différents médicaments, débattant de mon état, s'inquiétant d'une possible mastocytose[1]. Le Dr Kirshblum prit les choses en main. Je fis alors l'une des expériences les plus inquiétantes de ma vie.

---

1. Mastocytose : réaction allergique des cellules du sang.

J'avais souvent entendu parler, sans y croire, de personnes qui avaient approché la mort et « en étaient revenues », ou qui étaient « sorties de leur corps », ce qu'on appelle une EMI, Expérience de Mort Imminente. Je ne croyais guère plus aux histoires de lumière blanche, de tunnel et autres. Mais ce soir-là, je dois dire que je vécus une chose très étrange. Je luttais, luttais pour de l'air... puis, d'un seul coup, je ne pus plus me battre. Alors, je me souviens très clairement avoir pensé, ou peut-être avoir dit tout haut : « Je suis désolé, je dois partir maintenant... » Je me rappelle très exactement les mots. De nouveau j'étais gêné, j'avais le sentiment de devoir m'excuser parce que j'avais échoué, je m'étais battu de mon mieux mais... je n'avais pas gagné.

Puis j'ai quitté mon corps. Je suis monté au plafond. Il n'y avait pas de lumière blanche mais je regardais en bas et je me voyais étendu sur le lit, immobile, au milieu d'une quinzaine de personnes – médecins, équipes d'urgence, infirmières – qui s'agitaient autour de moi, tourbillonnaient, armées de tensiomètres, de stéthoscopes et de seringues. Peu à peu, le brouhaha diminua comme si quelqu'un baissait le volume du son.

Le Dr Kirshblum prit alors la décision de m'administrer une dose massive d'épinéphrine, ce qui relança mon cœur : mon pouls bondit de manière ahurissante. Puis dans un soubresaut, je réintégrai mon corps. Je sentis mon cœur s'emballer, ma figure cramoisie, mon corps qui battait comme si mon pouls résonnait partout...

L'air commença à revenir, et je l'inspirais avec avidité. La tension artérielle se mit à remonter et mon esprit s'éclaircit, je percevais à nouveau les choses normalement, depuis mon corps. L'épinéphrine m'avait remis en route, j'étais de retour.

On me plaça sur un brancard pour me transporter à Saint Barnabas, l'hôpital le plus proche, situé à Livingston. Mon ami Juice m'accompagna. Plutôt que de me ventiler pendant le transfert par un ballon d'oxygène, il porta mon respirateur de manière à ce qu'on n'ait pas besoin d'en changer à l'arrivée, car il savait à quel point cela me terrifiait. Dans l'ambulance, il était assis auprès de moi, tenant toujours le respirateur. Aux urgences, on voulut me connecter sur l'un de ceux de l'hôpital, mais Juice s'y opposa fermement : « Non, fit-il, vous ne le débrancherez pas de celui-ci. » Il était presque en larmes. Il resta avec moi jusqu'à minuit pour être sûr que tout allait bien.

On me fit quelques tests, on m'injecta un produit de contraste, une sorte de colorant qui se répand dans le corps, avant de me faire passer une IRM. Vers 20 heures, mon état s'était stabilisé et j'allais beaucoup mieux. On me donna des calmants et je fus hospitalisé dans une chambre.

Dana et Will ignoraient ce qui se passait, ils avaient quitté Kessler juste avant 18 h 30 pour aller dîner à côté. Will mangeait ses spaghettis quand il s'écria : « Oh, regarde, une ambulance ! » Cet enfant a toujours été fasciné par les gyrophares et les ambulances : il ne pouvait évidemment pas s'imaginer que c'était moi qu'elle transportait !

Une heure plus tard, à Kessler, Dana apprit la nouvelle et vint me retrouver à l'hôpital.

Je passai les trois jours suivants en réanimation. Le deuxième jour, je demandai à reprendre du Sygen : j'avais le sentiment que ce serait dramatique si ce médicament pouvait m'aider mais que je ne pouvais pas en prendre. Personne n'avait jamais fait de réaction allergique au Sygen. On me réinjecta le produit. Cette fois-ci, cependant, j'étais entouré de tous les médecins et les infirmières. Lorsque je commençai à sentir le resserrement et le sifflement dans ma poitrine, je leur dis que l'allergie recommençait. On me fit immédiatement une piqûre d'épinéphrine et l'expérience du Sygen s'arrêta là.

Cet incident avait ébranlé ma confiance et pourtant j'en sortais plus fort : une fois encore, j'avais survécu. Les épisodes du fauteuil roulant et de la douche avaient eu le même effet et je commençais à croire que j'étais en sécurité et que je faisais des progrès. Chaque fois que Juice entrait dans ma chambre, il soulignait quelque chose de nouveau que j'avais accompli, quelque chose de mieux que le jour précédent. Et quand Dana arrivait, il plaisantait : « Voilà votre remède, mon vieux ! » Juice prenait un véritable plaisir à constater le pouvoir de guérison qu'avait ma famille sur moi. Son entrain et sa générosité étaient communicatifs.

L'hôpital Kessler disposait d'un système de communication interne et souvent, les aides-soignants recevaient un bip, par exemple pour venir aider à soulever un patient. J'occupais la chambre 118 et nous entendions sur le haut-parleur : « Juice, on a besoin de vous en 28 ! », ce à quoi il répondait invariablement : « Pas possible, mon vieux, je suis sur le bob ! » Cette plaisanterie avait commencé une nuit où nous avions regardé ensemble *Rasta Rocket*, le film qui raconte les exploits de l'équipe jamaïcaine de bobsleigh aux jeux Olympiques de 1988. Juice disait qu'une fois, juste pour le plaisir, nous monterions dans un bobsleigh avec Charles, un autre aide-soignant que j'aimais beaucoup, et Patty à l'arrière. Ensemble, nous dévalerions la piste. Depuis, lorsqu'il était avec moi, nous jouions à foncer en bob. Quand on le bipait, il « était sur le bob ». C'était sa manière de dire qu'il était avec moi et qu'il n'allait pas m'abandonner pour s'occuper d'un autre. Lorsque c'était mon tour, il se consacrait totalement à moi mais il faisait la même chose pour le patient suivant. Ce n'était qu'un jeu mais je m'y accrochais. L'image de nous quatre glissant à 130 km/h était si plaisante, si excitante, si absurde et, en même temps, évocatrice de liberté.

Juice disait souvent qu'il m'avait beaucoup aimé dans mes rôles d'acteur mais que maintenant j'allais devenir un grand réalisateur.

« Vous allez diriger le prochain film sur le bobsleigh. Vous ferez *Rasta Rocket 2* ». Et il éclatait de rire – il se tordait toujours de rire. Il secouait ses mains au point que ses doigts claquaient les uns contre les autres et riait si fort qu'il était plié en deux, le visage à ce point plissé que ses yeux disparaissaient presque entièrement. Nous trouvions toujours une raison de rire.

Je devais me coucher à 18 h 30 car je n'étais autorisé à rester assis qu'un nombre d'heures limité. Une escarre s'était formée dans la région du sacrum où la pression avait fait éclater la peau. La plaie se creusa jusqu'à l'os ; elle était si profonde qu'on pouvait y entrer la main. Les médecins voulaient m'opérer et prélever un morceau de peau de la hanche pour le greffer sur la plaie. Je ne pouvais supporter l'idée d'une nouvelle intervention sur mon corps, une nouvelle manifestation de mon impuissance. Je leur demandai de me laisser essayer de cicatriser tout seul et de me dire ce qu'il me fallait faire pour y parvenir. La réponse fut simple : augmenter l'apport de protéines et rester huit jours au lit.

Je ne pensais pas pouvoir endurer encore ces huit jours mais le Dr Kirshblum fut catégorique : si je voulais éviter l'opération, il fallait me mettre le dos totalement au repos. On m'allongea donc sur le côté, position extrêmement inconfortable, car elle vous comprime les épaules et contracte les poumons, si bien que vous respirez moins bien. Ma saturation artérielle en oxygène (SAO_2) baissa, provoquant de nouvelles crises d'angoisse. Je détestais être sur le côté mais je savais pourtant que c'était nécessaire.

Même dans mon agréable chambre, la fenêtre donnait sur un mur de briques, pas très haut cependant, car Kessler est une construction d'un seul étage. Et je regardais les nuages et le ciel si bleu par-dessus le toit… Je rêvais d'escalader ce mur, de monter sur cette terrasse pour me sauver en courant : une véritable évasion de prison !

Au cours de l'été, je pus sortir. Certes je ne pouvais rester sans surveillance à cause des fameux tuyaux du respirateur qui risquaient toujours de se déboîter, de sorte qu'une infirmière m'accompagnait partout avec un ballon d'oxygène. Mais je sortais, lorsqu'il faisait plus frais, en fin d'après-midi, vers 16 h 30 ou 17 heures. Dehors, sur la terrasse, je contemplais les nuages pendant des heures, l'âme en paix.

Certains jours, cependant, je ne supportais plus de les voir, c'était trop douloureux ; j'aurais tellement voulu être là-haut dans mon planeur, à me glisser sous eux ! Un jour, les nuages m'apportaient sérénité et confiance, le lendemain, un amer ressentiment.

C'était la même chose pour Kessler. Tantôt, j'y voyais un endroit chaleureux où je me sentais en sécurité, où je pouvais progresser, tantôt je n'y voyais qu'une prison où j'étais enfermé, condamné à une peine illimitée. Et je me demandais comment sortir de là. J'étais prêt à tout pour m'en échapper. Je plaisantais même avec Juice sur mon évasion.

Je reçus un nombre impressionnant de lettres de guérisseurs, de médiums, d'experts en médecines parallèles, et d'un tas de tordus. Il était souvent difficile de faire la différence. Je me souviens d'un type particulièrement insistant qui se décrivait comme un guérisseur ayant une très grande expérience dans son pays natal, l'Irlande. Il affirmait que, par imposition des mains, il pourrait restaurer chez moi sensibilité et motricité. Au début, je jetai ses lettres dans la pile des cinglés. Mais il se mit à appeler quotidiennement Kessler, insistant tellement, presque désespérément, pour m'aider que je finis par baisser la garde. Lorsqu'il offrit de venir à ses propres frais et de ne pas se faire rémunérer, la curiosité l'emporta et je décidai de lui donner sa chance. Peut-être était-ce le signe de mon propre désespoir ?

Le lendemain il était là. Il mesurait environ un mètre soixante et portait une veste d'un vert éclatant : je ne pus m'empêcher de penser qu'un lutin irlandais s'était matérialisé pour me sauver. Il avait été convenu qu'il n'interviendrait qu'en présence du Dr Kirshblum et d'une infirmière. L'homme enleva sa veste verte, retroussa ses manches, et sans cesser de commenter ses anciens succès, se mit au travail, expliquant aux curieux qui s'étaient rassemblés dans ma chambre qu'il allait localiser les points de douleur ou de « détresse » dans le corps, puis exercer sur eux une forte pression des mains. Les endorphines se rueraient alors sur ces points, calmant ainsi la douleur. Je lui expliquai que je ne ressentais strictement aucune douleur mais il ne se laissa nullement démonter et commença à « travailler » sur le haut du corps et les bras. Il appuyait et me demandait si je sentais quelque chose. Je répondais : « Non, rien du tout. » Il essayait alors ailleurs, et je donnais toujours la même réponse. Soudain, mon bras se mit à bouger, alors qu'il appuyait près du coude : « Nous y voilà ! s'exclama-t-il. Les champs d'énergie ont été restaurés, ce qui lui permet de bouger ! »

Il perdit alors toute crédibilité : j'avais eu tout bonnement un spasme réflexe, provoqué par la pression de sa main sur mon bras. Chez un individu sans handicap, le cerveau donne l'ordre au corps de réagir de manière appropriée à chaque type de stimulus. Lorsqu'une mouche se pose sur votre jambe, le cerveau traite l'information et dit à votre jambe de ne pas réagir de manière violente. Au contraire, chez un individu dont la moelle épinière est endommagée et dont les connections avec le cerveau ne se font plus correctement, il n'existe aucune limite aux réactions du corps. Tout peut causer des spasmes : la fatigue, une infection, une simple tension…

Le lutin était le seul dans la pièce à n'avoir pas compris ce qui s'était passé. « C'est assez pour aujourd'hui », annonça-t-il d'un ton décidé. J'échangeai un regard avec le Dr Kirshblum. Le lendemain matin, le guérisseur reprenait l'avion pour l'Irlande.

Ce genre d'épisode était finalement très déprimant. Fort heureusement, mes déprimes ne duraient pas très longtemps. Je sombrais parfois dans une profonde mélancolie mais je remontais assez rapidement. Souvent, la seule vue de Dana entrant dans la pièce, ou celle de Juice qui faisait le clown, suffisait à me faire émerger. De temps en temps, j'allais rendre visite au bout du couloir à mon ami Kirk, un ancien prêtre. Je lui parlais de mon rapport avec la religion et la foi. Il ne faisait jamais ni discours ni prosélytisme, il m'apaisait avec des phrases aussi simples que : « Dieu est dans la manière dont vous regardez votre fils. »

Parfois, lorsque Dana et Will étaient là, nous sortions tous trois dans la cour, où il y avait un petit arbre, haut de trois mètres à peine. Will adorait y grimper et nous adorions le regarder faire. Cela m'aidait à ne plus penser à moi.

Patty contribua grandement à me préparer au retour dans le monde. À elle seule, elle possédait plus d'énergie que trois personnes réunies. C'était une jeune fille mince, d'environ un mètre soixante-dix. Originaire du New Jersey, elle en conservait l'accent. Ses cheveux blonds foncés attachés en chignon comme une danseuse, elle glissait dans la chambre dans des uniformes colorés dont l'un arborait un magnifique poisson. Elle faisait tout avec une efficacité redoutable. Par exemple, si je disais « Tiens, j'aimerais bien boire une ginger ale », je pouvais être sûr que quelques minutes plus tard, il y en avait un pack de six dans mon réfrigérateur. Elle me lançait sans cesse des défis et c'était là son principal don.

Patty m'aida à dépasser mon arrogance et mon refus de la réalité. Juice me parla avec une ferveur toute religieuse de ma mission et du but de ma vie ; Kirk m'aida à admettre que j'étais toujours une personne qui valait le coup ; et Patty me força à regarder la réalité en face. Sa devise aurait pu être : « Affrontons ! »

Les premiers jours, elle restait dans ma chambre. De 15 heures à 23 heures, elle se consacrait uniquement à moi, j'étais son seul patient et plutôt que de passer son temps dans le poste des infirmières avec ses collègues, elle me poussait de plus en plus à me regarder, à accepter ma condition de tétraplégique. J'ai longtemps essayé de fuir.

Au contraire de beaucoup d'autres, elle ne fut pas intimidée une seule seconde. Elle se plantait à côté de mon lit, avec le manuel des lésions médullaires. Un livre sur mon épouvantable présent et mon avenir lugubre était bien la dernière chose que j'avais envie de lire. Mais elle me lut tout, jusqu'aux passages sur les intestins, la sexualité, la dysautonomie[1]...

La dysautonomie peut résulter d'une obstruction des intestins, de l'appareil urinaire ou simplement d'un ongle incarné ou d'un entortillement du cathéter. Elle survient souvent très soudainement, provoquant une montée de la tension artérielle, parfois même une crise cardiaque ou un accident vasculaire cérébral. Cela peut être très dangereux car le patient risque de ne s'en apercevoir que trop tard. Le pire est qu'une crise peut se déclencher à un endroit où personne ne sait de quoi il s'agit. Un jour, je partis pour l'aéroport de Newark, accompagné de membres de l'équipe de rééducation de Kessler, afin d'apprendre à monter dans un avion. Nous attendions dans le salon des premières classes des American Airlines avant de monter à bord d'un appareil à l'arrêt entre deux vols. Je demandai quelle était sa destination suivante : Dallas. Je commentai : « Oh, alors, peu importe ! S'il était allé à un endroit excitant... » Nous avons tous ri.

J'étais tranquillement en train de siroter une ginger ale lorsque soudain, je sentis mon cœur taper dans ma poitrine. C'était très étrange ; j'avais le cœur qui bondissait ! Je demandai à Sylvia de prendre ma tension : elle était de 14/10, au lieu des 11/7 habituels. Ma fréquence cardiaque, qui se situe en général autour de 68, était montée à 135. Puis une migraine atroce s'empara de moi. Nous avions tous compris que je traversais ma première crise de dysautonomie et nous fûmes nous isoler dans un petit box au fond de la salle.

---

1. Dysautonomie : trouble, altération du système nerveux autonome qui règle, de façon inconsciente, les chiffres de la tension artérielle, du pouls, etc. Dans certaines atteintes médullaires ou cérébrales, le système nerveux autonome est déréglé, et une agression entraînera une réaction anormale de la tension artérielle, du pouls, etc.

Ce qui m'effrayait le plus, c'était d'être dans un endroit public ; nous étions coincés à l'aéroport de Newark, sans matériel d'irrigation de cathéter, sans trinitrine pour faire baisser la tension… En fait, le tuyau de la sonde urinaire s'était entortillé sur lui-même et ma vessie ne se vidait plus ! Si la tension montait trop, je risquais la crise cardiaque ou l'accident vasculaire cérébral.

Mais cette fois-là, je restai relativement calme. Sylvia décida d'appeler les secours d'urgence de l'aéroport et, bien que l'on fût un samedi, jour en général assez calme, ils mirent une demi-heure pour arriver. La tension avait grimpé à 17/12, puis 19/13 et finalement 21/15. Je ne pouvais rien faire sinon attendre, le cœur cognant, avec le sentiment d'être réellement coincé. Enfin les secours d'urgence arrivèrent, Sylvia irriga la vessie avec une solution saline, et l'écoulement reprit. En l'espace de cinq minutes, j'évacuai 1 100 cm^3 d'urine. D'ordinaire, un individu commence à chercher les toilettes à 350 cm^3 ; à 450 ou 500 cm^3, il devient désespéré et s'il est dans un bus, il supplie le chauffeur de le laisser descendre.

Le problème lorsque vous êtes paralysé est que vous n'avez aucun moyen de détecter une obstruction et beaucoup d'hôpitaux ne savent même pas la reconnaître. Si vous arrivez aux urgences, les médecins des hôpitaux non spécialisés ne savent même pas de quoi vous parlez : c'est pourquoi, il est si important de connaître en détails les soins dont vous relevez et c'est pour cette raison que Patty m'avait fait lire ce manuel.

Ce fut d'ailleurs difficile car, pour ne m'y être jamais intéressé, j'ignorais beaucoup de choses sur le corps, ses fonctions, ses problèmes. Jusqu'à ce jour de mai 1995, mon organisme ne m'avait jamais laissé tomber et je me croyais quasiment indestructible.

Aujourd'hui, bien sûr, j'y suis attentif en permanence. J'ai été obligé de devenir un élève studieux de moi-même. Souvent à Kessler, alors que je voulais lire ou regarder un match de foot à la télévision, Patty entrait dans ma chambre, ce maudit livre à la main, et me forçait à en affronter le contenu. Au début, j'en lisais quelques pages, au plus un chapitre, et j'arrêtais en disant : « Je ne peux pas, je dois téléphoner. Je veux regarder la télévision... » Mais elle m'y ramenait, m'obligeait à l'apprendre.

Petit à petit, j'ai réalisé que je devais penser à moi comme j'avais l'habitude de le faire pour un nouveau hobby ou un nouveau sport. Je devais être aussi discipliné dans l'apprentissage de mon corps que je l'avais été dans celui du pilotage, de la navigation à voile ou de l'équitation. Je devais comprendre exactement mon état et ce qu'il allait survenir dans un avenir proche. Comment maîtriser la situation ? Qui allais-je devenir ?

Mes journées à Kessler commençaient vers 7 h 30, avec l'arrivée de Meredith, l'infirmière du matin. Elle arrêtait le gavage gastrique nocturne. Charles, l'aide-soignant de notre équipe de bobsleigh, venait alors l'aider. Ils allumaient la radio, me détendaient les jambes et les bras, les étiraient, les massaient pour leur conserver une certaine souplesse et y maintenir une bonne circulation. Puis ils m'habillaient, me passaient les fameux bas de vieille dame, les bandes Velpeau, et finalement la gaine abdominale. Tout cet équipement était nécessaire pour empêcher une chute brutale de tension lors de mon transfert sur le fauteuil roulant. Ensuite ils m'enfilaient un pantalon de survêtement et, parce que c'était l'été, un simple T-shirt.

Passer un T-shirt demandait un soin particulier. En effet, chaque fois qu'on me déplaçait, je devais porter une minerve qui m'enserrait du bas du cou jusque sous le menton, m'immobilisait le cou et empêchait de bouger les greffes osseuses qui n'avaient pas fini de cicatriser. J'ai dû la garder en permanence pendant mes huit premières semaines à Kessler, sauf la nuit, quand je ne bougeais pas.

Une fois prêt, on m'asseyait dans un fauteuil roulant. À 10 heures, je descendais à la kinésithérapie, où l'on me transférait sur une table et l'on m'étirait de nouveau bras et jambes.

À Kessler, la salle de kinésithérapie est une très haute et grande pièce d'au moins trente mètres de long, avec des néons au plafond. Elle est pleine de gens qui peinent. C'est un endroit impressionnant où l'on transpire, où l'on se bat, où l'on est déçu, une pièce où les gens luttent pour leur vie. Elle sent toujours le renfermé, spécialement l'été.

Chacun, jour après jour, occupait le même coin. Il y avait là des gens avec toutes sortes de handicaps : des amputés, des gens qui tentaient de marcher, de s'asseoir pour la première fois, certains qui apprenaient à rouler sur le dos ou sur le ventre.

Il y avait une quinzaine de kinésithérapeutes qui hurlaient instructions et encouragements, pressaient les patients de recommencer, d'essayer plus fort, de ne pas laisser tomber : « Allez, vous pouvez le faire ! Encore cinq ! » Parfois, on entendait des hourras ou des applaudissements lorsque quelqu'un avait fait un petit progrès ou avait réussi.

Sur la table, je devais être placé sur le côté à cause de mon escarre. Au début, je ne pouvais accomplir que de petits mouvements avec la tête. Erica, ma kinésithérapeute, exerçait une faible pression sur un côté du crâne et je devais résister, pousser, bouger de quelques millimètres. C'était tout.

Je tentais de bouger un peu les épaules et je parvenais à provoquer un léger mouvement du trapèze droit, mais rien d'autre. Le simple fait d'essayer de contracter ce muscle tenait du test d'endurance. On ne voyait qu'un frémissement, un petit bombement du muscle, en haut de l'épaule. Et pourtant, ce petit mouvement était porteur d'espoir, car il se produisait sous l'étage de la lésion. C'était quand même un point de départ, même si à l'époque je ne m'en rendais pas compte. Je faisais ces exercices parce qu'on me les demandait. C'est seulement maintenant que je réalise combien il est important de persévérer car si l'on parvient à remettre en route un muscle, un jour on pourra probablement faire bouger les muscles voisins.

Parfois, on m'emmenait sur mon fauteuil roulant au service des consultations devant une machine. On me plaçait des électrodes sur les épaules : les réactions des muscles trapèze à ces stimuli apparaissaient alors sous forme de graphique sur un écran. Je pouvais ainsi visualiser le mouvement des muscles. Les thérapeutes utilisaient cette machine pour me motiver et provoquer mon caractère compétitif. Ils fixaient des objectifs à atteindre et criaient : « Vous devez dépasser ce chiffre ! » Ce n'était qu'un exercice mais je me piquais au jeu. Chaque jour, j'essayais de battre le chiffre de la veille.

Au début, j'eus du mal à ne bouger qu'un seul muscle à la fois. Mon cerveau mettait un temps fou à se connecter avec le muscle que je voulais actionner. Il me fallait penser : « cerveau, va à l'épaule droite ! Bon, maintenant, je veux que ce trapèze, sur le haut de l'épaule, bouge. Hop, allons-y. Un, deux, trois, go ! » Il fallait vouloir qu'il bouge. Petit à petit, les chiffres commencèrent à augmenter.

Je ne pouvais pas laisser tomber : on avait vu des améliorations s'opérer six mois, un an, dix-huit mois même, voire deux ans plus tard. Les nerfs peuvent se frayer de nouvelles voies, trouver de nouvelles manières de stimuler les muscles.

J'ai entendu parler d'un homme qui rebougea soudain sa jambe trois ans après son accident. En mars 1996, pour ma part, je parvenais à bouger les muscles des omoplates, ce qui représentait un énorme progrès.

Après une heure d'exercice avec Erica, on m'emmenait en ergothérapie où l'on m'apprenait à utiliser différents types de fauteuils roulants et des ordinateurs spéciaux. On m'expliquait quelle sorte de fauteuil ou d'ordinateur vocal il me faudrait quand je rentrerais à la maison – sujets dont je ne voulais pas entendre parler.

Entre mai et décembre, je n'ai pratiquement rien mangé. Signe caractéristique des lésions médullaires, j'avais l'odorat extrêmement sensible. Un jour, je demandai à Dana de commander un repas chinois ; nous devions dîner et regarder un film ensemble. Mais lorsque la commande arriva, l'odeur me souleva le cœur à tel point qu'elle alla dîner dans le poste des infirmières et leur donna ma part.

À l'heure du déjeuner, la plupart des patients descendaient à la cafétéria. Moi, je ne pouvais pas. J'allais au salon regarder par la fenêtre, attendant la reprise de la kinésithérapie, à 14 heures. On me sortait du fauteuil pour me déposer sur la table. Erica m'étirait de nouveau et essayait de me faire bouger la tête un petit peu plus, toujours très patiente. À 15 heures, je recommençai l'ergothérapie, dont les séances s'achevaient à 16 heures.

Certains jours je ne faisais aucun progrès, parfois même je régressais. Les pires moments étaient quand Bill Carroll, qui faisait la kiné respiratoire, venait me faire une capacité vitale, test servant à mesurer la quantité d'air qu'on peut inhaler seul. Le praticien utilise un petit compteur qu'il fixe sur la trachéotomie avant de fermer l'orifice. Puis il retire le tuyau du respirateur et vous devez essayer d'inhaler le maximum d'air par tous les moyens, en utilisant le diaphragme, les muscles du cou et des épaules ou en soulevant la tête... Lorsque vous expirez, le compteur mesure les centimètres cubes d'air que vous avez été capable d'inhaler.

Je ne supportais pas ce test. En Virginie, le Dr Jane m'avait prédit que je pourrais me passer de ventilation et respirer tout seul, or j'échouais lamentablement. Pour espérer se sevrer de la machine, il fallait une capacité vitale de 750 cm^3 tandis que je faisais à peine décoller l'aiguille du zéro.

Bill pratiquait un autre test, pour évaluer l'effort que produisent les muscles lorsqu'ils tentent de prendre de l'air. D'abord vous expirez complètement, puis la trachéotomie est fermée et le médecin mesure l'effort que fournissent vos muscles pour pomper de l'air. Mais lors du test, vous ne respirez pas une seule bouffée ; il s'agit juste de mesurer une force musculaire. De nouveau, je parvenais à peine à ébranler l'aiguille sur le cadran. Et je m'interrogeais alors sur ce qui ne tournait pas rond et sur mon impossibilité à le faire. On m'avait menti en Virginie. Était-ce pour me réconforter ?

Lorsque je voyais arriver Bill Carroll avec ses instruments, j'étais pris de panique. Pourtant, comme presque tout le monde à Kessler, il était très encourageant. Il criait : « Allez, allez, allez » Mais rien ne se passait. L'aiguille ne bougeait pas. Finalement, je me suis révolté, par pure frustration, et lors de la réunion suivante, j'éclatai : « Je ne peux pas manger, alors ne me faites pas manger ! Je ne peux pas respirer, alors ne me faites pas faire ces tests ! » Et on me laissa tranquille.

La philosophie de Kessler est que vous êtes le chef de votre propre équipe. Il est d'ailleurs vrai, dans une large mesure, que vos progrès dépendent de votre motivation. Si vous voulez rester assis dans votre lit à ne rien faire, vous en avez parfaitement le droit. Personne ne vous force vraiment à faire quelque chose. Ce n'est pas là une capitulation de leur part, mais ils essaient de vous pousser à vous prendre en charge vous-même.

À ce moment-là, il me fallut décider si je me sentais assez bien pour assister au dîner de gala de la Creative Coalition, prévu pour le 17 octobre. En tant que membre fondateur et récent co-président, je me sentais moralement tenu d'y assister, d'autant que j'avais demandé depuis janvier à mon ami Robin Williams d'être l'un des deux invités d'honneur de la soirée. Nous avions fondé cette association en 1989, avec Ron Silver, Susan Sarandon et d'autres personnalités, dans le but de porter sur la scène publique un certain nombre de sujets et de tenter de faire bouger les choses. En effet, en tant que célébrités, nous avons à la fois un accès privilégié aux médias mais aussi auprès des décideurs de Washington. Notre action était principalement axée vers les subventions aux artistes, les sans-abri, l'environnement et la réforme des financements de campagne. Lors du gala du 17 octobre, on devait rendre hommage à Robin pour ses prestations sur la chaîne de télévision HBO, avec Billy Crystal et Whoopi Goldberg, dans l'émission « Comic Relief », laquelle avait récolté des millions de dollars pour les sans-abri. Après avoir consulté le Dr Kirshblum et demandé à Juice et à Patty de m'accompagner, je confirmai que je viendrais à la soirée et que je remettrais son prix à Robin.

À peine avais-je accepté d'y aller, que je me rendis compte à quel point cette petite expédition au Pierre Hotel représentait un défi. Ce serait la première fois depuis mon accident qu'on me verrait et m'entendrait en public. Je me demandais si je ne serais pas trop nerveux pour parvenir à parler, si je n'aurais pas de spasme, si le tuyau du respirateur n'allait pas se déboîter… Je savais aussi qu'entrer et sortir de l'hôtel nécessiterait un service de sécurité car la presse et les photographes déploieraient des trésors d'ingéniosité et d'agressivité pour obtenir mes premières photos depuis l'accident.

J'en discutai avec Dana et nous convînmes que les avantages psychologiques qu'il y avait à tenir un engagement pris de longue date surpassaient de loin les risques que je courais en me rendant à cette soirée. Robin mit à notre disposition ses propres gardes du corps. Nous louâmes une camionnette pour me transporter dans mon fauteuil et Dana donna un coup de brosse à mon smoking. Le 17 octobre, je terminai plus tôt les séances de thérapie, et me préparai à plonger dans l'inconnu.

Je garde un souvenir très vif du trajet pour aller en ville. Pendant presque quatre mois, j'avais parcouru en fauteuil roulant les couloirs de Kessler à 5 km/h. Rouler à 90 était inquiétant. Les autres voitures semblaient terriblement proches, tout paraissait défiler à une vitesse folle ! En passant sur les bosses ou les trous de la chaussée en entrant en ville, j'étais si tendu que mon cou se tétanisa et que mon corps eut un spasme incontrôlable. J'étais assis et sanglé à l'arrière de la camionnette, je ne voyais que les feux arrière des voitures, leurs plaques d'immatriculation et les lignes de signalisation peintes sur la chaussée. En approchant de l'entrée de service de l'hôtel, Juice et Neil Stutzer, que nous avions embauché pour nous aider, collèrent des feuilles de papier sur les vitres pour nous cacher des photographes. Ils étaient des centaines, massés derrière les cordons de sécurité. Le pâté de maisons avait été bouclé et la police montée patrouillait. Notre camionnette vint se garer dans une sorte de couloir construit spécialement et qui menait à l'entrée de service de l'hôtel. On me descendit de voiture et, à toute vitesse, on poussa mon fauteuil dans le bâtiment.

Pour gagner l'ascenseur de service, il fallait traverser les cuisines : on me poussa donc entre les chefs et les marmitons qui se tenaient le long du mur et applaudissaient. J'étais comme étourdi, hébété, mais je parvins à les saluer de la tête et à les remercier. On me monta dans une suite du dix-neuvième étage et l'on me transféra sur un lit médical pour me reposer. L'aventure était beaucoup plus intense que je ne l'avais imaginé et la soirée restait encore à venir.

Bientôt, il fut temps de retourner dans le fauteuil roulant et de commencer les derniers préparatifs avant de rejoindre une réception privée d'amis et d'invités d'honneur. Dans le salon de la suite m'attendaient mes amis et collègues de la Creative Corporation ainsi que Robin et Marsha, plus un océan de visages qui me saluèrent et m'offrirent leurs vœux de bonne santé. Pendant une fraction de seconde, je souhaitai qu'un génie me fasse disparaître ! Finalement je m'en sortis honorablement, m'éloignant de temps en temps pour que Patty puisse discrètement vider la poche fixée sur ma jambe et vérifier ma tension. Puis les invités descendus dîner, je restai seul avec Dana pour récupérer. Elle me serra dans ses bras. Elle n'avait pas besoin de me poser la question pour savoir comment j'allais ; même blanc comme un linge, j'étais heureux d'être de nouveau dans le monde.

Nous avons regardé la soirée sur un circuit vidéo interne jusqu'au moment où je dus me préparer pour entrer en scène. Une rampe d'accès avait été aménagée. De grands rideaux noirs avaient été installés pour me cacher aux yeux du public jusqu'à mon apparition. Finalement, le moment arriva. J'entendis Susan Sarandon, sur le podium, qui m'annonçait et Juice me poussa sur la rampe vers la scène. Il tourna alors mon fauteuil vers le public et je découvris sept cents personnes, debout, qui m'acclamaient. L'ovation dura cinq bonnes minutes. Une fois de plus, j'étais partagé entre la gratitude, l'excitation et le désir de disparaître ! Quand enfin les applaudissements cessèrent, un silence intense tomba. On aurait entendu voler une mouche !

Pris d'une soudaine panique, je réalisai que je n'avais pas préparé de discours ! Focalisé sur les détails pratiques de la soirée, j'avais oublié que je devais parler. Heureusement, j'eu une idée et je commençai ainsi : « Merci beaucoup, mesdames et messieurs. Je vais vous donner la vraie raison de ma présence ici ce soir. [Longue pause pour attendre que la machine me donne ma respiration suivante.] Lorsque j'étais au lycée, George Packard [autre pause pour respirer], notre professeur d'anglais demanda un jour à un élève pourquoi il avait été absent la veille [nouvelle pause qui me permit de rassembler mes mots]. Celui-ci répondit : "Monsieur, je ne me sentais pas très bien." [Je savais maintenant où j'allais.] Et George Packard lui rétorqua : "La seule excuse pour ne pas venir est de se faire amputer des quatre membres." » Je sentais le public retenir son souffle. « "Auquel cas, on peut encore vous amener dans un panier." Alors, je me suis dit que j'avais intérêt à venir ce soir. » Rires et applaudissements explosèrent, c'était gagné.

Le reste fut facile. Je présentai Juice, dis qu'il s'appelait Glenn Miller, expliquai combien tous à la Creative Corporation m'avaient manqué, parlai de Robin et de ce qu'il avait accompli, puis l'appelai sur scène. Pendant vingt minutes, nous nous renvoyâmes la balle. Il désenvoûta le fauteuil, allant et venant derrière, fit semblant de régler les commandes, parla de mon tube respiratoire comme du dernier collier à la mode et me suggéra d'utiliser mon fauteuil comme remorqueur. Il raconta que je devais faire attention pour diriger le fauteuil : si je soufflais trop fort dans la commande, je risquais de partir comme une fusée et d'atterrir dans le public. La soirée devint un hymne à l'amitié et au courage. De nombreuses personnes, dont beaucoup ne se connaissaient pas, se retrouvèrent soudain réunies dans une sorte de famille.

Ayant promis au Dr Kirshblum d'être de retour à Kessler à minuit, nous fîmes nos adieux à tout le monde, en plaisantant sur la camionnette redevenant citrouille. Ensuite, nous nous hâtâmes dans les couloirs de service de l'hôtel, de nouveau nous réussîmes à échapper aux paparazzi. (Les quelques photographies officielles qui avaient été prises lors de la soirée furent vendues le lendemain partout dans le monde pour la somme de cent cinquante mille dollars, qui allèrent à l'American Paralysis Association, l'association américaine contre la paralysie.) La route du retour vers le New Jersey ne me parut pas pénible malgré les nids-de-poule, la traversée du Lincoln Tunnel, etc. Tous les quatre, Dana, Juice, Patty et moi, jacassions d'excitation. En arrivant à Kessler, nous nous forçâmes à nous taire pour ne pas réveiller les patients endormis. Dana avait commandé à l'hôtel une bonne bouteille de chardonnay : nous dénichâmes un tire-bouchon et des verres en carton et portâmes un toast à cette étape importante de ma rééducation.

* * *

Bientôt, je songeai que je devrais quitter Kessler un jour ou l'autre. On fixa une date pour une sortie d'essai entre Thanksgiving[1] et la mi-décembre. Je me surpris alors à penser que j'avais totalement abandonné l'idée de respirer tout seul : et qu'est-ce que j'allais faire ? Rester dépendant de ce respirateur toute ma vie ?

Il existe d'autres techniques que celle que j'avais essayée, pour supprimer le respirateur. L'une d'entre elles est le stimulateur phrénique, une procédure lourde et dangereuse qui consiste à implanter chirurgicalement des piles dans la poitrine pour stimuler le diaphragme. Après l'intervention, le patient doit rester de longs mois en réanimation, constamment suivi sous moniteur. Les risques sont énormes. Les piles peuvent s'épuiser et les nerfs phréniques peuvent être endommagés par les impulsions électriques permanentes. Ce système libère certes du respirateur, mais la panne peut être fatale.

On me proposa d'autres techniques mais aucune n'était entièrement satisfaisante. On pouvait installer un embout sur l'un des côtés de mon fauteuil roulant : j'aspirerais une bouffée d'air par l'embout puis me retournerais de l'autre côté pour diriger mon fauteuil en inspirant et soufflant. Le but était de réduire progressivement ma dépendance envers le respirateur, mais le contrôle respiratoire que nécessitait la manœuvre du fauteuil aurait rendu l'opération trop compliquée et dangereuse. Je m'imaginais en train de rouler, puis tournant la tête pour respirer dans l'embout et perdant alors le contrôle du fauteuil ! Je renonçai rapidement à cette idée.

Je n'avais pas fait travailler mon diaphragme depuis le mois de mai et nous étions à la fin d'octobre. J'avais lu dans le manuel des lésions médullaires que si je le laissais s'atrophier, je risquais de ne jamais en récupérer l'usage. Je décidai donc de faire une nouvelle tentative pour respirer seul.

---

1. Thanksgiving : fête située le dernier jeudi de novembre, commémorant l'arrivée des premiers colons aux États-Unis.

On me fit connaître le Dr Thomas Finley, du service de recherche de Kessler. Il préconisait de m'implanter des électrodes partout sur la poitrine pour vérifier s'il y avait une quelconque activité musculaire – ce qui évidemment m'aurait redonné de l'espoir mais le Dr Kirshblum s'y opposa, arguant du risque de perforation du poumon au moment de l'insertion des électrodes.

Le premier lundi de novembre, je déclarai que j'allais de nouveau essayer de respirer seul. À 15 h 30, je retrouvai Bill Carroll, le Dr Kirshblum, le Dr Finley et Erica dans la salle de kinésithérapie. Je me souviens d'avoir pensé : « Et voilà, nous y sommes ! Il faut que je fasse quelque chose ! Je ne sais pas comment ni d'où, mais il faut que je sorte de l'air de quelque part ! »

Le Dr Finley commença : « Nous allons vous débrancher du respirateur. Essayez de prendre dix respirations. Si vous n'en faites que trois, tant pis, mais je veux que vous essayiez dix, je mesurerai la quantité d'air en mouvement à chaque fois. D'accord ? »

Et j'ai respiré dix fois. Allongé sur le dos, je soulevais désespérément la tête dans ma lutte pour inspirer. J'étais incapable de contracter le diaphragme. Seuls bougeaient la cage thoracique, le cou et les muscles des épaules dans un effort surhumain pour apporter un peu d'air aux poumons. Je ne pus qu'approcher les 50 cm³ à chaque tentative. Mais au moins j'avais réussi à faire bouger l'aiguille sur le cadran !

Nous recommençâmes le lendemain. Et cette fois-là, j'étais très motivé. Je m'étais préparé mentalement en imaginant que ma cage thoracique était un énorme soufflet que je pouvais ouvrir ou fermer à la demande. Je me suis répété des dizaines de fois que j'allais bientôt rentrer à la maison et que je ne pouvais pas quitter le centre de rééducation sans avoir fait de réels progrès. Le Dr Finley me demanda de refaire dix inspirations pour comparer avec les chiffres de la veille. J'en fis effectivement dix, chacune d'environ

450 cm^3. L'équipe était ébahie, ne pouvant y croire ! Et je me suis dit : « Bon, on arrive enfin à quelque chose ! »

Le jour suivant, à 15 h 30, j'étais en place, prêt à démarrer, mais plusieurs membres de l'équipe étaient en retard. Je pensais : « Allez, un peu de discipline, nous devons nous serrer les coudes si nous voulons réussir ! » Finalement, je pris les choses en main. Quand le Dr Finley arriva, il me demanda de refaire dix inspirations. Le volume moyen de chacune tournait autour de 560 cm^3 ! Un hourra explosa dans la pièce.

Nous nous sommes retrouvés de nouveau le lendemain. Jusque-là le Dr Finley me guidait dans mes respirations en disant : « Soufflez ! Inspirez ! Soufflez, inspirez ! » Je lui suggérai alors de me laisser suivre mon propre rythme et il me laissa faire. Je suffoquais, cherchant à aspirer de l'air, les yeux exorbités par l'effort, un effort désespéré aussi bien physique que psychique. Mais je réussis à respirer tout seul sept minutes et demie.

En remontant dans ma chambre de l'aile ouest, Bill Carroll exultait. « Je n'ai jamais vu des progrès pareils ! Vous allez y arriver, vous allez réussir à décrocher de cette machine ! » Pour la première fois, j'eus le sentiment que c'était possible.

Puis j'ai travaillé seul avec Erica. Chaque jour, je m'entraînais. Je suis passé de sept minutes à douze, puis à quinze. Juste avant de quitter Kessler, le 13 décembre, je me suis défoncé et j'ai réussi à tenir trente minutes ! Je me souviens du Dr Kirshblum qui disait : « Je ne sais pas comment vous faites, d'ailleurs, je ne sais pas comment vous faites un tas de choses que vous faites ! »

L'été précédent, je n'étais pas encore complètement adapté à ma nouvelle situation et j'avais abandonné. Mais en novembre j'étais suffisamment motivé pour y parvenir.

Au cours de ces mois au centre de rééducation, j'ai fait une découverte qui fut aussi thérapeutique que les progrès physiques. Au début de mon séjour à Kessler, je refusais d'appartenir à la population des handicapés. Puis, petit à petit, je m'étais rendu compte que non seulement j'en faisais partie mais que, de plus, je pouvais servir de manière essentielle notre cause à tous. J'avais peut-être un moyen d'aider les scientifiques qui cherchaient à guérir la paralysie. Je commençais à comprendre un peu ce qu'avait de particulier la célébrité. Bien que j'aie interprété des films plus sérieux, comme *Les Vestiges du jour*, c'était clairement mon rôle de Superman que le public avait aimé. Je savais qu'il avait eu un impact considérable, m'attirant la sympathie du public et mon accident semblait avoir provoqué un regain d'intérêt à mon endroit.

Jamais quiconque ne m'a dit : « Prenez en main le combat contre les lésions médullaires. » L'idée m'en est venue en écoutant certaines personnes, en les regardant se battre. Le Dr Wise Young, du New York University-Bellevue Medical Center, l'un des grands pionniers de la recherche sur les lésions de la moelle épinière, et Arthur Ullian, un homme paralysé à partir de la ceinture à la suite d'un accident de vélo, me rendirent un jour visite. Depuis des années, Arthur intervenait auprès des membres du Congrès pour les sensibiliser sur ce sujet. Tous les deux furent les premiers à me faire comprendre le rôle que je pouvais jouer. C'est à peu près à ce moment-là aussi que Henry Steifel, le président de l'American Paralysis Association, me demanda de trouver un invité célèbre pour le dîner de gala de l'association. Paul Newman accepta. Le gala fut un énorme succès.

Juice m'avait souvent dit : « Tu es allé dans la tombe, deux fois cette année, mon frère. Tu ne vas pas y retourner. Tu es là pour quelque chose. » Il pensait que mon accident avait un sens, une raison. Je croyais, et je crois toujours, que ce n'était qu'un simple accident. Mais peut-être avons-nous tous les deux raison. Parce que maintenant, j'ai la possibilité de donner un sens à cet accident. Je suis convaincu que c'est ce que l'on fait après une catastrophe qui lui donne son sens.

Je commençais à accepter ma nouvelle vie. Je suis rentré chez moi passer la journée de Thanksgiving en famille.

En revoyant notre maison, je me suis mis à pleurer.

Dana me serra contre elle. Au dîner, lorsque son tour vint de dire ce pour quoi il remerciait Dieu, Will dit simplement : « Papa. »

Chapitre 5

Il était initialement prévu que je quitte Kessler dans le courant de la deuxième semaine de novembre mais le Dr Kirshblum réussit à convaincre la compagnie d'assurance de m'accorder encore un mois, compte tenu de ma tentative de respirer seul.

Obtenir de rester plus longtemps en rééducation était une sorte de grande victoire dans la guerre que nous menions contre les compagnies d'assurance. En effet, pendant mon séjour dans le centre, nous avions passé un temps fou avec le Dr Kirshblum et Dana à écrire des lettres vibrantes, pour tenter de nous faire rembourser des soins médicaux. La première grande bataille fut celle des heures d'infirmières : les assureurs ne voulaient payer que quarante-cinq jours de soins à domicile, avec une infirmière de 7 heures le matin à 15 heures l'après-midi. En dehors de ces horaires, ils soutenaient que c'était à Dana de s'occuper de moi. Puis ils refusèrent de financer un respirateur de secours, arguant que si le respirateur tombait en panne, une infirmière ou Dana pouvait très bien me maintenir en vie avec un ballon d'oxygène, pendant qu'on faisait venir un autre respirateur d'Hawthorne, à une demi-heure de la maison. Mais qu'arriverait-il si la personne chargée de ces cas d'urgence vivait dans une autre ville, beaucoup plus éloignée ? Et bien entendu que se passerait-il si le respirateur tombait en panne quand j'étais en déplacement dans une autre ville pour tenir une conférence, ma principale source de revenus ? Je serais dans une situation impossible car on ne peut pas parler quand on est sous un ballon d'oxygène. La compagnie d'assurance déclara même que je n'avais pas besoin de voyager !

Ce qui me mit cependant le plus en colère c'est qu'ils refusèrent de payer le matériel d'exercice. D'innombrables chercheurs ont insisté sur l'importance de préparer le corps à de nouveaux traitements ou thérapies. Si on laisse les muscles s'atrophier, ou si l'inactivité provoque une perte significative de densité osseuse, si le diaphragme n'est pas entraîné, le patient ne peut pas bénéficier des avancées scientifiques. Dans mon cas, la compagnie d'assurance ne voulait payer aucune kinésithérapie au-dessous des épaules.

Parce que je suis certain qu'il est possible de guérir une paralysie, j'ai équipé notre demeure d'un matériel d'exercice de base, qu'on m'a donné ou que j'ai acheté. La société Electrologic of America m'a offert une bicyclette, ce qui me permet de conserver force et masse musculaire dans les jambes, tout en maintenant ma forme cardio-vasculaire. Je commence par enfiler un short avec des électrodes spéciales fixées sur les muscles des cuisses et des fesses. Puis on me monte sur la bicyclette et on m'y attache. Des stimulations électriques provoquent des contractions musculaires qui actionnent les pédales. Au début, je ne pouvais pédaler que pendant cinq minutes, mais au bout de quelques semaines, je tenais une demi-heure sans m'arrêter. Les bienfaits de cette bicyclette sont formidables et tous ceux qui souffrent d'une lésion médullaire devraient pouvoir en profiter. Malheureusement, elle coûte six cent mille francs !

J'ai aussi un StimMaster, payé cent quatre-vingt mille francs, et un pantalon spécial muni d'électrodes qui font travailler tous les muscles des jambes. Grâce à cette machine, fabriquée par Bioflex, une petite entreprise de l'Ohio, la taille de mes cuisses et de mes mollets est pratiquement similaire à celle qu'ils avaient avant l'accident. J'utilise aussi le StimMaster pour faire travailler abdominaux et muscles des bras, deux endroits qui s'atrophient très vite si l'on n'y prend garde.

Deux fois par semaine au moins, j'essaie de faire une séance de table inclinée (qui coûte quatre-vingt-dix mille francs).

Cet appareil permet de se tenir debout, les jambes et les pieds supportant tout le poids du corps. On me transfère d'abord de mon fauteuil sur la table, en position horizontale. On me sangle alors aux genoux, à la taille et dans le haut de la poitrine, puis l'infirmière ou l'aide-soignant relève progressivement la table à la verticale, en tournant une manivelle. Cette opération se fait très lentement, car si je me redressais trop rapidement, ma tension artérielle baisserait de manière dramatique et je m'évanouirais. Cela nous est arrivé plusieurs fois au début, lorsque nous apprenions à nous servir de cette table. (Nous avons donc établi une règle : je dois garder les yeux ouverts pour rassurer tout le monde, pour montrer que je suis toujours conscient.) Habituellement, il nous faut à peu près un quart d'heure pour atteindre la position haute, une inclinaison de 70° dans laquelle je reste environ une heure. D'un seul coup, je mesure de nouveau 1,92 m. Dana et Will viennent souvent me tenir compagnie sur la table pour un câlin familial. Will joue à l'alpiniste, et quand il atteint le sommet, il se perche sur ma tête. Je le préviens toujours quand j'ai l'intention d'utiliser la table inclinée car je pense qu'il est important qu'il me voie debout, libéré du fauteuil roulant.

L'une des raisons pour laquelle les compagnies d'assurance refusent de rembourser le matériel et les soins essentiels est qu'à peine 30% des patients se battent pour les obtenir. Elles économisent ainsi des sommes énormes mais elles en épargneraient de plus fabuleuses encore si elles fournissaient aux malades ce dont ils ont besoin. La plupart du temps, ceux-ci feraient des progrès formidables, seraient peut-être même guéris, et n'auraient plus besoin de ces remboursements coûteux.

J'avais besoin de ce temps supplémentaire à Kessler non seulement pour travailler ma respiration, mais aussi pour préparer la transition avec le retour à la maison. Ma visite de Thanksgiving avait été très stressante, presque déprimante. Bien que j'aie essayé de dissimuler du mieux que j'aie pu mes sentiments, j'avais passé la plus grande partie de la journée près de la cheminée. En temps habituel, j'aurais accueilli les invités, découpé la dinde, organisé une partie de ballon dans le jardin. Nous n'avions pas encore aménagé la maison pour le fauteuil roulant, si bien que lorsque je voulais me déplacer d'une pièce à l'autre, changer de niveau, il fallait improviser un plan incliné et je devais demander de l'aide à Dana ou à Chuck, mon beau-père. Je commençais juste à retrouver un peu d'appétit et Dana me donnait à manger de minuscules morceaux de dinde avec de la purée. Je faisais des efforts désespérés pour être gai, pour ne pas gâcher la journée des autres.

Mais j'étais encore très en colère contre mon assurance. Mon voyage à Bedford n'avait été autorisé qu'à condition de rentrer à Kessler avant 20 heures. Le chargé du dossier affirmait que si je restais à la maison plus longtemps, c'est que je n'avais plus vraiment besoin de rééducation et qu'il arrêterait de payer. Soit je prenais à ma charge les sept mille huit cents francs quotidiens que coûtait Kessler, soit je rentrais chez moi.

À 17 h 30, on me chargea donc dans la camionnette que nous avions louée pour la journée et je retournai à Kessler avec Dana, une infirmière et le chauffeur. Les parents de Dana étaient restés à la maison pour s'occuper de Will. La bonne humeur était retombée. Nous avions fait de notre mieux, cependant chacun savait que ce Thanksgiving était douloureusement différent.

Quelques semaines plus tard, Dana et moi passâmes un accord avec Care-More, une agence de soins à domicile. J'avais besoin d'une infirmière vingt-quatre heures sur vingt-quatre et d'aides-soignants pour me lever, me coucher et me remplacer dans tout ce que je faisais d'habitude dans la maison. Je savais qu'au début certains d'entre eux seraient intimidés et que j'aurais à faire un effort pour les mettre à l'aise, quelle que soit mon humeur.

Je dus aussi accepter le fait qu'en raison d'une éventuelle défaillance du respirateur, je ne pourrais plus jamais être seul, même dans ma propre maison. J'ai toujours protégé mon indépendance : j'aimais la compagnie des autres mais j'avais besoin de temps en temps d'un peu de solitude. L'un de mes grands plaisirs était ainsi de naviguer en solitaire sur le *Sea Angel*. Et je me souviens avec émotion d'une traversée en solitaire du Canada dans mon Cherokee 140, atterrissant dans les champs et dormant souvent sous l'aile. Dans les Berkshires, où nous avons une maison de campagne, je partais seul pour de grandes marches ou de longues randonnées à cheval dans les collines. J'en suis toujours revenu revigoré, prêt à affronter appels téléphoniques ou obligations mondaines.

J'eus de nombreuses conversations avec le Dr Kirshblum, devenu un ami. Je reconnus avec lui que l'une des raisons pour lesquelles je craignais de quitter le refuge de Kessler était que je redoutais de reprendre mon rôle de personne publique. En effet, au-delà de l'attention à laquelle je pouvais m'attendre de la part des médias, j'aurais bientôt à relever le défi lancé par Wise Young et Arthur Ullian.

Steve Kirshblum me fit remarquer que je n'avais pas à devenir le symbole du traumatisé médullaire. J'appréciais sa remarque mais je sentais qu'il fallait pourtant que je fasse quelque chose – non pas simplement pour moi mais pour tous ceux qui partageaient cet état. Même si je le voulais (et je ne le voulais pas), je ne pourrais jamais oublier les patients rencontrés à Kessler. J'avais vu leurs luttes et leurs douleurs, je ne pouvais pas rentrer à la maison, ne m'occuper que de moi-même et de ma famille en oubliant le reste.

Je m'étais renseigné sur l'état de la recherche dans le domaine de la moelle épinière. Je connaissais les perspectives qu'elle ouvrait aussi bien que les obstacles qu'elle rencontrait. J'avais parlé avec des spécialistes de la régénération nerveuse et compris que l'on avait fait récemment plusieurs découvertes très prometteuses mais que sans l'intérêt du public, sans son enthousiasme, et surtout sans argent, une véritable avancée serait difficile, voire impossible.

J'avais reçu des lettres affirmant qu'avec mon courage et ma détermination, j'allais m'en sortir. Je suppose que leurs auteurs voulaient simplement dire que je parviendrais à dominer les problèmes émotionnels et psychologiques qui m'attendaient, parce qu'évidemment le courage et la détermination n'ont jamais réparé des nerfs déchirés. La régénération nerveuse de la moelle épinière, la thérapie génique, la transplantation de cellules fœtales et la remyélinisation – tous les fronts sur lesquels les chercheurs attaquent le problème – nécessitent recherches, expérimentations et surtout de l'argent.

Dans les années 1940, on aurait eu du mal à assurer à un malade atteint de poliomyélite qu'avec du courage et de la détermination, il aurait pu s'en sortir. La guérison de la polio a été le résultat des efforts de recherche et des fonds qui lui ont été consacrés à l'initiative du président Roosevelt. M'adapter à la vie dans un fauteuil roulant dépend probablement de mon courage et de ma détermination mais quant à mon avenir, il dépend de la science !

Au début, à Kessler, j'ai passé la plupart de mon temps à m'occuper de ma santé, à m'adapter à ma nouvelle vie. Après la visite de Wise Young et d'Arthur Ullian, et après le dîner de l'American Paralysis Association, en novembre, je me suis mis à lire tout ce que je pouvais sur la moelle épinière. Je trouvais cela fascinant. Je voulais en savoir le plus possible sur la recherche dans ce domaine et comprendre en détail ce que j'avais. Je suis même parvenu à persuader le Dr Kirshblum de me faire passer une autre IRM pour comprendre à quoi ressemblait ma moelle épinière six mois après l'accident. Nous avons passé des heures à étudier les clichés : on y voyait que l'hématome situé sur la gauche, à l'étage de C2, était devenu du tissu cicatriciel, que la moelle épinière avait considérablement rétréci mais qu'il n'y avait pas de nouveaux dégâts.

L'une des raisons pour lesquelles le public ne s'est jamais intéressé à la guérison de la paralysie est qu'on l'a toujours considéré comme impossible. On a retrouvé des hiéroglyphes égyptiens datant de deux mille cinq cents ans qui expliquaient déjà que les lésions de la moelle épinière ne devaient pas être soignées. Cette croyance devint le sens commun et, malheureusement, peu de victimes survécurent assez longtemps pour attirer l'attention ; beaucoup moururent de la pneumonie qui apparaît inévitablement dans les jours qui suivent le traumatisme.

Ce sujet n'éveilla en fait l'intérêt des scientifiques que vers 1830, lorsque l'anatomiste Theodore Schwann, un anatomiste, découvrit la régénération d'une cellule au-dessous du nerf coupé d'un lapin. En son honneur, les cellules qui enveloppent les fibres nerveuses périphériques furent baptisées cellules de Schwann. C'était une découverte très intéressante car, alors que le système nerveux central semblait inexplicablement incapable de se remettre d'une blessure, les nerfs périphériques le pouvaient apparemment. Qu'est-ce qui empêchait donc la régénération dans la moelle épinière ?

Pendant longtemps, on crut que les faisceaux nerveux abîmés ne pouvaient tout simplement pas repousser. Puis en 1890, Santiago Ramón y Cajal suggéra que le système nerveux central ne pouvait pas se régénérer à cause d'un « environnement inhospitalier ». En 1981, Alberto Aguaya, un chercheur de McGill University à Montréal, avança que la moelle épinière ne pouvait se régénérer car un élément vital de son environnement lui faisait défaut. Cette théorie fut largement admise. Les scientifiques concentrèrent alors leurs recherches sur les facteurs de croissance nerveuse, identifiés pour la première fois en 1951 par Rita Levi-Montalcini, lauréate du prix Nobel de médecine. On en trouva ailleurs dans le corps mais pas dans la moelle épinière.

Aguaya démontra que lorsqu'on prélevait un nerf sur la patte d'un animal et qu'on le greffait sur le système nerveux central, les cellules nerveuses repoussaient tout le long du nerf. Cela paraissait confirmer l'hypothèse que le problème ne se situait pas dans les nerfs eux-mêmes. Quelque chose dans le système nerveux central semblait empêcher leur croissance.

Puis, en 1988, on fit une découverte majeure : Martin Schwab, qui travaillait sur la régénération nerveuse à l'Université de Zurich, découvrit deux protéines ayant pour particularité d'inhiber la croissance des neurones dans la moelle épinière endommagée d'un mammifère. Cela modifiait entièrement l'hypothèse selon laquelle cette même moelle épinière ne pouvait se régénérer simplement du fait de l'absence de facteurs de croissance nerveuse. Deux ans plus tard, Schwab réussissait à provoquer une régénération nerveuse dans la moelle épinière d'un rat, en bloquant les protéines inhibitrices avec un anticorps appelé le IN-1. En 1994, il obtint une croissance considérable des neurones dans des moelles épinières partiellement endommagées de rats en les traitant à l'IN-1 et avec un facteur de croissance, le NT-3.

Ce qui m'excitait le plus dans les travaux de Schwab sur les anticorps et les facteurs de croissance, c'est qu'il avait obtenu ces résultats en intervenant non pas chirurgicalement mais chimiquement. De surcroît, il étonna toute la communauté scientifique en démontrant que les faisceaux nerveux qui se régénéraient semblaient posséder une sorte de mémoire de leur parcours. Les scientifiques ont en effet toujours craint que, même si la régénération nerveuse se produisait, les nouveaux neurones errent sans but ou effectuent de mauvaises connections. Vous pourriez penser : « bouge mon orteil gauche » et vous retrouver en train de bouger le coude droit ! Le cerveau serait-il capable d'apprendre à dominer le problème, comme il le fait dans la dyslexie par exemple ? Certains scientifiques pensent que ce serait possible car le cerveau a une incroyable capacité à se réorganiser. Schwab réussit sur des rats une régénération de trois ou quatre millimètres en ligne absolument droite. Cette régénération était déjà stupéfiante en elle-même mais les neurones refirent aussi les connections adéquates.

En 1988, l'année où Schwab découvrait les deux protéines inhibitrices de la croissance des cellules nerveuses, Wise Young ouvrit le premier centre pour l'étude des lésions médullaires chez l'animal. Aujourd'hui, les chercheurs dans ce domaine admettent que la régénération nerveuse est non seulement possible mais qu'elle est à notre portée, ce qui a créé une formidable excitation dans la communauté scientifique et attiré de nouveaux chercheurs.

J'ai toujours été quelqu'un de pratique, n'aimant pas perdre mon temps à poursuivre des objectifs irréalisables ou des rêves. À la fin de 1995, j'étais fermement convaincu que la guérison était de l'ordre du possible, mais que pour avancer plus vite, les scientifiques comme Martin Schwab et Wise Young avaient besoin d'un soutien financier important. Le vieil adage « le temps c'est de l'argent » devient dans le domaine scientifique : l'argent c'est du temps. Au nom de nous tous, les traumatisés de la moelle épinière, j'ai décidé de faire le maximum pour aider les chercheurs à poursuivre leurs travaux dans leurs laboratoires, plutôt que de perdre un temps précieux à mendier des subventions auprès de diverses fondations.

Mon premier acte destiné à attirer l'attention du public et trouver de l'argent, fut de demander à Paul Newman d'assister au dîner de l'American Paralysis Association. La soirée rapporta presque six millions de francs, contre un million huit cent mille la fois précédente. Ce soir-là, on me demanda de prendre la parole et je débutai ainsi : « Je voudrais vous parler du mur de ma chambre à Kessler. Un sujet fascinant, n'est-ce pas ? [Je sentais que le public se demandait où je voulais en venir.] Sur ce mur, il y avait une photo du lancement de la navette spatiale qu'avaient signée et que m'avaient envoyée tous les astronautes de la NASA alors à l'entraînement. En haut, ils avaient écrit : "Nous savons que tout est possible." »

Je rappelai à l'auditoire qu'en 1961, le président Kennedy avait lancé le défi de faire marcher un homme sur la lune avant la fin de la décennie. À l'époque, les savants pensaient que cet objectif était impossible, personne n'ayant encore imaginé un véhicule spatial capable de se poser sur la lune puis de redécoller. Beaucoup considérèrent le discours de Kennedy comme irresponsable car il n'avait pas consulté auparavant les experts. Néanmoins l'idée était si stimulante, à la fois pour les scientifiques et pour le public, qu'elle devint une réalité. Sa réalisation exigea les efforts conjugués de quatre cent mille employés de la NASA et de douzaines d'entreprises pour fabriquer toutes les pièces du vaisseau spatial mais en juillet 1969, Neil Armstrong fit ce premier pas gigantesque pour l'humanité.

Je rappelai aussi un autre chapitre extraordinaire de nos aventures sur la lune : alors que le vaisseau spatial *Apollo 13* revenait sur terre très endommagé, de dangereuses quantités de dioxyde de carbone envahirent l'intérieur du poste de pilotage. Il restait aux astronautes moins de trente minutes à vivre. À terre, les ingénieurs de contrôle de la mission, qui avaient l'habitude de tout régler à travers leurs livres, durent s'en remettre à leur expérience et à leur ingéniosité pour résoudre le problème. Comme le dit au début un membre de la NASA : « L'échec n'est pas une option. » Le défi consistait en effet à boucher un trou carré avec un filtre rond. Ils improvisèrent une solution de fortune avec du carton et des chaussettes, transmirent les instructions au vaisseau spatial et les astronautes furent sauvés.

Je suggérai qu'il était temps de proposer un défi similaire à la science. Cette fois-ci la mission serait de conquérir l'espace intérieur, le cerveau et le système nerveux central. Je ne doutais pas qu'une mobilisation générale, une attaque en règle du problème aurait des effets concluants. Pour créer l'urgence et personnaliser ce combat, je déclarai mon intention de remarcher pour mon cinquantième anniversaire, sept ans plus tard.

En quittant le podium, je me rendis compte que je venais de prendre une nouvelle responsabilité. Il faudrait que ce discours soit suivi d'effet. Depuis mon engagement dans la

Creative Coaliton, j'avais des facilités d'accès à Washington. Certains sénateurs pouvaient m'aider. J'avais même des relations professionnelles avec le président Clinton, depuis que j'avais fait campagne pour lui en 1992. Je savais aussi qu'il était essentiel de toucher l'opposition, car seul un effort général permettrait de réelles avancées.

Les gens de l'association étaient ravis de la soirée et quelques semaines plus tard, je fus élu président.

La mission de l'association américaine contre la paralysie est de trouver un moyen de guérison. Rien de moins ! L'un de ses buts est de créer une synergie, d'accélérer la recherche en parvenant à convaincre les plus grands chercheurs dans ce domaine de travailler ensemble. J'appris à cette occasion que l'association subventionnait des scientifiques aussi différents que ceux du Miami Project to Cure Paralysis, Wise Young (actuellement à Rutgers), Lars Olson en Suède, Martin Schwab à Zurich, et de jeunes chercheurs aux idées novatrices qui n'auraient probablement aucune chance de recevoir des subsides des National Institutes of Health[1]. Cette approche me parut intelligente. De la même façon que le vaccin contre la polio fut le résultat de la collaboration de quarante ou cinquante scientifiques, l'espoir de progrès rapides dans la guérison de la paralysie repose sur la mise en commun des informations scientifiques... et des fonds.

Le Miami Project est l'un des grands centres de cette recherche. Le Dr Mary Bartlett Bunge, biologiste cellulaire, travaille à ce que les nerfs se régénèrent sur une longueur suffisante pour que les fibres nerveuses atteignent leur objectif. Son équipe s'est concentrée sur les cellules de Schwann, dans le système nerveux périphérique, parce qu'elles sécrètent des éléments essentiels pour la croissance nerveuse. On peut en effet les cultiver. Si on parvient à les transplanter, les

---

1. Organisme qui gère le budget de recherche du ministère de la Santé américain.

chercheurs pourront fabriquer des millions de cellules qui pourront être greffées sur des zones endommagées. Si seulement 10% de ces cellules « prennent », l'affaire est gagnée !

Au Weitzmann Institute d'Israël, Michal Schwartz travaille sur des composés prélevés sur des cerveaux de poissons. Peu après ma sortie de Kessler, elle vint me voir à Bedford. Depuis, nous sommes restés en contact et elle me tient au courant de ses travaux. Son hypothèse consiste à cultiver ces composés, puis à les injecter dans la zone endommagée, pour rétablir des connections en comblant la fissure entre les deux segments médullaires.

En juin 1996, quelques mois après mon retour à la maison, un groupe de chercheurs travaillant sous la direction de Lars Olson au Karolinska Institute de Stockholm, réussit pour la première fois à faire pousser des neurones chez des rats après lésion de leur moelle épinière. Ils leur avaient sectionné la moelle épinière puis, pour combler l'interstice de cinq millimètres environ, leur avaient transplanté des cellules nerveuses : et les rats s'étaient remis à bouger les pattes arrière.

Cette expérience fit grand bruit. Elle fut considérée comme une étape marquante en ce qu'elle apportait la preuve que ce que l'on considérait jusque-là comme impossible, était en fait possible. Cependant je restais très sceptique quant à son application à l'homme. Les nerfs qui avaient été greffés sur les moelles épinières des rats provenaient du système nerveux périphérique, qui lui se régénère ; chez l'homme, ils seraient probablement incompatibles avec les neurones du système nerveux central et donc ne permettraient pas la motricité. De surcroît, beaucoup de rats n'avaient pas survécu à l'opération bien qu'elle ait eu lieu sur des lésions au niveau thoracique, là où la moelle épinière est relativement large. Une intervention chirurgicale sur des êtres humains traumatisés à un niveau supérieur de la moelle épinière, où elle est mince, serait donc extrêmement dangereuse.

Par ailleurs, dans l'expérience de Stockholm, les moelles des rats avaient été complètement sectionnées, cas qu'on ne rencontre presque jamais chez les êtres humains. Construire un pont nerveux sur une partie totalement sectionnée est complètement différent de faire la même chose sur une section partielle. Je doute qu'un chirurgien sectionne jamais un tronçon de moelle épinière juste pour pouvoir appliquer la technique d'Olson ! Même si le patient en réchappait, ce serait une sérieuse violation d'un des premiers préceptes du serment d'Hippocrate « Tu ne feras point de mal ».

À l'automne de 1996, Wise Young me rendit visite. Il me fit un point sur le travail de son laboratoire puis lâcha une bombe : le lendemain, il partait au Brésil pour voir six patients opérés selon la technique d'Olson ! Le Brésil est l'un des nombreux pays où il n'existe aucune restriction médicale, légale ou éthique. Les six patients vivaient depuis un an avec des nerfs périphériques greffés sur le site de lésions médullaires. Quelques semaines plus tard, Wise me rapporta qu'aucun d'entre eux n'avait récupéré ni en motricité ni en sensibilité. En revanche, ils témoignaient tous d'une diminution de la spasticité, c'est-à-dire que leur corps n'éprouvait plus de spasmes de manière incontrôlable et imprévisible. J'en conclus que le travail de Lars Olson ne pouvait encore être appliqué à l'homme, qu'il fallait le prendre comme un exemple prometteur d'une ébauche de solution, qu'il faisait partie de ces avancées audacieuses, indispensables lorsqu'on décide d'aller sur la lune ou de guérir la paralysie.

Il y a quelques années, les chercheurs savaient seulement qu'il était indispensable de préserver le maximum de faisceaux nerveux au moment de l'accident et croyaient que tout neurone perdu l'était définitivement. Ramón y Cajal avait même obtenu le prix Nobel en 1906 pour avoir prouvé que les neurones de la moelle épinière ne pouvaient se régénérer. Lorsque Paul Newman l'apprit, il s'exclama : « Si ce type vivait encore, il faudrait lui reprendre son prix ! »

Aujourd'hui que les scientifiques sont convaincus que la régénération nerveuse est imminente, préserver les neurones n'est qu'un des aspects de la recherche dans ce domaine. Actuellement, la recherche se fait dans trois directions : préserver les neurones intacts ; restaurer leur fonction dans ceux qui sont endommagés ; et, le plus excitant, faire repousser les neurones de la moelle épinière.

Pour préserver les neurones intacts, on doit intervenir avant qu'ils ne se dégradent. L'étude des accidents vasculaires cérébraux a montré que des substances chimiques affluent après un traumatisme pour tuer les cellules nerveuses. On appelle ce phénomène l'apoptosie, ou mort programmée des cellules. Cruelle plaisanterie de la nature : non seulement la victime souffre du traumatisme, mais les cellules nerveuses non touchées près du site semblent se suicider pendant quatre à six semaines après l'accident. On a cependant découvert un médicament qui bloque ce processus chez les victimes d'accidents vasculaires cérébraux. D'autres sont en cours d'élaboration et ces découvertes pourraient servir aux lésions médullaires. Dennis Choi de Washington University à Saint-Louis s'est spécialisé dans la recherche sur la mort programmée des cellules. Il affirme : « Nous commençons à bien connaître les processus en cascade qui détruisent les neurones après le choc, et à cet égard il y a beaucoup de points communs entre le cerveau et la moelle épinière. D'ailleurs, on observe souvent que les processus à l'œuvre dans le cerveau et dans la moelle épinière sont similaires ! »

En ce qui concerne la deuxième direction de recherche – refaire fonctionner les neurones endommagés –, les chercheurs travaillent à restaurer des connections pourtant intactes après le traumatisme mais qui, pour une raison ou une autre, ne fonctionnent plus. La recherche animale a montré que le manque de myéline – une substance lipidique et protidique qui forme un manchon autour de certaines fibres nerveuses et permet la conductivité – jouait un rôle important dans la perte de contrôle du muscle. La sclérose en plaques, par exemple, est une affection dans laquelle les cellules de l'immunité, les globules blancs, dépouillent les neurones de la moelle épinière de leur gaine de myéline. Il y a des décennies, des chercheurs avaient commencé à tester le 4-AP (4-Aminopyridine), un dérivé du coaltar, sur des patients atteints de sclérose en plaques pour les aider à tirer le meilleur parti possible de leurs neurones existants. Le produit agissait comme une enveloppe temporaire de myéline, permettant aux impulsions électriques de passer par les neurones. Des injections de 4–AP sur des animaux paralysés ont considérablement amélioré leurs réflexes musculaires et de nombreux scientifiques pensent que le 4-AP est porteur d'espoir.

Quant à moi, je considère que la meilleure nouvelle reste que de nouveaux chercheurs s'intéressent à ce domaine. Le Dr Dan Jay, professeur de biologie moléculaire à Harvard, m'a écrit en avril 1997 pour me dire qu'il avait changé d'orientation et se consacrait désormais exclusivement à la recherche sur la moelle épinière. Aujourd'hui, il travaille en collaboration avec plusieurs des meilleurs spécialistes mondiaux de la question et s'apprête à publier un article important sur la remyélinisation.

Mais c'est la troisième direction de recherche, la régénération des neurones, qui intéresse le plus chercheurs et patients. Le facteur de croissance nerveuse est maintenant utilisé dans la moelle épinière afin de stimuler la croissance de nouveaux axones conduisant les impulsions électriques depuis le cerveau. Des rats blessés à la moelle épinière à qui on avait injecté un facteur de croissance nerveuse ont récupéré des connections entre la moelle épinière et le cerveau. D'autres substances très prometteuses sont également en cours d'élaboration, tel le facteur de croissance des fibroblastes, qui aide à cicatriser les blessures, et le ganglioside qui peut aussi protéger et stimuler la croissance des axones.

En 1995, Barbara Walters, qui préparait un portrait de moi, interviewa Wise Young et lui demanda sans détour si je remarcherais un jour. Wise lui répondit que, dans un cas comme le mien, il y a de l'espoir au début, mais que plus le temps passe, plus cet espoir s'amenuise. Deux ans plus tard, lors d'une interview, il confiait qu'avec les fonds nécessaires, la recherche avancerait si vite qu'il me serait possible de remarcher dans les six ou sept ans à venir. Dans un éditorial du *Chicago Tribune*, il affirmait : « Ce pourrait être plus facile que nous ne l'avions pensé. » Dans son laboratoire de New York University, il avait travaillé sur un anticorps qu'on appelle L-1. À un dîner de gala à Porto-Rico en mai 1997, j'ai projeté un film sur des rats dont la moelle épinière avait été sectionnée et qui avaient été traités avec cette substance dans le laboratoire de Wise. Un mois plus tard, ils avaient récupéré l'usage de leurs pattes arrières ! L'un d'eux essayait même de grimper hors de son bac ! Quand la lumière se ralluma, je me suis tourné vers le public et j'ai dit : « Oh, être un rat ! »

À la fin de l'année 1997, Wise avait changé de laboratoire : il était maintenant à Rutgers et sa recherche sur le L-1 avait encore progressé. Il cota la motricité des rats sur une échelle de 0 à 14 – 0 représentant l'incapacité de bouger et 14 la récupération totale. Plusieurs d'entre eux atteignirent 12,5. Un observateur non averti n'aurait pu détecter aucune anomalie chez eux. Il répéta ses expériences, afin d'être sûr de ses conclusions avant de les publier en mars 1998.

Mon engagement dans la recherche médicale et dans la collecte de fonds me prenait de plus en plus de temps. Bientôt j'ai été encore plus occupé qu'avant mon accident et j'ai dû trouver un équilibre entre mes divers rôles de mari, de père, de professionnel du cinéma et du théâtre, et de militant. J'ai créé la fondation Christopher Reeve afin de collecter de l'argent pour l'association américaine contre la paralysie et améliorer la qualité de vie des handicapés.

Je donnais des conférences partout dans le pays, présidais des galas, et faisais du lobbying à Washington. Je fus récompensé de mes efforts par une petite phrase d'un article de *Newsweek*. Le journaliste, après avoir énuméré mes activités et mes projets, concluait en écrivant : « Nous devrions tous être des handicapés. »

En me penchant sur le problème des fonds destinés à la recherche, je me rendis compte qu'il fallait trouver des ressources financières aussi bien auprès du gouvernement qu'auprès de donateurs privés. J'appris que le budget des National Institutes of Health est à peine supérieur à 13 milliards de dollars (environ 78 milliards de francs), censés couvrir toutes les dépenses de la recherche médicale, de la maladie d'Alzheimer à celle de Parkinson, en passant par le cancer sous toutes ses formes. J'ai souvent rencontré le Dr Harold Varmus, directeur des NIH, qui m'a expliqué sa lutte auprès du Congrès pour obtenir des fonds supplémentaires, et que l'État dépensait (à travers les assistances médicales Medicaid et Medicare) 90 milliards de dollars par an (soit 540 milliards de francs) pour les patients atteints de la maladie d'Alzheimer sans pourtant chercher à les guérir. L'État dépense également 8,7 milliards de dollars par an (48 milliards de francs) pour entretenir des patients traumatisés médullaires, dans des centres médicalisés ou des maisons de retraite.

Cette situation est insensée économiquement. Certes l'État accomplit son devoir social en aidant les victimes d'affections graves, mais dans le même temps, il augmente de façon significative la dette nationale sans pour autant réussir à améliorer la qualité de vie des malades. De nombreuses familles qui ont à charge un des leurs malade chronique ou blessé, atteignent rapidement le plafond du million de dollars (six millions de francs) de leur compagnie d'assurance et se tournent alors vers Medicare (une assistance médicale étatique). Elles sont en général contraintes de vendre leur maison et la plupart de leurs biens pour pouvoir y prétendre.

La triste vérité est que souvent, quand les patients sont pris en charge par Medicare, on les relègue dans des maisons médicalisées où il n'existe que peu, voire pas du tout, de thérapie, et ils passent ainsi leur vie dans une sorte de parking pour êtres humains. J'ai entendu parler d'un garçon de douze ans, atteint d'une lésion médullaire, qu'on avait placé dans une clinique psychiatrique parce qu'on ne trouvait pas de place ailleurs. Certains patients sont autorisés à rester chez eux mais bénéficient de soins minimaux.

C'est une chose terrible de penser que tout cela se passe à la veille d'un véritable progrès pour soulager ou même guérir ces maux ! Un jour, j'ai entendu un scientifique s'exclamer : « Donnez-nous 100 millions de dollars et nous guérissons la maladie de Parkinson ! » Si le budget des National Institutes of Health était doublé, s'il passait de 13 à 26 milliards de dollars (de 78 à 156 milliards de francs), le rythme de la recherche serait considérablement accéléré et de nouvelles thérapies apparaîtraient rapidement. Selon certaines estimations, l'État pourrait alors économiser jusqu'à 300 milliards de dollars par an (soit 1 800 milliards de francs). Malheureusement, le 105e Congrès des États-Unis a décidé d'équilibrer le budget pour 2002, au prix de coupes drastiques dans toute une série de programmes. L'état d'esprit qui régnait au Congrès, le credo de beaucoup de politiciens, était : « halte aux dépenses ». Ils sont nombreux à ne pas voir à long terme. Peu ont pu être convaincus que la recherche biomédicale actuelle n'est pas purement spéculative. Au contraire, elle est la clef économique et humaine des problèmes de santé de la nation.

Traditionnellement, la recherche a toujours été considérée comme un luxe : on octroie de l'argent aux scientifiques qui trouvent ou ne trouvent pas quelque chose d'utile. De nos jours, les politiciens veulent savoir exactement où passe leur argent. Lorsqu'ils commandent un sous-marin nucléaire, ils savent ce pour quoi ils paient, ce qu'ils vont obtenir. La recherche, elle, paraît trop abstraite. Et pourtant, aujourd'hui, ce n'est plus le cas. La recherche est très ciblée et les progrès concrets et quantifiables. Dans un futur proche, il existera un vaccin contre le diabète, de nouveaux médicaments stoppent la dégénérescence des neurones dans la sclérose en plaques. Et un vaccin contre le sida est envisageable, grâce à l'argent consacré à la recherche sur cette maladie. En 1984, le NIH ne dépensa pas un seul dollar pour lutter contre le sida et en 1993, 1,3 milliard de dollars (soit presque 8 milliards de francs) car cette maladie n'était plus seulement le problème d'une petite partie de la population, elle était devenue un drame national, qui prenait la vie des fils et des filles de l'Amérique !

Je passais tellement de temps à rencontrer des scientifiques, à monter des stratégies pour recueillir des fonds, que je négligeais ma propre rééducation. Il n'y avait plus de kiné pour superviser mes progrès, je ne devais compter que sur moi-même pour rester en bonne santé et empêcher mon corps de se dégrader. C'est pourquoi respirer seul devint l'un de mes objectifs essentiels.

En janvier 1997, je pouvais me passer du respirateur pendant quatre-vingt-dix minutes et je n'avais plus qu'une envie, me débarrasser de cette machine installée dans le dos de mon fauteuil. Je revins à Kessler consulter le Dr Kirshblum. La question cruciale était de savoir si mon diaphragme bougeait ou non. On m'injecta un produit de contraste et on me filma pendant que je respirais seul. Les clichés montrèrent que le diaphragme bougeait à la fois volontairement et involontairement... J'allai ensuite au Craig Rehabilitation Center à Denver consulter le Dr Peter Peterson, le spécialiste du sevrage des patients dépendants d'un respirateur.

Son pronostic n'était pas très encourageant. Peterson soutenait que je devrais passer dix ou douze mois dans son centre, en n'ayant que des contacts minimaux avec l'extérieur. Il me conseillait même de ne pas téléphoner. Je devrais respirer seul depuis le moment où je me levais jusqu'au déjeuner, puis de nouveau l'après-midi. On ne rebrancherait le respirateur que pendant la nuit. Il me prédisait 30% de chances de réussite. La difficulté était de ventiler suffisamment mon mètre quatre-vingt-douze et mes quatre-vingt-dix-sept kilos ! Certains patients dans mon cas avaient réussi mais leur tâche avait été plus facile que celle qui m'attendait, car ils étaient beaucoup plus petits que moi.

D'un côté, respirer seul représentait un énorme pas en avant. Une partie de moi-même le désirait ardemment, malgré le peu de chance de succès. Mais d'un autre côté, rester si longtemps coupé de Will et de Dana, ne pas voir Matthew et Alexandra, serait très douloureux. Et je savais que si je passais une année isolé à essayer de respirer, je ne pourrais plus continuer à collecter de l'argent pour la recherche. Un élan était pourtant en train de naître et je ne pouvais que me sentir responsable de ce qu'il en adviendrait si je disparaissais de la scène pour une longue période de temps !

Peu de temps après mon retour à Bedford, je fus contacté par Joan Irvine Smith, une cavalière et une grande philanthrope. Elle avait été touchée que je n'aie pas accusé mon cheval de l'accident, me dit que ma situation l'émouvait beaucoup et qu'elle n'aurait de cesse que je ne remarche. Elle déborde d'énergie et a beaucoup d'influence politique, à la fois en Californie et dans le reste des États-Unis. Tout candidat à une quelconque élection souhaite avoir Joan Irvine Smith avec lui.

Elle décida de créer une chaire à mon nom à UC Irvine, consacrée à la recherche de la guérison des atteintes médullaires et la dota personnellement d'un million de dollars (six millions de francs). L'État de Californie en fournit autant. D'autres fonds privés vinrent s'y ajouter mais l'objectif est de disposer de cinq millions de dollars. Elle créa aussi un prix de cinquante mille dollars (trois cent mille francs) attribué chaque année au scientifique qui, au cours de l'année précédente, a le plus contribué à l'avancement de la recherche sur la moelle épinière. À l'automne de 1996, je remis le prix à Martin Schwab.

Même avant mon accident, je pensais que les scientifiques étaient des individus doués d'une intelligence supérieure. Je me demandais seulement pourquoi ils travaillaient si lentement, je respectais leur besoin de prudence, de procéder à des investigations approfondies et de vérifier leurs données, mais j'ai souvent taquiné ma demi-sœur Alya sur les innombrables congrès et symposiums auxquels assistent les chercheurs. Je dois dire qu'à partir du moment ou je me retrouvai tétraplégique et dépendant d'un respirateur, mon désir de reprendre une vie normale rendit encore plus agressifs mes rapports avec la communauté scientifique ! Et je dois avouer que souvent, dans mes interventions, je me référais à la fameuse phrase de la mission *Apollo 13* : « L'échec n'est pas une option ».

Au nom de tous ceux qui, partout dans le monde, souffrent de maladies graves ou de handicaps, j'ai rêvé de faire comprendre aux scientifiques que, métaphoriquement parlant, *nous* sommes tous dans la même galère. Il y a urgence. Si nous ne parvenons pas dans un très bref délai à nous mettre d'accord pour soutenir la recherche d'avant-garde, ce serait comme si nous acceptions de ne rien faire pour sauver la vie de trois astronautes sur le point de mourir asphyxiés par du gaz carbonique. Si nous nous cramponnons à une traditionnelle et prudente recherche, si nous laissons la bureaucratie de la Food and Drug Administration ou des NIH empêcher les nouvelles thérapies d'atteindre le public, nous porterons la responsabilité d'avoir inutilement perpétué les souffrances de millions de nos concitoyens.

Heureusement depuis le printemps de 1996, nous avons pu recueillir des fonds et la recherche a progressé. En novembre 1996, près de vingt-cinq mille chercheurs en neuro-sciences se sont retrouvés à Washington pour échanger des informations et des idées. Ils étaient si nombreux qu'ils ont dû travailler en même temps au Palais des Congrès et en commissions dans les hôtels du voisinage. Ce fut la première rencontre d'une telle envergure. En mars 1997, les chercheurs de l'APA, qui collaborent à la fois en Europe et dans tous les États-Unis, se sont réunis à leur tour. Dennis Choi a fait un compte rendu de son travail sur la mort cellulaire, Fred Gage sur le facteur de croissance NT-3, le laboratoire de Bunge sur la transplantation des cellules de Schwann, Wise Young sur ses travaux sur le 4-AP et le L-1, Martin Schwab sur ses tentatives pour adapter à l'homme l'anticorps des protéines inhibitrices de croissance des cellules nerveuses et Lars Olson sur sa technique du pont cellulaire. On discuta de la thérapie génique : les tentatives de stimuler la croissance des axones endommagés en changeant la fonction des cellules d'un animal blessé pour produire un facteur de croissance sur le site de l'atteinte. Ces échanges furent très enrichissants.

Lorsque j'ai rencontré Martin Schwab à UC Irvine en septembre 1996 pour lui remettre le prix de la recherche, il me fit part d'un travail qu'il n'avait pas encore publié : il avait réussi à régénérer deux centimètres de fibres nerveuses sur un rat blessé depuis deux mois. C'est une longue distance. Ainsi, dans mon cas, pour une lésion à l'étage de C2, il suffirait de régénérer vingt millimètres de fibres nerveuses pour que je recouvre des fonctions – d'abord, la respiration, puis le mouvement des bras, le contrôle des mains, etc. jusqu'aux pieds. Si les neurones régénérés poussaient jusqu'à la région lombaire, alors je pourrais me lever et marcher. Le Dr Schwab termina en ajoutant qu'en 1998, nous devrions être capables de réaliser au niveau clinique ce que nous aurions pensé irréalisable il y a seulement quelques années.

Mais lorsque je quittai Kessler en décembre 1995, nous n'en étions pas là. Les propos de Wise Young à Barbara Walters – sur l'espoir qui s'amenuise avec le temps – m'obsédaient. Je refusais de m'incliner devant ce jugement. Je me souviens d'avoir discuté une fois, tard dans la nuit, avec le Dr Kirshblum, pour lui expliquer que je ne voulais pas rejoindre les rangs de ceux qui avaient abandonné. Je comprenais parfaitement qu'une personne qui avait passé trente ans dans un fauteuil roulant ait du mal à croire à un avenir meilleur mais moi, je n'étais atteint que depuis sept mois ! Pour ma santé mentale, je devais chasser toute négativité de mon esprit. Lindbergh réussit à traverser l'Atlantique ; Houdini à se délivrer de ses camisoles de force ; avec suffisamment d'argent et le soutien de l'opinion populaire, pourquoi ne pourrais-je pas sortir de ce fauteuil ? Lorsque vous êtes piégé dans une pièce sans lumière, vous vous demandez où est la sortie. Vous la trouvez en restant calme, en tâtonnant doucement jusqu'à atteindre la porte...

Au début de 1998, il devenait plus certain que jamais que les victimes de lésions du cerveau et du système nerveux central avaient une bonne chance de s'échapper de la pièce obscure.

Les premières transplantations de cellules fœtales sur une moelle épinière humaine furent réalisées par des chercheurs de Gainesville en Floride. Martin Schwab, qui avait réussi à développer chez des rats l'anticorps des protéines inhibitrices de croissance des fibres nerveuses, fit avec succès la même tentative sur des primates, et après avoir étudié ma dernière IRM, faite à UC Irvine en septembre 1997, il m'écrivit pour me dire que je serais un excellent candidat pour les premiers essais sur l'homme, qui devaient débuter dans l'année à venir. La recherche sur les lésions médullaires commença à faire les gros titres des principaux journaux du pays.

Puis, le 3 janvier 1998, le *New York Times* annonça à la une ce que beaucoup d'entre nous attendaient depuis longtemps : « Le gouvernement augmente le budget de la recherche médicale ». On pouvait lire dans la suite de l'article : « Le Congrès paraît vouloir investir dans une cause populaire chez les électeurs. » En commençant par une augmentation de 900 millions de dollars pour le budget de 1998, l'administration Clinton propose d'augmenter les subventions des NIH d'un milliard de dollars par an pendant les cinq prochaines années. Certains membres du Congrès avaient même proposé d'aller plus loin et de doubler carrément le budget des NIH pendant cette période. Ils commençaient à réaliser les avantages économiques aussi bien que la popularité d'un tel sujet l'année d'une élection.

Les propos du président, publiés dans un article du *Times*, me rendirent particulièrement heureux. : il y disait que notre siècle s'était consacré à la découverte du monde qui nous entoure, dont faisait partie la conquête de l'espace et que lors du prochain siècle nous devrions focaliser nos efforts pour résoudre les mystères et les problèmes du monde qui se trouve à l'intérieur de chacun de nous.

Si le président et le Congrès tiennent les engagements qu'ils ont annoncés publiquement au début de l'année, tous les défenseurs de la recherche qui se battent tellement et depuis si longtemps auront alors remporté une victoire majeure. Je sentais qu'une partie du discours que j'avais fait devant la Convention Démocrate avait été entendue : au début, les choses paraissent impossibles ; puis, elles deviennent improbables ; et, avec suffisamment de conviction et de soutien, elles finissent par être inévitables.

Chapitre 6

L'été de 1968 marqua le début de mon indépendance. J'avais quinze ans. L'été précédent, j'avais suivi un stage de théâtre à la Lawrenceville School, à une quinzaine de kilomètres au sud de Princeton. J'étais maintenant accepté comme stagiaire au Williamstown Summer Theater sur le campus de Williams College, dans le Massachusetts. Nous étions tenus d'être présents de la mi-juin jusqu'au Labour Day[1], très précisément. Cela ne me laisserait donc pas le temps d'aller voir ma famille, ce qui, je dois l'avouer, était un soulagement.

Nous étions une soixantaine de stagiaires et nous touchions à tout : installer le son, accrocher les projecteurs, peindre les décors aussi bien que suivre des cours de théâtre, de diction, de mouvement. Comme il fallait produire huit pièces au cours de cette saison de dix semaines et qu'il n'y avait que quinze acteurs professionnels dans la compagnie, nous parvenions parfois à jouer des rôles intéressants sur la grande scène.

Le théâtre était dirigé par Nikos Psacharopoulos, un merveilleux excentrique, qui enseignait à Yale et au Circle de la Square Theater School de New York. Il mesurait environ 1, 70 m et portait toujours la même tenue : sandales, T-shirt de marin à rayures et chapeau de paille informe. Les soirs de première, il était en général pieds nus. Et comme celui de mon ami Juice qui, lui venait de Jamaïque, l'accent grec de Nikos se marquait de plus en plus avec les années passées en Amérique.

Nikos s'adonnait avec passion au théâtre, en connaissait l'histoire et la littérature dans les moindres détails. À la fin

---

1. La fête du travail aux États-Unis, le premier lundi de septembre.

des années 1960, il était au Williamstown Theater depuis treize ans et allait faire d'un typique théâtre estival le véritable festival de théâtre qu'il est aujourd'hui. Les pièces qu'il avait choisies cet été-là, reflétaient bien sa vision du théâtre : c'est ainsi que nous passâmes d'Euripide à Brecht et de Tchekhov, à Tennessee Williams.

On me confia un petit rôle dans *Iphigénie*. En réalité, je n'étais qu'un élément humain du décor. Le décorateur, avait en effet demandé que huit soldats se tiennent immobiles sur les remparts pendant toute la pièce, laquelle durait une heure cinquante sans entracte. Nous étions enveloppés de lourdes couvertures et portions des lances et des casques en plastique. Pendant les répétitions, nous pouvions nous retourner et regarder les comédiens. C'était très intéressant de les voir mettre leurs talents exceptionnels au service de la traduction moderne de Kenneth Cavander. Mais le soir de la première, nous avons dû rester à nous geler sur les remparts, face au nord de la scène. Le soldat sur ma gauche avait souvent du mal à rester immobile. Du coin de l'œil, je le voyais qui dodelinait de la tête, qui se balançait, parfois en rythme. Au bout de quelques représentations, poussé par la curiosité, je lui demandai ce qui se passait. Il me montra son casque : il avait fixé à l'intérieur une petite radio équipée d'un fil et d'un écouteur. Pendant le spectacle, il s'amusait à écouter les Supremes, Santana ou Blood, Sweat & Tears.

Dans *Camino Real*, je tenais le rôle d'un des policiers qui patrouillaient dans les rues et dont la présence menaçante devait dissuader les gens qui voulaient s'enfuir. Un jour où nous répétions un affrontement entre la police et la foule, Nikos me fit le compliment suprême. Exaspéré de ne pas pouvoir obtenir des figurants qu'ils fassent assez de bruit et d'agitation, il se rua sur le plateau et en me désignant du doigt, hurla : « Pourquoi ne faites-vous pas tous comme Chris Reeve ? Lui, il peut faire le bruit d'une foule à lui tout seul ! » Sur le moment, je m'en réjouis mais plus tard je n'étais plus sûr d'avoir compris ce qu'il avait voulu dire. Peut-être était-il impressionné par la ferveur avec laquelle je m'attaquais aux missions qu'on me confiait, sur le plateau ou en dehors...

Je crois que c'était le propos de cet été-là : tester jusqu'à quel point nous désirions nous impliquer dans le théâtre. Certains stagiaires partirent au bout de quelques semaines. D'autres, absents lors des rendez-vous de l'équipe technique, durent s'en aller. Comme d'habitude, j'essayais de passer pour plus vieux que mon âge (à mon avis, personne ne devait se douter qu'il y avait dans ce groupe à majorité d'étudiants un adolescent de quinze ans), et je faisais tout ce que l'on attendait de moi. J'avais quand même supplié le metteur en scène stagiaire de ne pas me renvoyer à l'atelier-costumes. J'avais déjà eu ma dose : une semaine à coudre des boutons et à faire des ourlets de manches m'avait largement suffi !

Nous vénérions les acteurs du syndicat Equity[1]. Non seulement pour leur talent mais aussi pour le métier dont ils faisaient preuve en reprenant autant de rôles durant cette brève saison théâtrale. De leur côté, ils étaient intéressés de voir comment nous évoluions. Nous apprenions à jouer, notamment en travaillant des scènes avec Michael Posnick, un étudiant de Yale. Vers la fin de l'été, les dix meilleurs furent présentés aux comédiens de la compagnie. J'avais pour ma part travaillé une scène de *Vue du pont* d'Arthur Miller avec Michael Curtin, une merveilleuse jeune comédienne de Boston. Nous étions tous les deux très émus que notre scène ait été choisie pour le grand soir. Je jouais le rôle de Rodolpho, le jeune immigrant italien mais j'étais soudain très inquiet à l'idée que mon accent italien et l'interprétation forte que je donnais du personnage soient descendus, démolis, par l'assemblée des gourous du syndicat. Michael Posnick m'exhorta à ne rien changer, à ne pas faire machine arrière et à ne pas me contenter d'assurer le minimum du rôle.

---

1. Aux États-Unis, tous les acteurs professionnels sont affiliés au syndicat Equity.

Nous avons joué ces scènes à minuit, dans une salle de répétition, après une représentation de *La Mouette*. Les fauteuils étaient combles de stagiaires, de comédiens et de personnel du théâtre. À ma grande surprise, Michael et moi sommes restés calmes, à l'écoute l'un de l'autre. Nous n'avons pas cédé à la tentation de « vendre » notre interprétation aux spectateurs. Nous sommes parvenus au contraire à les faire entrer dedans.

J'étais particulièrement content parce qu'au cours du travail de scène avec Michael, j'avais fait un certain nombre de suggestions et exprimé en permanence mon opinion sur les appuis de jeu, le rythme et autres détails qui relèvent habituellement du metteur en scène. Par chance, elle n'avait pas eu l'air de s'en formaliser. À moins que mon autoritarisme naturel ne l'ait écrasée.

En fait, je m'étais déjà frotté à la mise en scène. À la Princeton Day School, quelques mois plus tôt, j'avais mis en scène *Hello Out There*, une pièce en un acte de William Saroyan. L'histoire est celle d'un jeune marginal emprisonné dans une petite ville, qui devient l'ami de la jeune fille qui lui apporte ses repas. Les auditions étaient ouvertes à toute l'école mais j'ai fini par jouer le rôle – ce qui permettait de réduire au minimum les discussions entre l'acteur et le metteur en scène ! Le décor consistait en une unique cellule carrée placée au centre du plateau vide, que j'avais construite avec l'aide de Tris, mon beau-père. Les barreaux étaient représentés par de fines baguettes de bois qu'il fallait manier avec précaution pour ne pas les casser. Au cours d'une scène, la jeune fille me passait mon repas et cela suffisait parfois à faire s'ouvrir la porte que je devais refermer moi-même pour pouvoir continuer à jouer le prisonnier !

En mai, nous avions été invités au festival des pièces en un acte au lycée de Princeton où, pendant une semaine, les élèves des villes environnantes présentaient leurs travaux. Le soir de la représentation, la prison ne bougea pas, la porte resta fermée et notre spectacle remporta un prix. C'était la première fois que je goûtais à la mise en scène et j'en éprouvais un plaisir intense.

Les critiques de notre interprétation de la scène de *Vue du pont* furent bonnes. Le lendemain, j'étais près du tableau d'affichage lorsqu'une commédienne s'approcha et, pointant un doigt vers moi, me dit : « Je suis étonnée, tu as beaucoup de talent ! Ne le gâche pas. »

C'était un très bon conseil car à cette époque, je ne portais qu'une faible attention au théâtre. Je consacrais le reste de mon énergie aux stagiaires féminines d'*Iphigénie*. Leurs costumes me rendaient fou car elles se baladaient partout en tuniques aussi courtes que légères. J'ai d'ailleurs succombé au charme de l'une d'entre elles. Elle s'appelait Alison, avait dix-sept ans et venait de sortir de Dana Hall. Moi j'avais quinze ans, elle était mon premier béguin et je ne savais rien de rien. Nous échangions parfois des regards – ou du moins je le croyais – et une fois, en sortant de scène, elle m'a touché le bras en passant. J'étais dans un tel état d'excitation que j'ai failli en tomber des remparts !

Malheureusement, elle m'attirait tellement que je m'emmêlais les pieds dès que j'avais l'occasion d'être près d'elle. Avec les filles, j'avais toujours été maladroit mais avec Alison j'étais devenu particulièrement stupide et gauche. Le vrai problème, c'est qu'Alison avait des longueurs d'avance sur moi dans tous les domaines. Elle fréquentait des types de la fac et, selon la rumeur, elle avait même une histoire avec un étudiant de Amherst. Un adolescent de tout juste quinze ans devait donc déplacer des montagnes pour attirer son attention.

J'étais malheureux. Elle partageait avec une certaine Trisha une chambre de la résidence, en façade du bâtiment, au deuxième étage et je restais parfois sous leur fenêtre pour les entendre parler ou simplement parce que je savais qu'elle était en haut. Je faisais erreur sur erreur. Un jour, elle descendit pour le petit déjeuner, les cheveux ramenés sur le dessus de la tête avec deux élastiques. Quand elle passa près de moi, je lui dis : « Ça alors ! J'adore ta coiffure ! » Elle me regarda comme si j'étais un vermisseau : comment aurais-je pu deviner qu'elle ne s'était pas lavé les cheveux depuis trois jours ?

Mais j'ai continué mes efforts et petit à petit je me suis senti moins intimidé. Enfin – Dieu merci –, tandis que la première d'*Iphigénie* approchait, elle se mit à me considérer un peu. Au cours de la soirée après la représentation, nous avons commencé à parler. Je ne sais pas où j'ai pu trouver le courage de lui suggérer de prendre une bouteille de vin, un peu de nourriture, et d'aller faire un pique-nique improvisé au bord de la rivière, en bas de la colline ! Ce fut une nuit merveilleuse ! Au petit matin, juste au lever du soleil, nous revînmes en nous traînant vers la résidence.

Le lendemain, elle me laissa tomber comme une vieille chaussette. Trisha ou d'autres amis l'avaient peut-être vue partir avec un lycéen ou bien son petit ami lui avait peut-être téléphoné. C'était vraiment l'été des hauts et des bas.

Une nuit, il plut longuement à verse. La pelouse devant la résidence était devenue très glissante. Alors, une vingtaine d'entre nous se mit en sous-vêtements et nous entreprîmes de faire des glissades sur la pelouse. En prenant un bon élan, on pouvait glisser sur dix mètres, c'était merveilleux. L'épisode avait bien entendu un petit côté aigre-doux en ce qui me concerne, car il se déroulait sous les fenêtres d'Alison.

Les jours normaux, je suivais un cours de mouvement à 9 heures, suivi d'un autre de travail vocal, ensuite je partais travailler à un décor, puis je mangeais une barre de Snickers pour mon déjeuner. Lorsque ma mère vint me voir de Princeton, j'eus juste le temps de l'emmener manger un hamburger et boire une bière. Malgré mes déboires sentimentaux, ce fut l'un des meilleurs étés de ma vie.

Mais à ma grande surprise, l'été suivant le surpassa : je fus engagé par la Harvard Summer School Repertory Theater

Company au Loeb Drama Center de Cambridge pour la somme impressionnante de quarante-quatre dollars par semaine ! La location d'une chambre dans la résidence universitaire de Radcliffe coûtait dix-neuf dollars, ce qui m'en laissait vingt et un pour la nourriture et les loisirs. La saison théâtrale comprenait *The Hostage* de Brendan Behan, pièce dans laquelle je jouais un petit rôle de marin russe ; *Mort d'un commis voyageur* d'Arthur Miller, dont le décor était une décharge d'ordures, symbolisant la morale américaine et son mépris pour les gens devenus inutiles ; et *Un mois à la campagne* de Tourgueniev, dans laquelle j'interprétais Beliaev, le jeune précepteur de la maison. Elliot Norton, le fameux doyen des critiques de théâtre américains, qui pouvait faire ou défaire une pré-production à Broadway par quelques mots bien sentis, écrivit dans le *Boston Globe* que j'étais « d'une efficacité saisissante ». Ce fut flatteur pour mon ego.

D'autant plus que l'actrice principale de la pièce – une jolie fille de vingt-trois ans fraîchement sortie de Carnegie-Mellon – s'intéressait à moi. Elle était fiancée à un ancien étudiant de Carnegie qui passait l'été en Californie où il écrivait des sketches pour une émission de variétés à la télévision. Ils voulaient économiser un peu d'argent pour pouvoir se marier à l'automne. Il avait coutume de téléphoner à 7 heures précises tous les dimanches matin. J'avais déménagé de ma chambre du quatrième étage pour m'installer dans la sienne au second. Nous allumions des bougies, nous écoutions le premier concerto pour piano de Tchaikovsky, nous lisions *Le Prophète* de Khalil Gibran et nous travaillions à mon éducation sentimentale. Assez vite, elle cessa de répondre au téléphone le dimanche matin.

L'été et notre relation avançaient magnifiquement. Un matin cependant, notre douce romance vira au vaudeville. À 7 heures, on frappa à la porte. À moitié endormie, elle cria : « Laissez les draps devant la porte. » Il y eut un silence, puis une voix masculine retentit : « C'est moi ! » Je me jetai hors du lit et me mis frénétiquement en quête de mes vêtements dispersés à travers la pièce ! Un moment, j'imaginai pouvoir sauter par la fenêtre et puis je me rappelai que nous étions au deuxième étage. Il ne nous restait plus qu'à affronter l'orage. Nous nous sommes habillés en vitesse, nous avons pris une profonde respiration et ouvert la porte. Il y eut un silence atroce puis elle dit : « Voici mon ami Christopher, mais tu ne peux pas comprendre. » Je m'excusai rapidement et battis en retraite au quatrième étage. Ils passèrent la journée à se promener le long de la Charles. Le soir même, il prit un avion pour Los Angeles. Je crois bien qu'ils ne se sont jamais revus.

À l'automne, j'attaquai ma dernière année à la Princeton Day School et mon amie trouva du travail dans une compagnie à Providence, ce qui nous permit de continuer à nous voir. Tous les vendredis, après les cours, je prenais un train pour aller passer un week-end d'amoureux avec elle, mais je rentrais à la maison le dimanche après-midi pour finir mes devoirs. Assez vite, cela s'est mis à clocher. Une fois de plus, j'en faisais trop, c'était comme si je m'étais donné le rôle du bon parti. Notre différence d'âge qui, pendant l'été avait paru ne pas avoir d'importance, était devenue un problème. Bref, vers les derniers jours d'octobre, nous nous séparâmes et chacun retourna à son propre univers. À la fin de l'année, elle était fiancée à l'un des décorateurs de la compagnie et je sortais avec une fille de ma classe.

* * *

Au cours de l'hiver 1970-1971, il m'est arrivé de regarder par les fenêtres de la bibliothèque de Cornell et de me demander ce que je faisais là. Après mon bac à la Princeton Day School en juin 1970, j'avais joué pour la saison estivale à Boothbay, dans le Maine. À l'automne, je voulais aller à New York, y trouver un appartement et tenter ma chance au théâtre, comme tant de jeunes espoirs. Mais ma mère, qui avait arrêté ses

170

études pour se marier et fonder une famille, avait toujours regretté de ne pas avoir passé sa licence de lettres. Elle sut me convaincre de ne pas précipiter les choses, m'assurant que quatre années d'études et d'épanouissement personnel ne pourraient que me servir par la suite. Elle savait qu'il y avait une grande différence entre se lancer à New York à dix-sept ans et y commencer sa vie à vingt-deux ou vingt-trois ans.

Mon dossier avait aussi été accepté à Brown, Columbia, Northwestern, Princeton et Carnegie-Mellon. J'avais choisi Cornell non seulement pour son excellent programme de formation générale et son département théâtre mais aussi parce que l'université se trouvait à cinq heures de route de New York, qu'elle avait de fortes chances d'être bloquée par la neige de la fin octobre jusqu'au 1er mai et que je pensais que cela m'aiderait à me concentrer sur mon travail, étant moins tenté de lâcher les cours pour aller en ville. Pourtant, lors de ces soirées enneigées, lorsque je travaillais en bibliothèque sur une dissertation pour mon cours de littérature russe ou de philosophie des religions, j'avais souvent le sentiment d'être totalement à côté de la plaque, arbitrairement contraint de repousser le but que je m'étais fixé : devenir acteur.

J'ai perdu un certain nombre de soirées où j'aurais dû étudier à dévaler la colline avec un groupe de copains, assis sur des plateaux empruntés à la cafétéria, jusqu'à la résidence universitaire un peu plus bas sur le campus. Parfois aussi, je passais des heures à fixer les murs de ma chambre en me demandant si un jour je serais enfin libre.

Rétrospectivement, mes années à Cornell furent inestimables – pas tant pour l'enseignement dispensé mais parce qu'on m'y donnait l'occasion de faire des expériences et de mûrir, sans avoir à me battre pour gagner ma vie dans la jungle de New York. Le département théâtre prodiguait d'excellents cours pour le jeu, le mouvement et la voix, destinés aux étudiants de premier cycle. Le programme de maîtrise était dirigé par John Clancy, formidable metteur en scène et président du département. La sélection des acteurs pour la grande scène était ouverte à toute l'université. La compétition était âpre (nous étions quarante mille étudiants) mais les créations étaient souvent exceptionnelles. Au cours de ma première année d'étude, je vis *Long Voyage vers la nuit* de O'Neill, qui fut ce que j'ai vu de plus fort parmi tous les spectacles auxquels j'ai assisté depuis que je suis sorti de l'université. N'ayant rien à perdre, je passai l'audition pour le premier rôle de *La Bonne Âme du Setchouan* de Brecht, la création qui ouvrait la saison. Je l'obtins. Au cours des deux années suivantes, j'ai eu la grande chance de jouer Pozzo de *En attendant Godot*, Sigismond dans *La vie est un songe* de Calderon, Hamlet dans *Rozencrantz et Guildenstern sont morts* de Tom Stoppard, et Proxilène dans *Le Conte d'hiver* de Shakespeare.

J'ai aussi joué dans plusieurs projets d'étudiants. Certains professeurs qui faisaient des mises en scène abordaient les pièces de manière universitaire, d'autres au contraire tentaient une approche plus centrée sur le jeu de l'acteur. La différence entre ces deux approches est à la fois fascinante et frustrante. Je crois que lorsqu'on joue, on a besoin d'aborder le travail à un niveau instinctif, émotionnel. C'est cela qui permet à la fois au public d'appréhender la pièce comme un épisode de l'expérience humaine et aussi d'empêcher que les classiques ne deviennent des pièces de musée.

Peter Steltzer, un jeune professeur du département théâtre, non conformiste et âgé de vingt-six ans, appliquait cette méthode. Il mit en scène *En attendant Godot* sans jamais parler de thème, de symbolisme ou de sens. Cela donna une création originale qui tenait à la fois du vaudeville, du spectacle de clowns, du théâtre classique et du théâtre de l'absurde : un succès retentissant. Pour jouer Pozzo, il me demanda de faire une sorte de bonimenteur de foire, avec l'accent de Cambridge, et la voix haut perchée. Souvent, je lui demandais quelle logique sous-tendait mon comportement et il m'expliquait que ce qui l'intéressait le plus c'était de créer un effet théâtral original.

J'ai vite abandonné mes idées préconçues quant au caractère intouchable des pièces de Beckett et me suis plié aux idées novatrices de Peter. Je trouvais le résultat très convaincant. Comme pour *Mort d'un commis voyageur* à Harvard l'été précédent, l'audace du metteur en scène produisait quelque chose de vraiment original.

À l'opposé, la création de *La vie est un songe* fut pénible et quelque peu abrutissante parce que le metteur en scène était un pur universitaire : nous passions la plus grande partie des répétitions à comparer la pièce à *Hamlet* et à discuter de sa signification et de sa place dans l'histoire du théâtre. La mise en scène était conventionnelle et la traduction adoptée si littérale qu'elle en devenait ennuyeuse. Pourtant, l'histoire d'un jeune prince banni du royaume parce qu'une diseuse de bonne aventure a prédit qu'un jour il tuerait son père pouvait facilement prêter à une interprétation émouvante et moderne. Malgré tous nos efforts, nous ne sommes pas parvenus à rendre la pièce vivante. Peu avant la première, j'ai passé beaucoup de temps au téléphone à supplier mes connaissances – et en particulier ma nouvelle petite amie Helen – de ne pas venir. Elle assista quand même à la représentation par loyauté ou par curiosité. Nous sortîmes après le spectacle et, heureusement, nous avions d'autres sujets de conversation que ma piteuse performance dans cette production mortelle d'une obscure pièce espagnole du XVIIᵉ siècle. Ne serait-ce que pour découvrir la différence entre le théâtre comme littérature et le théâtre comme présence vivante, cela valait la peine de passer trois ans à Cornell. Ma mère avait raison. À Cornell, j'ai connu succès et échecs, et j'ai appris la patience et la discipline dans un environnement protégé et enrichissant.

Ma patience nouvellement acquise fut mise à rude épreuve à l'automne de ma première année d'université. Je reçus une lettre de Stark Hesseltine, l'un des agents les plus respectés de New York, un homme distingué à la voix douce, diplômé de Harvard qui avait découvert Robert Redford lorsque la star n'était encore qu'un simple étudiant de l'American Academy of Dramatic Arts. Il représentait aussi Michael Douglas, Richard Chamberlain, Susan Sarandon, Stephen Collins et bien d'autres grands acteurs dont je connaissais le travail grâce à la lecture dominicale du supplément « Art & Leasure » du *New York Times*, lorsque que j'étais bloqué au fin fond des étendues glacées d'Ithaca.

Je n'ai pas ouvert tout de suite la lettre. Je l'ai laissée sur mon bureau pendant presque deux jours, me torturant à imaginer les motifs pour lesquels il m'écrivait. Je décidai qu'il ne pouvait y en avoir que deux : a) c'était une lettre type m'invitant à le contacter lorsque j'aurais mon diplôme ; b) c'était une proposition pour que j'arrête mes études et que je rejoigne son agence à New York, ce qui romprait le contrat que j'avais passé avec ma mère et Tris.

Je finis par ouvrir la lettre. Le second motif était le bon. Il m'avait vu dans *Un mois à la campagne* et se proposait d'être mon agent. Il me demandait si cela me conviendrait de le rencontrer à New York assez vite. J'étais vraiment flatté et excité et j'eu un mal fou à tenir ma langue au département théâtre. J'avais laissé la lettre ouverte sur mon bureau et de temps en temps je m'en approchais subrepticement pour voir si elle disait bien toujours la même chose. Puis, j'ai appelé Stark pour le remercier et j'ai mentionné au passage que je serai libre le lundi suivant.

Ce matin-là, j'ai quitté Ithaca à 6 heures, et vers 11 h 30, je me garai devant les bureaux de Creative Management Associates, l'une des agences les plus prestigieuses de l'époque. Dans l'ascenseur, je me sentis complètement déplacé : blazer, pantalon de l'armée fripé et mocassins. J'étais convaincu qu'il suffirait à Stark de me jeter un coup d'œil pour changer d'avis. En réalité, il n'aurait pas pu être plus chaleureux. On me fit entrer dans son bureau et il donna des instructions pour qu'on ne lui passe aucun appel. Puis, il se tourna vers moi : « Vous êtes trop grand pour le cinéma, mais ça ne fait rien. » Cette phrase m'intrigua mais je ne fis aucun commentaire. J'avais toujours pensé qu'au cinéma on pouvait jouer sur les différences de taille grâce aux angles de la caméra ou en faisant monter l'acteur le plus petit sur une caisse pour le grandir. Puis, il ajouta : « Quand êtes-vous libre ? » Je lui expliquai le contrat passé avec mes parents et, de manière surprenante, il me répliqua qu'ils avaient pris une sage décision. Il me raconta à quel point il avait apprécié ses années d'études à Harvard. Nous avons décidé ensemble que je viendrais de Cornell une fois par mois pour rencontrer des directeurs de casting et des producteurs, dans l'idée de trouver du travail pour les vacances d'été.

Une recommandation de lui pouvait ouvrir toutes les portes : par son intermédiaire, j'ai ainsi rencontré trois des plus importants producteurs de Broadway à l'époque. J'ai sans doute fait de l'effet sur certains mais pas sur tous. Je me rappelle notamment d'un rendez-vous avec Joe Papp qui dirigeait le célèbre Public Theater. J'ouvris la porte de son bureau et le vis assis, les pieds sur la table, un cigare à la main, vêtu d'un costume rayé de gangster. J'avais à peine fait deux pas dans la pièce, qu'il me regarda par en dessous, secoua la cendre de son cigare et grommela : « Bon dieu, encore un Blanc. » J'auditionnai l'extrait de *Henri V* que j'avais préparé mais il ne me proposa pas de m'asseoir pour discuter. (Quand ils ne veulent pas parler après, ce n'est pas bon signe.)

Je quittai son bureau et courus téléphoner à Stark pour lui dire que j'étais désolé d'avoir fait un bide, que j'essaierais de faire mieux la prochaine fois. Papp l'avait déjà appelé et je compris la raison de son accueil glacial. À cette époque, il essayait de monter une agence pouvant offrir une véritable diversité ethnique. Il croyait aux distributions non conventionnelles et ne voulait pas un acteur WASP[1] sérieux comme moi. Mais quand Stark croyait en un acteur, il n'abandonnait jamais et, au cours des années 1970, j'ai passé ainsi des dizaines d'auditions pour diverses productions du Public Theater. Chaque fois, le rôle était donné à quelqu'un de très différent.

L'été approchant, je quittais plus souvent Cornell et je commençais à trouver plus de succès dans mes recherches. Un voyage à New York signifiait passer dix heures sur la route, généralement suivies d'une nuit blanche pour terminer un devoir à rendre au cours de 9 h 30. Plus je conduisais, plus j'étais décidé à ce que le voyage serve à quelque chose. J'obtins un rôle dans *Le Lion en hiver* qu'on devait répéter et jouer aux Bermudes pendant dix semaines. On me proposa un petit rôle dans *Gatsby le magnifique* avec Robert Redford et Mia Farrow, et l'un des rôles principaux de *Moonchildren* de Michael Weller, réalisé par le célèbre Alan Schneider.

Malheureusement, ces productions commençaient toutes avant la fin de l'année universitaire. Mettre ces propositions intéressantes en compétition avec la semaine d'examens était presque au-dessus de mes forces mais un contrat est un contrat et je devais terminer l'année.

Lorsque je fus libre, en été, il ne me restait plus beaucoup de choix et j'aboutis dans une tournée d'été. J'étais évidemment déçu par rapport aux autres propositions mais au moins je travaillais. Nous jouions à Cape Cod, dans le New Hampshire, dans le Maine, dans les plus beaux endroits de la Nouvelle-Angleterre. Le spectacle était quelconque mais j'essayais de faire de mon mieux. Nous restions une semaine à un endroit, puis nous repartions. Je m'amusais à compter le nombre de voiliers, de bons restaurants et de compagnes plaisantes que je rencontrais dans chaque ville. Le moment le plus mémorable

---

1. WASP, White Anglo Saxon Protestant : Américains blanc protestant de la côte Est.

de l'été eut lieu un soir, alors que l'actrice, Eleanor Parker, faisait un pas vers moi. Un projecteur de vingt-cinq kilos se décrocha et tomba pile à l'endroit où elle se trouvait précédemment. Je parvins laborieusement à dire la réplique suivante, Eleanor essaya de ne pas réagir à l'énorme boum assourdi qu'elle avait entendu juste derrière elle, mais le public, lui, prit peur. Le régisseur de plateau fit descendre le rideau, on vérifia les autres projecteurs et lorsque tout le monde eut récupéré son calme, on reprit la représentation là où on l'avait laissée.

Au mois de mars suivant, je me mis de nouveau en quête d'un travail pour l'été. Cette fois, ce ne fut pas long : on me proposa un contrat pour toute la saison au festival Shakespeare de San Diego, pour des rôles intéressants dans *Richard III*, *Les Joyeuses Commères de Windsor* et *Peines d'amour perdues* sur la grande scène du Old Globe Theater. J'étais bien décidé à ne pas laisser passer cette occasion formidable ! J'ai contacté tous mes professeurs, en leur montrant une lettre de John Clancy qui soutenait mon projet et, au terme d'une petite négociation, on m'autorisa à quitter l'école le 15 avril pour commencer les répétitions à San Diego, à la condition que je m'engage à terminer tous mes mémoires et examens et que je les envoie en temps voulu. Une fois les choses réglées avec Cornell, je pus faire accepter mon idée à mes parents sans trop de difficulté : je rentrai donc à Princeton, troquai ma parka et mes sous-vêtements d'hiver contre un pantalon de l'armée et des chemises à manches courtes et peu après, je contemplais pour la première fois des palmiers et l'océan Pacifique.

Ellis Rabb, qui avait été le directeur artistique de l'APA Repertory Company à New York pendant des années, et qui était devenu l'un de mes mentors, assista aux spectacles de l'Old Globe. Lorsque j'étais adolescent, j'avais vu toutes ses créations et j'avais sympathisé avec lui et d'autres acteurs de sa troupe. Son commentaire sur mon travail fut bref et direct : « Ton Edouard est acceptable. Quant à Fenton, c'est un massacre ! » Plus tard, nous allâmes dîner et je lui demandai de m'expliquer ce qu'il avait voulu dire. Selon lui, en termes de carrière, il me serait plus utile d'apprendre à jouer des rôles plus proches de moi, et il me serait rarement nécessaire de porter des tonnes de maquillage pour jouer un tel contre-emploi ! Il ajouta qu'il y avait dans le personnage de Fenton des possibilités que je n'avais pas explorées parce que j'avais jugé inutile de les jouer et affirma que le vrai pari ne consistait pas à jouer Edouard IV mais à trouver dans le rôle de Fenton quelque chose d'original et d'intéressant, au lieu de laisser transparaître sous les projecteurs mon attitude condescendante.

Cette conversation fut pour moi l'une des plus importantes de ma carrière. Je compris qu'un acteur, sans jouer les stéréotypes, peut et doit apporter dans son travail sa propre personnalité, sa vie émotionnelle et ses qualités physiques : ce sont des atouts et non des inconvénients. J'appris aussi que jouer consiste à être authentique et, au sens figuré, nu sur la scène par opposition au fait d'essayer de disparaître derrière une interprétation intelligente mais distante.

La saison à l'Old Globe était si excitante et si enrichissante que je redoutais le week-end de Labor Day qui en marquerait le terme. Je réalisais aussi à quel point j'étais réticent à l'idée de retourner à Cornell, combien je souhaitais poursuivre mes études mais aussi combien j'avais besoin d'un peu de temps avant de revenir à la vie universitaire. Je voulais voir travailler des grands professionnels dans des pièces classiques et modernes. Et j'avais grande envie de voyager. Grâce à l'argent que j'avais économisé pendant l'été à l'Old Globe, je pris un congé de trois mois à Cornell, remplis un sac à dos et mis le cap sur l'Angleterre.

Je commençai par acheter un exemplaire de *L'Europe pour cinq dollars par jour* et établis un itinéraire sommaire. Icelandair proposait le billet le moins cher mais le vol atterrissait à Glasgow au lieu de Londres : je commencerais donc mon tourisme théâtral par l'Écosse, puis descendrais vers le sud. Le premier spectacle que je vis fut *L'Opéra de quat'sous* de Brecht et Weill au Citizen's Theater de Glasgow. La création était excellente mais je fus surtout impressionné par le fait que le nom du théâtre reflétait réellement son rôle au sein de la population : c'était vraiment le théâtre des habitants de la ville, les billets n'étaient pas chers et la salle bondée de travailleurs. En Amérique, trop de compagnies fonctionnent essentiellement avec les riches abonnés et même à l'Old Globe, nous saluions souvent un océan de cheveux gris, de prospères retraités ayant beaucoup de temps libre. Où étaient les étudiants, les petits commerçants, les chauffeurs de taxi, les pompistes ? À Glasgow, ils étaient tous là, se mêlant sans problème aux médecins, aux avocats et aux professeurs d'université. J'imaginais à quoi cela ressemblait du temps de Shakespeare : ses pièces devaient plaire à tous, aussi bien à l'homme du peuple au parterre qu'au noble du deuxième balcon.

De Glasgow, je pris la route du nord vers Inverness et Aberdeen, puis celle du sud jusqu'à Pitlochry et Édimbourg où je m'arrangeai pour voir des productions expérimentales à la fin du festival. Plus loin au sud, je vis un étonnant *Roi Lear* à l'Everyman Theater de Liverpool (encore un théâtre fidèle à son nom, le théâtre de tous), le *Brand* d'Ibsen à l'Octagon Theater de Bolton et des spectacles de Pinter, Tchekhov, Albee, Williams et d'autres à Nottingham, Sheffield et Derby. À Manchester, je tombai sur une pièce de Wycherley, *L'Épouse campagnarde*, avec Albert Finney. Il était un peu plus enveloppé que dans son *Tom Jones*, réalisé en 1963, mais tout aussi impétueux et charismatique. Dans chaque ville, j'allais voir les acteurs au bar après la représentation. Je n'hésitais pas à me présenter comme un acteur américain admiratif et curieux. Dans un premier temps, certains étaient déconcertés par cette approche directe mais, et c'est valable partout dans le monde, lorsque vous complimentez un acteur pour sa prestation et que vous lui demandez comment il y est parvenu, il se lance assez vite dans un monologue, en vous en disant souvent plus que vous ne désiriez en savoir. C'était leur passion du théâtre qui m'impressionnait le plus chez ces comédiens anglais : beaucoup de leurs confrères américains se sentent coincés dans une troupe de théâtre et attendent qu'on leur propose un bon rôle au cinéma, voire dans une série télévisée. Les acteurs que j'ai rencontrés en Grande-Bretagne paraissaient peu soucieux de savoir si un film allait se présenter et quand, ils vivaient simplement, prenaient plaisir à répéter, à approfondir, à enrichir leur interprétation, sur une longue période. La plupart avaient fait une école d'art dramatique et possédaient un large registre. Ils bougeaient bien, parlaient fluidement, avaient de toute évidence acquis une bonne technique de jeu. Ils pouvaient tout autant jouer Shakespeare, Miller ou Alan Ayckbourn, comme un musicien d'orchestre peut jouer Haydn, Berlioz ou Stravinski.

Je découvris également que le cliché selon lequel les acteurs britanniques sont « techniques », alors que les acteurs américains sont « naturels » est totalement sans fondement. C'était peut-être vrai il y a des générations mais plus maintenant. J'ai vu plusieurs interprétations (l'une des meilleures étant celle de Finney) à la fois techniquement habiles et absolument authentiques. Ce fut aussi un plaisir de découvrir que les jeunes acteurs se sentaient honorés d'avoir été choisis pour travailler avec ces compagnies et qu'ils ne faisaient pas que passer.

Je me trouvai à Londres la troisième semaine d'octobre. J'habitais dans l'appartement d'une comédienne rencontrée au théâtre de Nottingham. Les jours de relâche, elle revenait parfois à Londres, ce qui rendait mon séjour encore plus agréable. J'ai vu ainsi des dizaines de spectacles, du West End aux cafés-théâtres de Camden Town et Hammersmith. Je vis Lawrence Olivier dans *Long Voyage vers la nuit* à l'Old Vic. Bien sûr son interprétation m'impressionna, mais je continue de penser que la production de Cornell était meilleure. Après la représentation, comme d'habitude, j'allais en coulisses rencontrer les comédiens.

J'ai lié conversation avec Dennis Quilley qui avait joué Jamie Tyrone et répétait *The Front Page*. Il me confia qu'il avait du mal, et qu'il n'était pas le seul, à prendre l'accent américain : c'était particulièrement difficile parce que cette comédie des années 1920 de Hecht et MacArthur devait être jouée à une vitesse folle. Le jour suivant, je me suis retrouvé dans la grande salle de répétition de l'Old Vic, assis à côté du metteur en scène, face à une trentaine de comédiens. J'étais chargé de prendre des notes et de faire des suggestions. Je pensais que la troupe avait des moniteurs pour les langues, disponibles à plein temps, mais pour une raison inconnue, il n'y en avait aucun en vue. Je n'étais pas payé mais cela m'était égal. Je pris quantité de notes, au cas où un acteur m'aurait demandé un conseil. Le metteur en scène me faisait parfois lire le journal à haute voix : les comédiens étaient toujours très attentifs, certains enregistraient même les séances de travail et je me trouvais très honoré de leur rendre service.

À la fin du mois de novembre, je partis pour Paris. Dernière étape de mon voyage avant de retrouver Princeton pour les vacances, puis l'université. J'avais étudié le français de l'âge de huit ans jusqu'à ma deuxième année de fac. Je le parlais donc assez couramment et je me promis de ne pas prononcer un mot d'anglais entre mon arrivée à Calais et mon embarquement dans l'avion de New York.

J'avais une lettre de recommandation pour le grand comédien Michael Lonsdale et le numéro de téléphone de Jacqueline, une étudiante qui avait été la jeune fille au pair de mes demi-frères Jeff et Kevin quelques années auparavant. Je logeais à l'auberge de jeunesse près du Pont-Marie. J'accompagnais souvent Jacqueline à ses cours à la faculté des sciences de Jussieu, où elle préparait une maîtrise de biologie. Comme le sujet m'avait toujours ennuyé en anglais, il ne me passionnait pas en français : j'avais le regard qui se perdait dans le vague tandis qu'assis au fond de l'amphi, j'écoutais le bourdonnement français d'un vieux professeur. Tous les samedis soirs, j'allais dîner dans la famille de Jacqueline qui habitait un appartement confortable du XVIe arrondissement.

Je réussis enfin à contacter Michael Lonsdale. Il me convia à venir aux répétitions de *C'était hier* de Pinter à l'Odéon et me présenta à la troupe de la Comédie française. Les machinistes étant en grève, les acteurs avaient déménagé sous une tente dans un jardin voisin, où ils travaillaient *Le Bourgeois gentilhomme* de Molière. En assistant aux répétitions, je fus surpris de découvrir que le metteur en scène préparait un spectacle très conventionnel. Les comédiens venaient jusqu'à l'avant-scène, déclamaient leurs tirades, s'adressant directement au public, comme on le faisait au XVIIe siècle ! Certains m'expliquèrent que, selon eux, Molière devait être monté « dans la tradition » et non pas réinventé pour un public moderne. Comme j'avais étudié cette pièce au lycée, j'en avais gardé le souvenir d'une pièce très drôle. J'en avais vu aux États-Unis des représentations nouvelles et inventives : celle de la Comédie française était incroyablement ennuyeuse et décevante. Le soir de la première, je partis après le premier acte.

Je parcourais la ville en tous sens. Comme je parlais français, j'étais mieux traité que la plupart des Américains, je pouvais discuter avec des gens au restaurant, demander mon chemin dans la rue et comprendre les informations en lisant *Le Monde* plutôt que le *Herald Tribune*. Chez les parents de Jacqueline, je me joignais avec assurance aux discussions du dîner, menées par le père, avocat, à qui la mère, professeur, apportait en général la contradiction. Parfois, le repas durait deux ou trois heures et tous prenaient plaisir à ces joutes verbales. J'étais en train de devenir un peu plus français chaque jour. Je me mis à porter un pull marin et un pantalon large, je passais de nombreuses après-midi dans les cafés à fumer la pipe et à écrire mon journal. Je ne sais pas pour qui je me prenais, j'expérimentais à l'époque plusieurs identités, dans et hors du théâtre. J'avais tendance à m'immerger dans tout nouvel environnement. À San Diego, je ressemblais à un surfer, à Cornell, j'étais un étudiant invétéré, et à présent en France, je devenais un représentant type de la bohème.

Ce voyage à l'étranger avait été stimulant, gratifiant, mais j'avais été bien solitaire. Je supportais mal de ne pas pouvoir partager mes expériences avec quelqu'un et je me demandais de temps en temps pourquoi j'avais entrepris ce voyage tout seul. Nous nous écrivions, Helen et moi, plusieurs fois par semaine. Chaque soir, j'allais au bureau de l'American Express pour voir si une lettre était arrivée. S'il y en avait une, ma journée était illuminée, sinon, j'errais dans les rues. Pourquoi n'étions-nous pas ensemble ? À la mi-décembre, je réalisai à quel point Helen, mes amis et même ma vie d'étudiant à Cornell me manquaient. Je voulus changer mon vol, anticiper mon retour mais je n'avais pas les moyens de payer la différence. Enfin, le jour du départ arriva. Après trois mois où je n'avais rencontré que des étrangers et passé des journées sans cadre précis, je ressentais le besoin de faire quelque chose de productif ; de ne plus être un simple observateur. J'étais prêt à rentrer chez moi.

Chapitre 7

J'aimerais pouvoir dire qu'une fois rentré à Cornell, en janvier 1973, je me suis fixé, que j'ai travaillé dur et que je me suis entièrement réadapté à la vie universitaire. Malheureusement, il n'en fut rien.

J'avais du mal à me concentrer. La seule chose qui m'intéressait était d'apprendre à jouer ; j'étais convaincu que là était ma vie. L'histoire, la physique, les autres matières me semblaient plus que jamais inutiles. Ce voyage en Europe avait renforcé mon désir de devenir acteur classique et je sentais que je ne pouvais plus attendre davantage.

Jack O'Brien, qui m'avait engagé pour le festival Shakespeare de San Diego, enseignait à présent à la Juilliard School de New York. Le département théâtre qui avait ouvert trois ans auparavant était à la hauteur des meilleures écoles d'art dramatique du pays. J'eus alors une longue conversation avec John Clancy au cours de laquelle je lui expliquai que ma matière principale étant le théâtre, je me réaliserais mieux à Juilliard (si j'arrivais à y entrer) qu'en restant à Cornell. Je parvins à le convaincre, ainsi que le doyen du College of Arts and Sciences. Nous convînmes que ma première année à Juilliard serait équivalente à une quatrième année à Cornell. J'étais ravi. Je respectais ainsi mon contrat avec mes parents tout en progressant dans la branche que j'avais choisie.

Mais comment entrer à Juilliard ? Jack O'Brien me recommanda auprès du corps enseignant et du légendaire John Houseman, le directeur du département théâtre. J'étais parfaitement conscient que chaque année deux mille étudiants auditionnaient pour les vingt places de première année. Deux ou trois personnes étaient acceptées en surnombre dans le cours supérieur, en général des étudiants qui possédaient déjà une expérience professionnelle et entraient à l'école en troisième année. Je briguais l'une de ces places.

L'audition que je passai pour entrer à Juilliard fut plus éprouvante nerveusement que toutes celles que m'avait organisées Stark Hesseltine. Dix universitaires étaient assis en rang, dans l'école de théâtre. Les sièges s'étageaient en gradins, ce qui permettait au public de bien voir mais en levant les yeux pour regarder la rangée des distingués professeurs prêts à juger, je me sentis petit et insignifiant. Houseman était bien entendu le plus intimidant. Il était le cofondateur avec Orson Welles du Mercury Theater et, après une longue carrière réussie de producteur, se taillait à présent un vrai succès d'acteur. Il venait en effet de remporter un Oscar. Il était soi-disant très paternel : ceux qui le connaissaient bien parlaient de sa chaleur, de sa gentillesse, de sa générosité. Je ne l'avais jamais rencontré et j'eus une impression totalement différente.

J'avais entendu dire qu'il était d'une impatience peu commune : tout futur étudiant devait présenter deux textes, un classique et un moderne, le tout ne devant pas excéder cinq minutes. Si on ne lui faisait aucune impression, il lâchait un retentissant « merci » du haut de son coin obscur et le jeune aspirant comédien n'avait plus qu'à aller s'adresser ailleurs. À la suite de ce merci, certains sont sans doute retournés dans l'Indiana ou au Texas, où ils ont reconsidéré les conseils de leurs parents et choisi une profession plus sûre.

J'étais particulièrement angoissé parce que recommandé par Jack O'Brien. Serais-je à la hauteur ? En m'avançant sur le plateau, je compris que je devais contrôler la situation. Je sais d'expérience qu'il est impossible de bien jouer si l'on se sent comme un visiteur de passage, un importun. Un comédien doit pouvoir croire qu'il a quelque chose de particulier à offrir et que son temps et son talent méritent le respect. Lorsque vous répétez chez vous, dans votre salon, l'espace vous appartient et le confort inspire le travail. Il faut réussir à créer la même chose au cours d'une audition, dans un décor étranger et devant un public de producteurs, de directeurs de casting ou de professeurs blasés qui ont peut-être derrière eux une longue journée fatigante.

Le dernier postulant avait heureusement laissé sur le plateau quelques chaises et une table qui se trouvaient sur mon chemin et je pris tout mon temps pour les retirer, en prenant de longues inspirations, jusqu'à ce que la scène soit dégagée et mon pouls revenu à la normale. Puis, je commençai un monologue tranquille de *La vie est un songe*, tiré du fameux spectacle qui s'était si mal passé à Cornell. J'avais travaillé le passage où Sigismond se demande pourquoi le simple fait de vivre est une telle punition : j'espérais que cette scène serait peu connue des enseignants et apporterait une bouffée d'air après les soliloques habituels de Shakespeare que présentaient nombre d'étudiants. Je pris mon temps, gardai mon calme. Houseman ne m'interrompit pas. Le texte suivant était tiré de *Un mois à la campagne*, une vieille connaissance, pleine de légèreté et d'humour et qui changeait agréablement de l'introspection douloureuse de la première scène. Quand j'eus fini, Jack O'Brien rayonnait. Houseman resta silencieux mais Marian Seldes, l'une des enseignantes les plus chaleureuses et positives qu'un étudiant puisse espérer avoir, s'écria : « Merci, c'était charmant. »

En revenant à Cornell, pendant les cinq heures de route, je me suis plusieurs fois rejoué l'audition. Je pensais que ça avait marché, mais je ne savais pas à quoi m'en tenir. Peut-être Marian avait-elle simplement été polie ? Pourquoi Houseman n'avait-il rien dit ? Trois semaines plus tard, je reçus une lettre officielle de Houseman en personne. J'étais accepté dans le programme du cours supérieur ainsi qu'un autre comédien. Les cours commençaient le 15 septembre.

* * *

La première personne que j'ai rencontrée à Juilliard fut cet étudiant, un type de Marin County, en Californie, petit, trapu, portant les cheveux longs, habillé d'une chemise de batik et d'un pantalon de survêtement, qui prononçait à peu près mille mots à la minute. Je n'avais jamais vu autant d'énergie concentrée dans la même personne. Il ressemblait à un ballon gonflé d'air qu'on dégonflerait subitement. Je le regardais avec admiration quasiment rebondir sur les murs des salles de cours et des couloirs. Il ne se passait pas une minute sans qu'il prenne des voix différentes, imite les professeurs, et on avait mal aux zygomatiques à force de rire de ses bouffonneries. C'était Robin Williams, bien sûr.

Nous suivions plusieurs cours ensemble, juste lui et moi. Mon cours préféré était celui de 9 heures du matin, avec la très respectée Edith Skinner, l'un des meilleurs professeurs au monde pour la voix et la diction pendant une soixantaine d'années. Elle avait enseigné dans toutes les écoles d'art dramatique du pays et on la réclamait partout comme consultante en langues dans les compagnies théâtrales. Edith devait avoir quelque quatre-vingt-cinq ans lorsque Robin et moi croisâmes son chemin. Elle ne savait pas du tout quoi faire avec lui.

Il est vrai qu'elle enseignait les accents d'une manière traditionnelle et académique, en utilisant l'alphabet phonétique et en identifiant les modifications et les substitutions des voyelles-clés pour que l'acteur puisse maîtriser une nouvelle voix. Mais Robin n'avait aucun besoin de tout cela et pouvait instantanément improviser dans n'importe quelle langue, l'écossais, l'irlandais, le russe, l'italien ou n'importe quel autre dialecte de son invention. Et pendant ce temps-là, j'annotais laborieusement mes textes de corrections phonétiques et parvenais difficilement à apprendre un nouvel accent à la fois.

Michael Kahn, notre professeur principal d'art dramatique, était lui aussi dérouté par cette pile électrique humaine. Tous les quinze jours, nous étions censés présenter une scène au reste de la classe. Notre groupe ne manquait pas de talent et il y avait des présentations de qualité. Mais personne ne s'attendait à la scène de *Beyond the Bridge* qu'interpréta Robin : il jouait le rôle d'un prêcheur plutôt stupide qui prononce un sermon dominical. Nous étions plusieurs à connaître ce monologue créé par Peter Cook mais la version de Robin était encore plus drôle que l'original. Son interprétation, son sens du rythme et son phrasé étaient impeccables. Généralement, chaque présentation était suivie d'un silence, puis la discussion s'engageait sur le travail mais à la fin de la scène de Robin, tout le monde applaudit. Michael Kahn cependant ne semblait pas impressionné. Il dit à Robin qu'il avait choisi la facilité et qu'il n'avait pas fait un vrai travail d'acteur mais un numéro de comique. Il lui demanda de prendre plus de risque au lieu de singer l'interprétation d'un autre pour nous faire rire.

Le premier spectacle que présenta la classe de troisième année fut *La Nuit de l'iguane* de Tennessee Williams. La performance de Robin fit immédiatement taire les critiques. En jouant un vieil homme cloué sur un fauteuil roulant, il *était* ce vieil homme, tout simplement. J'étais fasciné par son travail, très reconnaissant que le destin nous ait réunis. Nous commencions à devenir de bons amis. Certains étudiants se liaient avec lui en appuyant dans le sens de ses bouffonneries. Moi, je n'ai même pas essayé. Comme Robin avait parfois besoin de débrancher et de discuter sérieusement avec quelqu'un, j'étais toujours prêt à l'écouter. Il eut un moment le béguin pour une fille de notre classe qui le prenait pour un imbécile immature. Il partageait avec moi ses vrais sentiments : vingt-cinq ans plus tard, c'est toujours vrai.

Mon premier rôle à Juilliard fut celui de Dr Johnny dans *Été et Fumée*, une autre pièce de Tennessee Williams. La relation du personnage à son père est un point-clé de la pièce et je m'identifiais fortement à lui. Je me servis de certaines vérités sur ma propre vie et je fis, je crois, une bonne prestation. Par la suite, Houseman me convoqua dans son bureau pour me faire ses critiques en privé, la procédure habituelle dans le département. Houseman demeurait, pour la plupart d'entre nous, un personnage intimidant. Il avait un peu plus de soixante-dix ans et le même air sévère que sur la publicité qu'il avait jouée pour une banque, avec sa désormais célèbre formule : « Nous faisons de l'argent selon la tradition : en le gagnant ». Il pouvait vous arrêter brusquement au beau milieu d'une médiocre audition et vous renvoyer de l'école à la suite d'une mauvaise prestation : « Inutile de perdre notre temps à vous former, bonne chance. » Et l'étudiant partait, tout simplement.

Il me désigna un siège, ferma la porte et s'installa dans son rocking-chair. Au terme d'un long silence, il entonna : « Monsieur Reeve, il est très important que vous deveniez un vrai acteur classique. [Silence.] À moins bien sûr, qu'on ne vous offre un paquet d'argent pour faire autre chose. » À ce moment-là, je me mis à aimer John Houseman !

Puis il me proposa de quitter Juilliard et d'entrer dans l'Acting Company, la branche diplômée de la section art dramatique. Si vous étiez invité à entrer dans la troupe, ce qui était considéré comme un honneur, vous deviez faire une tournée de vingt-six semaines par an dans des coins reculés du pays, en bus et en camion. Mais je me sentais avant tout dans l'obligation de finir l'année ici pour obtenir ma licence à Cornell. J'ai donc poliment décliné l'invitation et je suis resté à l'école.

Le point culminant de mon expérience à Juilliard se situe au printemps de 1974. Dix d'entre nous partirent en tournée dans les écoles de New York avec une pièce en un acte de Molière, *L'Amour médecin*. Nous avons joué dans tous les arrondissements, souvent pour des élèves âgés de douze, treize ans, issus des quartiers déshérités, qui n'avaient jamais vu de spectacles vivants et encore moins de Molière. Pour des gamins de cet âge la pièce était facile à comprendre et franchement drôle. Je jouais le héros, fougueux mais pas très malin. Comme dans beaucoup de pièces de Molière, le valet est plus intelligent que son maître et passe son temps à le tirer d'affaire.

Au début, nous appréhendions un peu la réaction de notre auditoire mais très vite nos craintes furent dépassées : les enfants étaient hypnotisés par l'histoire, riaient aux bons moments et comprenaient chaque mot de la pièce. Dans une école du Bronx, je reçus la plus belle ovation de toute ma carrière, même si elle eut lieu à un moment incongru. L'action exigeait que je saute sur un banc, lève mon épée avant de commencer une déclaration d'amour : je sautai donc sur le banc, dégainai mon épée avec panache et fis voler en éclats presque toute une rangée de lampes au-dessus de ma tête. Il y avait du verre brisé partout, la lumière s'éteignit et les collégiens approuvèrent bruyamment cette destruction du matériel scolaire. Il n'y eut rien à faire pour les ramener à la raison et nous avons dû battre en retraite dans notre break et rentrer à Juilliard.

J'y ai fini mon année, puis je suis retourné à la Loeb à Cambridge pour jouer Macheath dans *L'Opéra de quat'sous*. Cette fois, Elliot Norton, le critique, fut moins impressionné. Il écrivit que mon interprétation par ailleurs « magistrale » était démolie par le fait que je ne savais pas chanter.

Je voulais retourner à Juilliard mais Tris avait des problèmes financiers. Il avait quand même huit enfants à charge et ma mère m'informa qu'il lui serait difficile de continuer à payer mes études !

Avant l'été, j'avais passé une audition pour un *soap opera* intitulé *Love of Life*. À cette époque-là, je passais beaucoup de ces auditions, simplement pour m'entraîner. On m'offrit le rôle de Ben Harper, un mauvais garçon qui avait beaucoup de charme. Au cours de l'été, je discutai avec Houseman pour trouver un arrangement qui me permettrait de faire le *soap* et de pouvoir ainsi payer et terminer ma deuxième année à Juilliard. Les producteurs m'avaient promis que je ne jouerais que deux jours par semaine et que j'aurais toujours fini vers 13 heures. Houseman accepta avec quelques réticences mais il avait compris que c'était une nécessité financière. J'ai donc commencé à travailler à CBS fin juillet. À la mi-août, mon personnage était devenu très populaire. Assez vite, les indices d'écoute se mirent à grimper et les pontes attribuèrent cela à Ben Harper.

Ben était le joueur de tennis professionnel du club local, mais ce n'était qu'une couverture. En réalité, il arrangeait des coups avec le bureau du maire, il avait mis sur pied une combine pour extorquer un demi-million de dollars à sa mère et il était marié à deux femmes en même temps. Betsy, la première, était la jolie fille du coin, et l'autre une fille facile du nom d'Arlene que Ben avait impulsivement épousée à Las Vegas. La plupart de mes scènes consistaient à sauter d'un lit à un autre et à tenter de cacher Arlene. Bien entendu, celle-ci voulait me créer le plus de problèmes possibles et m'arracher à ma ville douillette et cossue.

Le rôle de Ben Harper marqua la fin de mon anonymat car les vedettes de *soap opera* ont de nombreux fidèles. Dans le bus, on me disait : « Dis donc, cette Arlene, elle est chaude ! Reste avec elle, pas avec Betsy, elle est ringarde. Mais cette Arlene, oh, la la ! elle est chaude ! » Et les femmes que je rencontrais disaient en général : « C'est vraiment scandaleux ce que vous faites ! » Et j'avais envie de répondre : « Hé ! mais ce n'est pas moi qui ai écrit ce truc ! »

Les gens s'investissent beaucoup dans ces *soaps*. À la fin août, alors que je prenais la route 93 pour descendre dans le New Hampshire, je me suis arrêté dans une station-service pour manger une glace. J'étais assis sur le capot de ma voiture, quand soudain une femme s'approcha de moi, me donna un coup avec son sac à main et se mit à hurler : « Comment osez-vous traiter votre mère de cette façon ? » Il n'y avait eu aucune phrase d'introduction, aucun « je vous ai vu », juste un bing !, que je décidai de prendre pour un compliment.

Comme l'indice d'écoute montait, les producteurs écrivirent de nouvelles scènes pour Ben et ses femmes. Je leur rappelai notre engagement initial mais ils me rétorquèrent qu'il n'existait aucun contrat signé limitant mes apparitions. Ils avaient renié leur promesse mais je dois avouer que je m'amusais beaucoup. En outre, je gagnais ma vie et je commençais à être connu.

Avec le *soap opera* je faisais aussi mon apprentissage devant une caméra, j'étais parfaitement à l'aise lorsque le réalisateur faisait reculer la caméra pour prendre un plan large, mais dès qu'il faisait un plan rapproché, j'étais très intimidé. Parfois l'objectif était à peine à quelques centimètres de mon visage et j'avais du mal à me concentrer.

Les gros plans sont pourtant essentiels parce qu'ils permettent aux spectateurs de connaître les pensées et les sentiments du personnage, malheureusement, ils révèlent aussi toutes les tensions et les incertitudes de l'acteur. J'avais encore beaucoup à apprendre. Une bonne partie de mon travail était tout juste acceptable. Cependant, au bout de quelques semaines, je commençai à me détendre et à y prendre plaisir. De nombreux camarades acteurs considèrent le *soap* comme l'équivalent moderne des tournées théâtrales : la matière n'est pas terrible, il faut pourtant en faire quelque chose et il faut travailler vite.

Des comédiens très talentueux ont joué dans *Love of Life* : Warren Beatty, Jocelyn Brando (la sœur de Marlon) et Bonnie Bedelia entre autres : ce qui avait été bon pour eux l'était aussi pour moi. Et c'était incroyable de gagner deux cent cinquante dollars par jour ! Finalement, les horaires de la série m'obligèrent à abandonner Juilliard. J'eus alors le loisir de passer des auditions pour des pièces off-Broadway et off-off-Broadway, je pris des cours d'art dramatique aux studios HB, jouai au Theater for the New City et je tins la vedette dans quelques représentations de *Berkeley Square*, une pièce sentimentale des années 1920 qui obtint un surprenant succès.

Tout cela demandait beaucoup d'énergie, mais je n'en manquais pas, à l'époque. Je n'avais que vingt et un ans, je vivais seul au quatrième étage d'un immeuble sans ascenseur sur la 83e rue Ouest près de Central Park. Je gagnais alors près de mille dollars par semaine. J'en mettais un peu de côté à la banque mais je dépensais le reste à sortir et à passer mon brevet de pilote d'avion.

Love of Life était enregistré en direct, ce qui signifiait qu'on ne s'arrêtait pas, sauf si quelqu'un se plantait vraiment. Petit à petit je gagnais de l'assurance devant la caméra : en me concentrant sur mon partenaire et sur l'action, je parvenais à oublier la caméra.

En moyenne, nous devions apprendre chaque jour à peu près vingt-cinq pages de dialogue : j'ai rapidement compris que même si je n'étais pas absolument sûr de mon texte, je jouais de façon plus spontanée, moins raide. Les acteurs que j'admire le plus sont ceux qui vous font sentir que tout peut arriver. C'est par ce côté imprévisible que les spectateurs entrent dans l'histoire. Je n'avais pas du tout l'intention d'être subversif et j'ai toujours fait attention à donner la bonne réplique à mes camarades mais avec un peu d'improvisation, mon travail devenait meilleur. Je me suis mis alors à apprendre mon texte dans le bus, le matin en allant au studio et je me suis rendu compte que je pouvais avaler les vingt-cinq pages du scénario en une demi-heure ! Vers 11 heures, j'étais prêt pour l'enregistrement mais j'essayais de ne pas raidir mon jeu afin de laisser de la place pour des imprévus.

Pendant cette période, je n'ai jamais perdu le contact avec le théâtre. Au Theater for the New City, nous avons joué une pièce très intéressante de Jacques Levy, *Berchtesgaden*, sur ce qui se passait dans la retraite d'été de Hitler. J'y jouais le rôle d'un jeune officier de la garde d'élite dans l'enceinte du « nid d'aigle ». Si ce jeune homme avait grandi dans l'Iowa, il aurait peut-être appartenu à une organisation de jeunes agriculteurs ou bien il serait devenu un nageur de première catégorie mais il vivait à Nuremberg dans les années 1930... À plusieurs reprises, il évoquait les ambitions de Hitler pour son pays, à savoir relever l'économie, sortir l'Allemagne de la dépression et rétablir la fierté et l'unité nationales. Barbara Loden, la femme d'Elia Kazan, en fit une magnifique mise en scène. Elle me demanda de jouer un personnage calme et rationnel. Elle disait : « Tu ressembles déjà à un nazi, ce sera donc d'autant plus glacial quand tu parleras d'occasions à saisir et de fierté si tu le fais avec chaleur et simplicité. »

Pendant des années, je me suis servi de son conseil en abordant les rôles, notamment pour jouer Superman avec retenue. Comme je fais 1,92 mètre, j'en imposais physiquement. J'interprétais donc le personnage aussi désinvolte que possible. Jouer les contradictions est toujours plus intéressant que de jouer au premier degré : Barbara fut pour moi un mentor ; en réalité, elle fut mon premier maître et m'aida à éviter les clichés. Je fus bouleversé lorsqu'elle mourut, encore jeune, d'un cancer.

À l'automne de 1975, j'eus l'occasion de passer une audition pour *A Matter of Gravity*, une nouvelle pièce d'Enid Bagnold, avec Katharine Hepburn en vedette. Le second rôle était celui de son petit-fils. Tous les acteurs blancs entre vingt-cinq et trente-cinq ans en rêvaient. Pendant deux ans, Miss Hepburn (c'est tout à son honneur) en vit deux cents. Les auditions avaient lieu à l'Edison Theater, sur la 47e rue. J'entrai sur le plateau et vis le producteur

Robert Whitebread, son directeur de casting et Katharine Hepburn, assis tous dans l'ombre. C'était le régisseur qui me donnait la réplique, un homme charmant mais qui était loin d'être le meilleur acteur que j'aie connu. J'étais affreusement nerveux. Il s'agissait d'une production de Broadway dont on parlait beaucoup car le retour, après vingt ans d'absence, de Katharine Hepburn sur scène faisait grand bruit.

Une fois encore, je compris que je devais prendre en main la situation. J'allais affronter Katharine Hepburn, dans l'obscurité. C'était une expérience intimidante. La dame est d'ailleurs tout aussi intimidante en pleine lumière. Avant de commencer, j'ai crié vers le coin sombre où elle était assise : « Miss Hepburn, je voudrais vous saluer de la part de ma grand-mère, Beatrice Lamb. Je crois que vous étiez ensemble à Bryn Mawr… »

Il y eut un long silence, puis de l'obscurité monta : « Oh, Bea ? Je n'ai jamais pu la supporter ! »

Il ne me restait qu'une alternative : disparaître ou me mettre au travail. Après cette bourde, il fallait que je me ressaisisse. J'ai alors commencé à donner des ordres de mise en scène au régisseur, à bouger des meubles. Il était stupéfait ! D'habitude, il restait assis à donner la réplique à des petits-fils potentiels, moi, je lui demandais d'être un vrai partenaire de jeu. Mon agressivité le fit sortir de sa suffisance et ma nervosité se dissipa. Je connaissais le texte, j'étais à l'aise dans l'espace. À la fin de l'audition, au moment où je m'éloignais, j'entendis la célèbre voix : « Les répétitions commencent le 17 septembre. » Stark était stupéfait, c'était sans précédent. J'étais soulagé de constater que quitter Juilliard, poursuivre le *soap* ne m'avaient pas « détruit », comme le prétendaient certains enseignants.

À présent, j'avais à régler un sérieux problème de logistique. Je devais jouer dans *A Matter of Gravity* en septembre 1975, mais mon contrat avec la production de *Love is Life* courait jusqu'en juillet 1976. J'avais déjà dû abandonner ma dernière année à Juilliard à cause du *soap*, comment pourrais-je continuer à sauter d'un lit à l'autre, quand il faudrait répéter et jouer le spectacle avec Hepburn, notamment au moment des présentations-tests dans des villes aussi éloignées que Toronto ou Washington ?

Implorant, je suis d'abord allé voir nos producteurs puis j'ai remonté toute la ligne de métro pour parler à Darryl Hickman, le patron des dramatiques à CBS. Mes partenaires de *Love of Life*, en particulier mes deux femmes, m'ont beaucoup soutenu. Tous se seraient battu becs et ongles si on leur avait donné pareille chance. Mais les pontes de CBS restèrent inébranlables. Que représentait une pièce jouée à Broadway comparée à un succès à la télévision ? J'expliquai mon problème à Miss Hepburn qui appela sur-le-champ Darryl Hickman et le retourna complètement. À la fin de la journée, j'avais deux emplois ! Je me mis à courir entre le studio de *Love of Life* et les répétitions de la pièce dans un théâtre de Broadway.

De septembre 1975 à juin 1976, j'ai négocié en permanence entre les deux. Au bout d'un mois de répétitions, la première eut lieu à Philadelphie puis on enchaîna avec Washington, New Heaven, Boston et Toronto, avant d'arriver à New York. Je prenais quasiment tous les jours un train pour New York à 6 heures du matin, j'apprenais mon texte pendant le voyage, j'enregistrais plusieurs épisodes puis je rentrais pour la représentation du soir. Il arrivait qu'on tourne aussi le dimanche, mon seul jour de relâche au théâtre.

J'avais rarement le temps de faire de vrais repas et je me nourrissais essentiellement de barres chocolatées et de café. Je venais d'avoir vingt-deux ans et je pensais que je pouvais tout mener de front car j'avais d'infinies réserves d'énergie !

Un événement mélodramatique survint alors à New Heaven, qui me prouva que j'avais tort. J'avais terminé une journée d'enregistrement à New York. J'étais debout depuis 5 heures du matin et on avait bouclé toutes mes scènes à

15 h 30. J'avais alors repris le train pour New Heaven et j'étais arrivé au théâtre à 19 h 15, prêt pour attaquer à 20 heures.

Katharine Hepburn avait généreusement préparé ma première entrée : elle se trouvait à l'avant-scène côté jardin au moment où je franchissais les portes-fenêtres au centre du plateau. Dans le premier acte, Nicky, un étudiant d'Oxford, vient rendre visite à sa grand-mère pour le week-end. Ils sont toujours très contents de se voir. J'avais pour indication de surgir par les portes-fenêtres en appelant « grand-mère », puis de courir l'embrasser. Ce soir-là, je passai les portes-fenêtres, parvins à dire « grand-mère », puis je perdis connaissance. En tombant, je fis valser une table.

Katharine se tourna vers le public et dit : « Ce garçon est un sacré idiot. Il ne mange pas assez de viande rouge. » Et elle fit descendre le rideau. Je finis par revenir à moi. On m'aida alors à regagner ma loge et ma doublure poursuivit le spectacle. Je dus rester, étendu, à l'écouter pendant toute la représentation. Puis un médecin vint m'examiner et diagnostiqua épuisement et malnutrition. En retournant vers sa loge, Katharine passa la tête par la porte de la mienne et me lança : « Tu as une sacrée chance d'être un petit peu meilleur que lui ! »

Je pense qu'elle m'aimait bien. Elle me consacrait beaucoup de son temps et me poussait toujours à aller un peu plus loin. En fait, Katharine Hepburn n'exprimait jamais son affection d'une façon directe, mais elle nous rapportait des produits de sa maison de vacances, sur la côte du Connecticut. Elle distribuait fraises, tomates et maïs. Elle me disait : « Tu vas devenir une star Christopher, et tu seras le soutien de mes vieux jours ! » Je lui rétorquais : « Je ne peux pas attendre si longtemps. » Elle me pardonna même de m'être évanoui sur scène.

Je l'adorais mais, la plupart du temps, elle me faisait une peur bleue. Un beau jour cependant, je lui tins tête. Je crois que je gagnais ainsi son respect. Je pense que j'étais assez proche de ce qu'aurait pu être pour elle un enfant ou un petit-enfant. La rubrique des potins de certains journaux de Boston sous-entendit même que nous avions une liaison. Elle avait soixante-sept ans, moi vingt-deux. Je ressentis cela comme un honneur.

Elle était pour moi un personnage de fiction. Lorsque nous répétions à New York, j'étais retourné voir ses anciens films, *Désirs secrets*, *L'Impossible Monsieur Bébé* ou *Vacances*, dans des cinémathèques de la ville. En la voyant sur l'écran, je me disais que si j'avais été un bon parti dans les années 1930, j'aurais tout fait pour la rencontrer ! Mais le lendemain, au théâtre, elle avait de nouveau soixante-sept ans, était parfois grincheuse, toujours imprévisible.

Pendant des années après le spectacle, elle a continué à m'inviter à prendre le thé, et je lui écrivais pour lui dire où j'en étais, lui envoyer des photos des enfants. Un jour, je suis tombé sur elle au Lincoln Center. Je ne l'avais pas revue depuis longtemps. J'allai la voir pendant l'entracte et au moment où je m'apprêtais à lui dire : « Salut, Kate, je suis content de vous voir », elle me devança d'un : « Oh, Christopher, tu as grossi ! » Elle avait un don pour déstabiliser les gens, c'était la reine de l'imprévu.

Pendant l'automne de 1984, j'étais en Hongrie pour tourner *Anna Karénine*. J'avais prêté mon appartement à mon ami Steve Lawson qui fit lui aussi l'expérience de l'imprévu. Un jour, le téléphone sonna. C'était Katharine. Au début, il se demanda quelle était l'amie qui pouvait faire une si bonne imitation de sa voix mais elle finit par le convaincre qu'elle était bien Katharine Hepburn. Elle lui demanda : « Où est Christopher ? » et Steve répondit : « À l'étranger ». Elle ajouta : « Dites-lui que j'ai appelé pour lui dire qu'il était absolument merveilleux dans *Les Bostoniens*. Il était vraiment fascinant. » Steve nota rapidement cet extravagant message. Puis, elle lui demanda : « Que fait-il en ce moment ? » Steve répondit que j'étais à Budapest pour tourner *Anna Karénine* avec Jacqueline Bisset, et Hepburn de rétorquer : « Oh ! c'est une erreur terrible ! Il ne devrait pas faire ça ! Au revoir ! » Et elle raccrocha. Avec elle, on passait en une minute du chaud au froid...

Pendant que nous jouions *A Matter of Gravity*, mon père s'enticha de Kate. Elle, le trouvait l'homme le plus charmant, le plus intelligent, le plus attirant qu'elle ait rencontré depuis longtemps. Il enseignait à Yale et vivait non loin, à Higganum. Il lui était donc facile de venir aux représentations. Quand j'y pense, Katharine et mon père se ressemblent vraiment. Ils sont tous les deux perfectionnistes, affectueux, charmeurs et capables de vous démolir en une seconde !

Je garde des souvenirs merveilleux de ce qu'elle faisait sur scène. Dans l'acte II de *A Matter of Gravity*, Nicky, le petit-fils, a décidé de se marier avec une jeune métisse et tous deux projettent d'aller vivre en Jamaïque. Sa grand-mère pense qu'il va ficher sa vie en l'air. Ils se retrouvent avant son départ. Elle lui dit : « Tu es mon dernier enchantement. J'ai tant aimé mon portrait dans ton cœur ! » Neuf actrices sur dix auraient dit cette réplique en s'adressant à leur petit-fils avec tendresse et émotion. Mais Katharine la jouait pleine face, sans jamais me regarder pour marquer sa déception ou qu'elle ne me respectait plus. Je n'avais plus rien à faire qu'à partir en silence. À cet instant, dans la plupart des représentations, elle craquait en réalisant qu'elle ne voulait pas que cela se termine comme cela, remontait au fond du plateau vers les portes-fenêtres, voulant rappeler Nick pour l'embrasser une dernière fois, mais il était trop tard. C'était une façon complètement originale et surprenante de jouer la scène.

Elle me disait souvent : « Sois fascinant, Christopher, sois fascinant ! » Et je pensais alors : c'est bien facile pour vous, mais nous, nous devons beaucoup travailler pour cela ! À l'issue des répétitions, des tournées en province et des représentations à Broadway, je finis par comprendre qu'elle parlait du caractère imprévisible des choses et de la façon de révéler les contradictions. Par exemple, elle expliquait que pour jouer un personnage habituellement saoul, il fallait trouver des moments de sobriété pour ajouter une vraie dimension au rôle. Même un alcoolique chronique n'est pas tout le temps ivre. Et elle disait souvent à quel point il est important d'introduire dans son travail les expériences de sa propre vie. « Tu es déjà réel, le personnage est une fiction. Le public doit apercevoir ta réalité à travers la fiction ! »

En la regardant jouer, je me rendis compte qu'elle était à la fois Katharine Hepburn et le personnage.

Au fil des années, j'ai eu la chance de côtoyer d'autres grands acteurs, qui travaillaient de la même façon : Paul Scofield, Vanessa Redgrave, Gene Hackman et Morgan Freeman. Gene Hackman, par exemple, ne change pas vraiment d'apparence physique ; il se transforme de l'intérieur. Au début, on voit apparaître le Gene Hackman que l'on connaît, mais on accepte très vite son personnage tellement son jeu est authentique. Dans *A Matter of Gravity*, j'ai eu le privilège de passer neuf mois à travailler avec l'un des maîtres du métier.

Lorsque la pièce fut créée à New York, Katharine eut la vedette des critiques, tandis que je reçus un accueil favorable. Le *Times* disait que les scènes que nous jouions ensemble étaient les meilleures, même si la pièce ne tenait pas debout. Le journaliste expliquait que lorsque Enid Bagnold en avait assez d'un personnage, elle le renvoyait sans raison en coulisses. Il trouvait cependant formidable de voir Katharine Hepburn en personne et ajoutait que je me montrais prometteur.

J'aimerais avoir fait plus d'efforts pour rester proche d'elle lors des années qui suivirent. J'ai souvent décliné ses invitations à prendre le thé, me contentant de lui envoyer des petits mots pour lui faire part des événements marquants de ma vie. Je pense qu'après notre travail commun, j'ai éprouvé le besoin de rompre les amarres. Travailler avec elle avait été certes un formidable apprentissage mais notre relation avait été trop insécurisante. En cela, elle ressemblait beaucoup aux montagnes russes que j'avais connues, enfant, dans ma famille. À l'été de 1976, lorsque la pièce partit en tournée à Los Angeles, je m'en retirai.

Katharine en fut très déçue. Lorsque je suis allé voir la reprise, je reçus un accueil glacial en coulisses. C'était comme si je l'avais trahie. Nous avions créé quelque chose, une relation particulière et je n'étais pas allé au bout.

Si la pièce avait été merveilleuse, je serais probablement resté. En réalité, elle n'était qu'un faire-valoir de Katharine, une occasion pour le public de voir la comédienne en chair et en os. Les autres acteurs n'étaient certes pas des accessoires, mais ils n'étaient pas essentiels à l'entreprise. Il fallait que je bouge.

J'avais aussi une autre raison de partir. J'étais à ce moment-là très attiré par le cinéma. Stark réussit à me décider à aller à Los Angeles après la série de représentations de New York en juin 1976. Il demanda à la petite mais prestigieuse agence Bresler, Wolf, Cota & Livingston de me représenter. Elle s'occupait de quelques bons acteurs de cinéma et de télévision : Jack Nicholson était leur star. Tous les membres de l'agence étaient enthousiastes à l'idée de travailler avec moi, mais en voyant le type d'audition qu'ils m'envoyèrent passer, je me rendis compte que nous n'étions pas sur la même longueur d'ondes.

Mike Livingston, qui était devenu l'agent responsable de ma carrière, fut transporté de joie quand on me proposa le premier rôle dans une série télévisée intitulée *L'Homme de l'Atlantide* dont le personnage était mi-homme mi-poisson. J'étais certes attiré par le cachet de quatorze mille dollars par semaine qu'on m'offrait mais mon cœur chavira lorsqu'on me demanda de passer chez l'oculiste pour me faire faire des lentilles vertes, puis au studio pour me faire mesurer les pieds afin de fabriquer les palmes. Je voulais bien me risquer à Hollywood mais sûrement pas dans ce genre de choses ! J'expliquai à Mike que j'avais besoin d'y réfléchir. Je roulai jusqu'à mon petit aérodrome préféré, celui de Rosamond, près de la base aérienne Edwards. Je sautai dans un planeur Pilatus B4 et passai l'après-midi dans les nuages au-dessus des monts Tehachapi. J'ai finalement refusé l'homme-poisson et Patrick Duffy, l'une des stars du futur *Dallas*, prit le rôle. Chaque fois que mes agents me proposaient des idées aussi peu excitantes, je retrouvais la paix en fonçant dans le désert faire du planeur.

Je finis par accepter un petit rôle dans *Gray Lady Down*, avec Charlton Heston et Stacy Keach. Le film racontait le difficile sauvetage de l'équipage d'un sous-marin nucléaire ayant sombré. Je jouais un jeune lieutenant sur le navire de secours. J'essayais de rester proche de Stacy Keach pour paraître le plus longtemps possible à l'écran. J'ai beaucoup aimé passer plusieurs semaines sur des bâtiments de la marine, au large des côtes de San Diego, mais le scénario était médiocre. Plus tard, les critiques qualifieront le film de « catastrophe sur une catastrophe ».

En octobre, j'en ai eu assez de passer des auditions pour des rôles que ne voulais pas faire. J'ai jeté mes quelques affaires sur le siège arrière de mon avion, un Cherokee 140, et je suis reparti pour New York et le théâtre.

En arrivant, j'ai appelé mon ami William Hurt pour lui demander s'il était au courant des distributions en cours. Il me dit qu'on venait de lui proposer le rôle principal dans *My Life*, de Corinne Jaecker, au Circle Repertory Company et que le rôle, court mais important, du grand-père n'était pas encore distribué. Il m'arrangea une audition avec le metteur en scène, Marshall Mason. Deux semaines plus tard, nous commencions les répétitions.

J'étais ravi de faire partie de la création d'une nouvelle pièce et de travailler avec William Hurt dont j'étais aussi la doublure. Un samedi, vers la fin des répétitions, il arriva au théâtre avec une laryngite. Soudain, c'était à moi ! Je dû porter les costumes de William, ce qui ne posa pas de problème jusqu'à ce qu'il faille que je me mette en maillot de bain pour aller nager dans la petite piscine installée sur scène. Le maillot était beaucoup trop petit. Lorsque je suis remonté, dégoulinant, je n'avais aucun endroit où me cacher. Avant de pouvoir aller me changer en coulisses, je fus contraint à poursuivre la scène en essayant de ne pas entendre les murmures du public. Heureusement, ce fut ma seule expérience de doublure.

À la fin janvier, Stark m'appela pour me dire qu'on m'avait demandé de venir auditionner pour le rôle principal dans une grande production d'une major-compagnie. Le directeur de casting, Lynn Stalmaster, avait supplié le réalisateur de me rencontrer. Trois fois de suite, il avait placé ma photo et mon curriculum sur le haut de la pile, et trois fois de suite les producteurs les avaient écartés. Il avait fini par les persuader. Stark ajouta que, à son avis, j'avais peu de chances d'obtenir le rôle et qu'il avait des doutes sur le projet car personne n'avait vu le scénario. L'entretien devait avoir lieu le samedi suivant dans l'après-midi, à l'hôtel Sherry-Netherland, sur la Cinquième Avenue. J'acceptai d'y aller non seulement parce que Stark m'avait toujours dit : « Passe toutes les auditions, fais ton choix ensuite… », mais aussi parce que je voulais aller voir mon père et que j'avais prévu de prendre le train à 17 h 30 à Grand Central, non loin de là. Je pense franchement que si le rendez-vous avait eu lieu ailleurs, je n'y serais pas allé. Tout, dans ce projet, semblait improbable.

À 15 heures, ce samedi après-midi de janvier 1977, je sonnai à la porte d'une somptueuse suite. On me fit entrer. Je rencontrai alors Ilya Salkind et Richard Donner, le producteur et le réalisateur de *Superman*.

Chapitre 8

Je rentrai à la maison le 13 décembre 1995, pour les fêtes de Noël. Nous savions tous que ce Noël serait très différent des autres et que, pour commencer, la maison devrait être profondément modifiée pour m'y permettre un minimum de liberté de mouvement. Nous avons dû installer un lit médical dans la salle à manger et descendre un matelas pour Dana. Les pièces étaient chaleureuses et accueillantes mais sur plusieurs niveaux, si bien qu'il fallait sans cesse monter et descendre des marches et c'était un peu agaçant d'avoir à faire poser une rampe métallique chaque fois que je voulais passer au salon ou de la salle à manger à la cuisine.

Matthew et Alexandra vinrent nous retrouver pour les vacances et nous partîmes ensemble pour Williamstown où les travaux de rénovation étaient achevés. Je me sentais vraiment indépendant, car je pouvais enfin me promener à ma guise d'un bout à l'autre de la maison. Je regrettais terriblement de ne pas pouvoir aller skier comme d'habitude, entre Noël et le jour de l'An, avec tout le monde à Jiminy Peak ou faire de la luge sur la colline devant chez nous. Rester au coin du feu pendant que les autres s'amusaient dehors m'était réellement pénible. J'essayais de garder le moral en me répétant que, malgré tout, j'étais à la maison avec toute ma famille, que j'avais commencé une nouvelle vie...

Aujourd'hui, je voyage beaucoup, je me déplace partout dans le pays pour donner des conférences, visiter des centres de rééducation ou voir des gens à Washington pour augmenter les crédits de la recherche biomédicale. Lorsque maintenant nous arrivons quelque part avec toute notre équipe, les gens s'étonnent de l'efficacité avec laquelle infirmières et aides-soignants me font monter puis descendre de l'avion, de la camionnette, m'emmènent dans ma chambre d'hôtel, mais en 1996 les choses étaient différentes. Je rechignais à tous ces voyages, non seulement parce qu'ils me demandaient un gros effort physique et psychologique mais surtout parce que je n'avais pas très envie de me montrer en public.

De surcroît, j'avais commencé la nouvelle année avec un sérieux problème médical qui compromettait ces projets. En janvier, j'avais eu une infection urinaire que les médecins de l'hôpital local décidèrent de ne pas traiter aux antibiotiques car, pensaient-ils, avec le temps la bactérie s'y accoutumerait. On me recommanda seulement de boire beaucoup de jus d'airelle ! Évidemment, l'infection non traitée se développa jusqu'à provoquer de graves crises répétées de dysautonomie. Au pire moment, j'avais des crises d'hypertension et des maux de tête épouvantables toutes les demi-heures. On m'hospitalisa alors. Heureusement, le Dr Kirschblum vint de Kessler afin de se rendre compte par lui-même de la situation et prescrivit immédiatement des antibiotiques : dès que les médicaments commencèrent à agir, la dysautonomie disparut mais j'avais passé cinq jours à l'hôpital pour rien. Me retrouver dans un lit de service de réanimation me replongea dans des souvenirs affreux et je m'effondrai, malgré les efforts de Dana et de Will pour me remonter le moral. J'étais incapable de penser à autre chose qu'à la prochaine attaque de dysautonomie, en espérant qu'elle ne serait pas assez terrible pour provoquer une crise cardiaque ou un accident vasculaire cérébral. Dans ces conditions, il était hors de question que j'envisage de voyager où que ce fût.

Même après être sorti de l'hôpital, je ne quittais la maison qu'à contrecœur car nous avons connu cette année-là un hiver terrible. Si je me souviens bien, nous avons essuyé dix-sept grosses tempêtes de neige. L'une de mes intrépides infirmières est même venue un jour travailler en chasse-neige ! Par ailleurs, mes deux apparitions en public – le dîner pour Robin et le gala de l'APA au Waldorf –, m'avaient beaucoup fatigué malgré le succès qu'elles avaient remporté. Je n'avais aucune envie d'augmenter la pression qui me pesait sur les épaules.

Pourtant en février 1996, les choses changèrent quelque peu. Ce fut même un vrai tournant. Le producteur Quincy Jones me téléphona un jour pour solliciter mon intervention durant la cérémonie des Oscars, fin mars. Je fus très touché de cette invitation, que je pris comme un geste de reconnaissance de la part de l'industrie cinématographique, un geste qui signifiait qu'après vingt ans de travail, mes pairs ne m'avaient pas oublié. Nous avons discuté de mon intervention : je parlerais brièvement des films qui traitaient des problèmes de société et exhorterais Hollywood à se souvenir de l'importance et de la nécessité de ce genre de films. Je dis à Quincy que j'étais très flatté de sa proposition et que j'allais y réfléchir. Puis, dans une soudaine impulsion, j'acceptai.

Dès que j'eus raccroché, je réalisai que je venais de donner mon accord pour apparaître devant deux milliards de spectateurs, dans un fauteuil roulant, sous respiration assistée, sans même être sûr que mon corps ne se mettrait pas à s'agiter pendant les quelques minutes que durerait ma prestation sur scène. Au moindre cahot en roulant vers la salle, je pouvais très bien avoir un spasme et m'affaler dans une position bizarre sans laisser suffisamment de temps pour me redresser avant le lever du rideau.

J'allais à la cuisine raconter à Dana ce que je venais d'accepter. L'une des choses que j'aime chez elle, c'est qu'elle répond franchement, instinctivement, même aux questions les plus difficiles. Sans hésiter, elle me dit : « Eh bien ! Vas-y ! »

On m'accorda, ainsi qu'à Dana et à toute notre équipe d'infirmières et d'aides-soignants, toutes facilités – chambres d'hôtel, gardes, voitures, jet privé – pour effectuer ce voyage. Plusieurs fois, j'ai eu envie de reculer mais la partie de moi-même qui aimait les défis l'emporta. Je savais que ce serait risqué mais le jeu en valait la chandelle. Si j'avais un spasme sur scène, j'improviserais quelques mots sur mon désir de danser – trouvaille assez médiocre mais qui aurait l'avantage de faire savoir au public que ce n'était pas grave et que j'allais bien. Je me mis alors à travailler mon discours. J'appelais également le Dr Kirshblum pour l'informer de ce projet de voyage : il me rassura en me confirmant qu'il n'y avait aucune contre-indication médicale et nous donna des noms de médecins, de pharmacies et de fournisseurs de respirateurs en cas d'urgence à Los Angeles.

Mon passage à la télévision fut gardé secret : non seulement pour conserver l'effet de surprise de mon apparition mais aussi pour me laisser une porte de sortie si jamais survenait un problème médical de dernière minute m'empêchant de venir. Cependant, au fur et à mesure que le jour de la cérémonie approchait, j'étais de plus en plus confiant. Je n'avais aucune raison de reculer.

En montant sur scène au Dorothy Chandler Pavilion, je roulais un peu trop vite : j'ai alors sauté sur le seuil d'une porte, exactement ce que j'avais redouté ! Mais mon corps n'a pas bougé d'un centimètre. Heureux présage ! On m'annonça, le rideau se leva et j'apparus au centre de la scène. Je découvris alors un océan de visages amicaux : tout le monde était debout pour m'acclamer. Je me suis senti littéralement embrassé par le public, inconnus et vieux amis confondus. Les applaudissements s'éteignirent dans le même silence intense qu'à ma première apparition en public, lors de l'hommage à Robin. Je savais qu'il me fallait mettre l'auditoire à l'aise et une idée m'est alors venue : « Vous ne savez probablement pas que j'ai quitté New York en septembre dernier et que je viens juste d'arriver ici ce matin. Je suis content d'y être parvenu car je n'aurais pas manqué cette réception pour un empire. » Après cela, prononcer mon discours et introduire les extraits de films choisis avec Quincy fut vraiment « du gâteau ». J'étais dans le même état d'euphorie que le jour où notre équipe de hockey de la Princeton Day School battit la puissante Kent School et où nous remportâmes la victoire par 2 à 0 !

C'est dans cette soirée des Oscars que je puisai le courage d'accepter par la suite les nombreuses obligations publiques qui allaient prendre une part grandissante de ma vie. Cette cérémonie eut aussi une conséquence heureuse inattendue : durant mon séjour à Hollywood, j'entrais, je sortais des hôtels et des immeubles par les garages, les cuisines et les ascenseurs de service. J'y ai rencontré cuisiniers, serveurs, femmes de chambre et équipes d'entretien. Beaucoup m'ont dit qu'ils priaient pour moi. D'autres, en me regardant droit dans les yeux, m'ont déclaré : « Nous vous aimons, Superman. Vous êtes notre héros ! » Au début, je ne pouvais croire qu'ils pensaient ce qu'ils disaient, puis je me rendis compte qu'ils voyaient au-delà du fauteuil roulant et me remerciaient de quelque chose qui avait un véritable sens pour eux. Je ne sentais aucune pitié de leur part. À l'évidence, ils aimaient ce personnage qui datait pourtant de plus de vingt ans. Le fait que je sois dans un fauteuil roulant, incapable de bouger au-dessous des épaules, dépendant des autres pour tous les gestes de la vie quotidienne, n'avait en rien diminué le fait que j'étais – et que je resterai pour toujours – leur Superman.

* * *

Le lendemain de mon rendez-vous au Sherry-Netherland, un coursier m'apporta un scénario de trois cents pages pour deux nouveaux films de Superman. C'était la première fois. D'habitude, je venais chercher moi-même le scénario au bureau du directeur de casting. Je me suis alors précipité à ma table de travail et j'ai dévoré le texte. Je fus agréablement surpris, enchanté même de ce que je lus : l'histoire n'était pas traitée comme une bande dessinée ou une science-fiction tordue mais plutôt comme un épisode de la mythologie américaine, mélange fascinant d'humour et d'héroïsme. Vers 11 heures, Stark appela pour me dire que le rendez-vous s'était extrêmement bien passé et que les producteurs souhaitaient ma présence immédiate à Londres pour un essai. Il mentionna au passage que Marlon Brando jouerait le père de Superman et que Gene Hackman interpréterait Lex Luthor, son ennemi juré.

La troupe de théâtre était très excitée de ce qui m'arrivait. Mon départ en Angleterre était prévu pour le week-end suivant, ce qui laissait suffisamment de temps pour qu'un autre acteur se prépare à reprendre le rôle du grand-père. Cependant, en tant que WASP, blond et mince, je ne pensais pas avoir grand chance d'être engagé et je décidai plutôt de considérer ce voyage comme des vacances gratuites. Je promis de rapporter à tout le monde des cadeaux de chez Harrods ou de Fortnum & Mason. Une fois dans l'avion, j'entrepris de réfléchir sérieusement à la manière d'aborder le personnage. À première vue, j'avais le sentiment que le rôle comportait deux volets, deux personnages distincts : je me suis souvenu avoir vu à la télévision, dans les années 1950, le *Superman* avec George Reeves et m'être demandé pourquoi Lois Lane ne reconnaissait pas immédiatement Superman en Clark Kent. Comment une épaisse paire de lunettes suffisait-elle à faire la différence entre un personnage et un autre ? D'entrée de jeu, je compris ce que je devais faire : essayer de créer un véritable contraste entre les deux personnages. Après tout, Lois Lane n'était pas forcément aveugle ou idiote !

J'ai aussi senti que le scénario permettait de jouer un Superman léger et sobre. Si les effets spéciaux étaient réussis, si les scènes où le héros vole étaient convaincantes, alors il ne serait pas nécessaire de surjouer, en prenant des allures forcées de macho. J'avais l'impression que dans les années 1950 l'image que devait donner un homme s'inspirait de symboles comme John Wayne, Richard Widmark, Kirk Douglas ou Burt Lancaster, des héros de films qui étaient des stoïques, affrontant l'adversité sans l'aide de personne. Les femmes avaient tendance à être des gêneuses, comme l'atteste l'attitude de Paul Newman et de Robert Redford vis-à-vis de Katharine Ross dans *Butch Cassidy et le Kid*.

Mais à la fin des années 1970, l'image masculine avait changé. Les gens envisageaient le mariage comme un véritable partenariat, il était admis qu'un homme montre de la gentillesse et de la vulnérabilité. On l'admirait même de pouvoir préparer un dîner, changer les couches d'un bébé et rester à la maison avec les enfants. Je sentais que le nouveau Superman devait refléter cette nouvelle image de l'homme. Exemple typique de ce changement de mentalité, la scène où Lois Lane interviewe Superman sur le balcon de son appartement et lui demande à un moment donné : « À propos, à quelle vitesse volez-vous ? » Dans les années 1950, il aurait donné un chiffre supersonique. Là, il répond simplement : « Oh, je ne sais pas… je ne porte jamais de montre. Essayons ! » Puis il la prend doucement par la main et ils s'envolent ensemble pour un tour de Metropolis by night.

À un autre moment, Lois lui demande : « Qui êtes-vous ? », et Superman répond : « Un ami ». Je tenais dans cette réplique la clef du rôle : minimiser le côté héroïque du personnage et valoriser son côté amical.

Pour camper Clark Kent je me suis inspiré de Cary Grant jeune. Dans l'*Impossible Monsieur Bébé*, où il joue un paléontologue qui travaille sur un dinosaure, il y a une scène merveilleuse où on le voit perché sur une échelle qui oscille et va basculer. Il a l'air bizarre et effrayé, un air qui contraste avec celui de Katharine Hepburn, qui vient à son secours, très sûre d'elle, intrépide. Il est timide, vulnérable et il a un côté doux dingue qui irait parfaitement à Clark Kent. Même ses lunettes lui conviendraient. Évidemment, je ne me prenais pas pour Cary Grant, mais rien ne m'empêchait d'emprunter certains des aspects de son personnage !

Lorsque l'avion atterrit à Londres, et malgré une nuit blanche, j'avais quelque chose à proposer aux cinéastes. Une fois de plus, mon réflexe de prendre en main la situation me réussit. Je fis le bout d'essai, porté par l'adrénaline. Sur le chemin du retour à l'hôtel, mon chauffeur me confia : « Je ne devrais pas vous le dire, mais vous avez obtenu le rôle. »

Le tournage de *Superman* fut souvent fastidieux et exaspérant car j'ai passé des mois suspendu à des câbles, à tourner et retourner de brèves scènes du film. Mais au bout du compte, ce fut une expérience magnifique. L'un de mes souvenirs préférés est lorsque je suis tombé sur John Gielgud dans un couloir des studios. Nous nous étions déjà rencontrés à une soirée. J'étais en grande tenue de Superman : il me serra la main en disant : « Ravi de vous revoir ! Qu'est-ce que vous devenez ? »

Plus je travaillais avec Richard Donner, plus je trouvais qu'il ressemblait à un gosse de cinquante ans dans une boutique de bonbons. Avec sa voix grave, tonitruante et son rire contagieux, on l'aurait suivi au bout du monde. Sur le mur de son bureau, il y avait un Superman en plastique qui volait et portait un écriteau sur lequel on lisait : « Vraisemblance ». Nous étions sur la même longueur d'ondes : il respectait mon souhait de rendre le personnage le plus humain possible.

La plupart du temps, nous nous amusions beaucoup. Une fois, je devais apparaître en costume dans la 57ᵉ rue de New York. Nous tournions une scène où Superman rattrape un voleur en train d'escalader un immeuble avec des ventouses et le ramène dans la rue. Le voleur et moi étions suspendus aux câbles d'une grue, environ dix étages au-dessus de la chaussée et les prises en décor naturel devaient ensuite être mixées avec d'autres, tournées en studio, montrant le voleur tentant de briser une fenêtre. J'attendais dans un camion sur la 58ᵉ rue que les techniciens finissent de préparer la scène. J'étais flanqué de deux énormes gardes du corps. Je me demandais pour qui ils travaillaient lorsqu'ils n'étaient pas embauchés sur un film et trouvais assez drôle que Superman ait besoin de gardes du corps, mais Richard Donner s'inquiétait pour ma sécurité. Finalement, tout fut prêt pour les prises. Je sortis du camion avec mes deux anges gardiens. Il n'y avait personne en vue, absolument personne. Alors, je me dis que nous étions en train de faire un bide, que le film n'intéressait personne. Nous empruntâmes un passage pour parvenir devant l'immeuble de la 57e rue et en y débouchant je vis soudain des milliers de personnes massées sur les trottoirs des deux côtés de la chaussée. Quand la foule m'aperçut dans mon costume de Superman, une énorme clameur monta. J'étais sidéré, soulagé, et soudain nerveux !

La grue abaissa les câbles. Je serrai la main du voleur et on me suspendit par le harnais que je portais sous mon costume. Richard Donner demanda une répétition. Je vérifiai de nouveau que les crochets étaient bien verrouillés et levai le pouce pour indiquer que j'étais prêt. Alors que je m'élevais dans les airs, la foule hurlait de satisfaction : les gens ne voulaient pas voir la grue ni les câbles, seul comptait Superman qui volait le long d'un immeuble ! À ce moment-là, j'ai su que le film allait marcher.

La semaine suivante, nous avons tourné une scène où Superman sauvait le chat d'une petite fille coincé en haut d'un arbre. La scène avait pour cadre un cul-de-sac de Brooklyn Heights avec, en arrière-plan, une magnifique vue sur l'East River et les buildings de Manhattan. Superman descendait en piqué du ciel, ramassait doucement le chat sur sa branche et le rendait à la petite fille qui attendait, inquiète, sur le trottoir. Nous avons commencé à répéter au milieu de l'après-midi de façon à être prêts à tourner dès qu'il ferait nuit. La prise de vue était relativement compliquée : la grue devait décrire un arc de cercle très calculé de manière à ne pas m'envoyer m'écraser contre l'arbre. En même temps, il fallait que je descende à la bonne vitesse pour pouvoir saisir le chat.

Pendant les répétitions, je portais mes vêtements de ville, le harnachement de vol et j'étais coiffé en Superman. Je passais et repassais devant les fenêtres d'un immeuble de sept étages. Vers 17 heures, un gamin de sept ans ouvrit la fenêtre de sa chambre et me cria : « Hé, Superman, comment ça va ? »

Une heure plus tard, nous étions toujours en train de répéter mais j'étais alors en costume. Je repassai devant l'enfant qui me cria : « Hé, Superman ! ma mère te dit de venir, on mange des spaghettis ! » Je le remerciai et lui dis que j'avais encore du travail. À 20 heures, nous répétions toujours la prise (l'un des problèmes était que le chat ne se tenait pas tranquille), lorsque mon jeune ami ouvrit de nouveau la fenêtre et me cria : « Hé, Superman, à bientôt. Il faut que j'aille faire mes devoirs. » Finalement, enfin prêts, nous avons commencé à tourner. Prise après prise, le gamin levait le nez de son bureau pour regarder ce qui se passait et me faisait signe chaque fois que je flottais devant lui, essayant d'attraper l'insaisissable chat blanc. À 23 heures, nous étions toujours en train de tourner mais le chat avait été remplacé par une peluche. La fenêtre s'ouvrit une dernière fois : « Dis donc, Superman, il faut que j'aille me coucher ! À bientôt ! » J'imagine que de son point de vue, c'était un jour normal à Metropolis.

Lorsque le film sortit sur les écrans, en décembre 1978, il plut à la fois au public, aux fans irréductibles de Superman et aux critiques. Je crois qu'à ce moment-là, j'étais le bon acteur pour interpréter ce personnage. Car, à mon avis, le rôle dépasse un acteur en particulier, le personnage devrait être réinterprété de génération en génération. De la même manière que Kirk Alyn fut le bon Superman des années 1940, George Reeves celui des années 1950, je fus l'incarnation temporaire de ce symbole de la pop culture américaine à la fin des années 1970 et au début des années 1980. On murmure que Nicolas Cage pourrait être celui de la fin des années 1990.

En fait, j'ai pris ce rôle très au sérieux. À mon avis, un acteur ne doit pas juger un personnage mais s'appliquer à lui donner vie. À cet égard, jouer dans *Superman*, dans une pièce de Henry James ou de Tchekhov ou encore dans une comédie de boulevard ne fait aucune différence du point de vue du comédien. J'ai toujours catégoriquement refusé de me moquer ou de parodier le personnage de Superman.

Avec le succès du film, Superman fut invité à faire d'innombrables prestations publiques, mais je n'avais pas l'intention de le laisser interférer dans ma carrière. Cependant, dans certains cas précis, je ne me privais pas d'utiliser l'image du personnage. Avec la fondation Make-a-Wish (Fais un vœu), j'ai ainsi rendu visite à des enfants malades en phase terminale dont le vœu était de rencontrer Superman. Je suis entré au comité directeur de Save the Children (Sauvez les enfants), une association caritative dont le but était d'aider des enfants dans le besoin partout dans le monde. En 1979, j'ai fait l'entraîneur d'athlétisme aux jeux Olympiques spéciaux de Brockport, dans l'État de New York dont l'un des autres bénévoles était une ancienne star du football, O. J. Simpson.

En 1985, on m'invita à l'émission « Saturday Night Live ». Sans m'être jamais moqué du personnage, je pensai à un sketch sur Superman qui me parut drôle. Je jouais Superman dans une maison de retraite ; Billy Crystal interprétait un vieux nommé Izzy. Un soir d'été, nous étions assis tous les deux sur la véranda à nous rappeler notre jeunesse. Je portais un peignoir et, en dessous, le costume de Superman. Le justaucorps était tout fripé, déformé, mais j'arborais encore le fameux *S* rouge et jaune sur la poitrine. Une perruque blanche et des lunettes à double foyer complétaient le tableau.

En parlant du bon vieux temps, je disais : « Avant, j'allais plus vite… plus vite… euh… », et Billy finissait la phrase. « Et je sautais… euh… haut… » et la fin de la phrase se perdait. Ce Superman atteint de la maladie d'Alzheimer n'était peut-être pas de très bon goût mais le public hurlait de rire. À la fin du sketch, les infirmières et d'autres pensionnaires de la maison de retraite apportaient un gâteau couvert de bougies, avec un grand *S* dessiné au milieu. Ils chantèrent « Joyeux anniversaire, cher Superman », entrant gentiment dans le délire d'un vieil homme. Puis l'infirmière en chef (jouée par Julia Louis-Dreyfus) suggéra avec douceur en faisant un clin d'œil aux autres : « Maintenant, soufflez les bougies, Superman. » D'un air extrêmement concentré, je prenais une grande inspiration et j'envoyais valdinguer le gâteau à travers la véranda et le studio. Rideau.

Les suites des deux premiers *Superman* ne furent pas du même niveau. Je pense que *Superman II* est le meilleur de la série : à la fois pour ses moments de réel comique (dans l'une de mes scènes préférées, Lois et Clark posent en jeunes mariés), mais aussi pour la vraisemblance qu'y mit Richard Donner. Celui-ci ne figure pas comme le réalisateur de *Superman II*, pourtant il avait commencé à filmer pendant que nous tournions la première partie. Dans les scènes où les décors étaient les mêmes pour les deux films, nous faisions des allées et venues dans le scénario de trois cents pages. Mais en octobre 1978, Richard Donner eut un sérieux différend avec Ilya Salkind et son associé Pierre Spengler. Et il refusa de reprendre le tournage de *Superman II* en septembre 1979. On demanda à Richard Lester, qui avait réalisé *A Hard Day's Night* et *Help !* avec les Beatles, *Petulia* et les *Trois Mousquetaires*, de terminer le film. Je l'aimais beaucoup et trouvais que ce n'était pas juste de demander à un réalisateur d'un tel niveau d'imiter le ton et le style de quelqu'un d'autre. Néanmoins, il réussit à marquer le film de sa « patte », à y apporter son type d'humour.

Superman III devait être complètement le film de Richard Lester. Mais, à mon avis, le réalisateur fut gêné par une décision des producteurs. Un soir, au cours d'une émission de télévision, le « Johnny Carson Show », Richard Pryor fit une critique dithyrambique des *Superman* et déclara qu'il adorerait jouer dans l'un d'eux. Aussitôt, Salkind et Spengler s'enthousiasmèrent à l'idée de le voir faire un méchant dans *Superman III*. Ils le lui proposèrent et l'acteur accepta immédiatement. Ils demandèrent à David et Leslie Newman, les deux scénaristes qui restaient du groupe originel de quatre, d'écrire un film : le résultat fut une comédie pour Richard Pryor plus qu'un vrai *Superman*.

Dans le scénario du premier film, Superman aperçoit un homme chauve qui marche dans la rue. Pensant que c'est Lex Luthor, son ennemi juré, il pique sur lui pour l'attraper et l'emporter. L'homme se retourne : c'est Telly Savalas qui dit : « Tu viens, chéri ? » à un Superman sidéré et lui offre une sucette. Richard Donner s'était empressé de se débarrasser de ce genre de scène débile, malheureusement des gags de cet acabit réapparurent dans *Superman III*. Les Newman écrivirent une scène où Pryor, chaussé de skis et arborant une nappe rose comme Superman sa cape, dévale une petite piste de ski en haut d'une tour. Il tombe de l'immeuble et atterrit – miraculeusement indemne – au milieu de la circulation d'une rue très animée. Il se dandine jusqu'au trottoir, indifférent aux coups de klaxons et à l'étonnement des passants.

Personnellement, je trouvais cela d'assez mauvais goût. Je regrettais Richard Donner et le travail que nous avions fait deux ans plus tôt. Cependant, il y a une scène de ce film que j'ai bien aimée : c'est celle dans laquelle Superman devient une version maléfique de lui-même et essaie de tuer Clark Kent dans une casse automobile. Cette scène est la seule qui tienne. Le reste de *Superman III* est une méprise.

Quant à *Superman IV*, moins j'en parlerai, mieux cela vaudra.

***

Après le succès de *Superman*, mes agents et certains producteurs de Hollywood m'avaient catalogué comme un acteur de film d'action et on ne me proposa plus que ce type de rôle, ce qui ne m'intéressait pas du tout. La plupart des scénarios me paraissaient peu ou mal construits et n'importe quel costaud pouvait y tenir le premier rôle. Un jour, les bras m'en tombèrent lorsque deux producteurs et un directeur de studio me proposèrent de jouer Éric le Rouge dans une grande fresque épique sur les Vikings ! Je m'imaginais mal arborant un casque à cornes sur la tête ! On m'envoyait des histoires qui se déroulaient dans l'espace, des westerns, de la science-fiction… Tous ces personnages étaient si convenus ! Parfois, j'avais le sentiment angoissant d'avoir par inadvertance tiré la porte sur mon avenir d'acteur. J'ai alors fait clairement savoir à tous ceux avec qui j'avais travaillé auparavant que j'étais toujours intéressé par le théâtre et par des rôles complexes et risqués. Je préférais jouer pour un petit cachet dans un bon film, plutôt que dans un navet pour gagner cent millions de dollars. Et au printemps 1979, je recommençai à recevoir des propositions intéressantes.

En fait, au cours des années suivantes, j'ai découvert que *Superman* m'avait ouvert des portes : restait la question de savoir comment utiliser au mieux ces opportunités. Certains producteurs ne voulaient pas de moi parce que j'avais joué Superman, d'autres au contraire m'engagèrent justement parce que j'avais joué Superman. On me proposa le premier rôle dans *American Gigolo* pour remplacer John Travolta qui s'était retiré du projet à la dernière minute. Le tournage commençait moins d'une semaine plus tard. Une équipe complète attendait. Pourtant j'ai refusé car je souhaitais du temps pour travailler le rôle. On me proposa ensuite d'incarner Roberta, un ancien joueur de football qui avait subi une intervention chirurgicale pour changer de sexe, dans *Le Monde selon Garp*, réalisé par le très estimé George Roy Hill. Je n'ai pas non plus accepté ce rôle car j'estimais que le changement de personnage était trop radical, à la fois pour moi et pour le public, après *Superman*. En revanche, le rôle fit une star de mon ami John Lithgow. J'ai également refusé le premier rôle dans *Body Heart*, car je ne pensais pas pouvoir être suffisamment convaincant en avocat minable d'une petite ville. C'est mon camarade William Hurt qui interpréta brillamment le personnage.

En 1982, David Lean – LE David Lean, réalisateur de *Laurence d'Arabie*, *Dr Jivago*, *Le Pont de la rivière Kwai*, etc. – m'invita à venir les voir, lui et le grand producteur Sam Spiegel, à leur hôtel. Sans s'embarrasser de longs préambules, il m'annonça qu'il allait tourner un remake des *Révoltés du Bounty*, avec Anthony Hopkins dans le rôle du capitaine Bligh. Est-ce que j'aimerais interpréter Fletcher Christian ? Katharine Hepburn m'avait recommandé à lui et l'avait convaincu de voir *Superman*. Comment en était-il arrivé à me proposer le rôle du second officier à bord d'un navire marchand anglais en 1787 ? Cela me dépassait mais j'en conclus que la toujours imprévisible Katharine avait dû le réduire par la force !

J'hésitais à accepter. Je passai une bonne semaine à me tourmenter à l'idée de faire partie d'une équipe complètement britannique, dans un rôle qu'avaient déjà tenu Clark Gable et Marlon Brando, de donner la réplique au distingué Anthony Hopkins lequel, de toute façon, allait sûrement me balayer de l'écran. Je suis parti quelques jours aux Bahamas avec Gae pour essayer de me détendre. Mais même en pêchant, en plongeant ou en marchant sur la plage, je continuais de m'interroger. Je n'arrivais pas à prendre une décision.

Dès mon retour à New York, je reçus un appel téléphonique d'Anthony Hopkins, que je n'avais jamais rencontré, me priant de cesser de tergiverser et d'accepter le rôle. J'en fus extrêmement flatté mais je finis par refuser en pensant que ce serait un contre-emploi : à mon avis, Charles Dance ou Jeremy Irons auraient été bien meilleurs. Pour finir, David Lean eut un différend avec le studio et ce ne fut pas lui qui réalisa le film. Et c'est un jeune Australien, Mel Gibson, qui joua le rôle de Fletcher Christian.

Somewhere in Time, le premier film que je tournai après *Superman*, était une délicate et romantique histoire fantastique. Le film est tiré de *Bid Time Return*, un roman de Richard Matheson. Il narre l'histoire de Richard Collier, un jeune auteur dramatique qui tombe amoureux du portrait d'une actrice, Elise McKenna (vaguement inspirée de Maude Adams) et parvient à remonter le temps pour la rencontrer au sommet de sa gloire et de sa beauté, en 1912. Jane Seymour interprétait l'actrice et moi j'étais le jeune auteur éperdu d'amour. Stephen Deutsch et Jeannot Szwarc, le producteur et le réalisateur, trouvèrent le lieu de tournage idéal : Mackinac Island, sur le lac Huron. C'est un endroit enchanté où le temps semble s'être arrêté. Visiter l'île est déjà voyager dans le temps. L'endroit le plus extraordinaire en est le Grand Hotel, construit avec l'argent du chemin de fer au milieu du XIXe siècle. Il paraît toujours aussi neuf. Aucune voiture n'est autorisée sur l'île (cependant nous avons obtenu une autorisation spéciale pour amener nos camions sur une péniche) : lorsque vous avez fini de dîner au restaurant et que vous voulez rentrer vous coucher, vous appelez un taxi et vous voyez arriver un cabriolet à cheval !

Nous avons commencé à tourner à la fin de mai 1979. Le lieu envoûta toute l'équipe. Le monde réel disparaissait à mesure que l'histoire et le décor prenaient possession de nous. J'ai rarement travaillé sur une production aussi décontractée et harmonieuse. Même des durs à cuire, comme les chauffeurs de camions et les accessoiristes de Chicago, succombaient aux charmes de l'île et se laissaient prendre par l'atmosphère sereine qui régnait sur le plateau.

Un an plus tard, quand on fit les pré-projections, les spectateurs l'adorèrent. C'était un très beau film, mis en valeur par la musique de John Barry qui avait utilisé en leitmotiv un morceau de Rachmaninoff et composé un thème

Collection personnelle de Christopher Reeve

Sportif accompli, il aimait skier, plonger, faire de la voile…

Michael Stutz

Croisière dans la baie
de Narragansett
sur le *Sea Angel*
en août 1989.

Dana à la barre,
en route vers
la Nouvelle-Ecosse.

Culpepper, 27 mai 1995, 9 h 01 (six heures avant l'accident),
Christopher Reeve et Buck entrent dans la carrière pour l'épreuve de dressage.

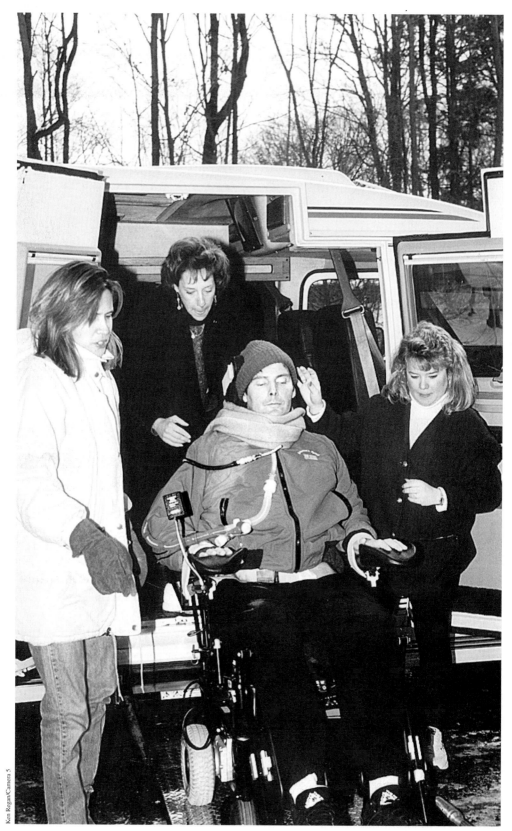

Retour à la maison, en décembre 1995.

Dana, mon meilleur « remède ».

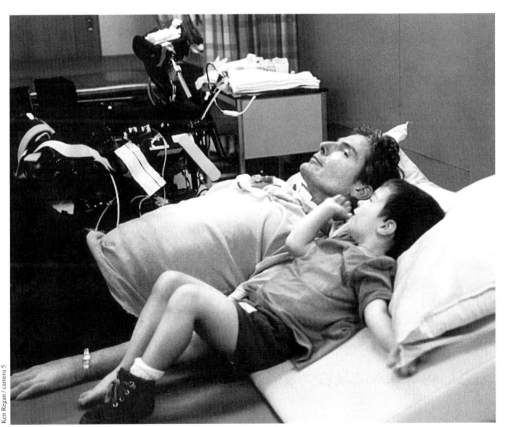

Pause avec Will après une séance de kinésithérapie.

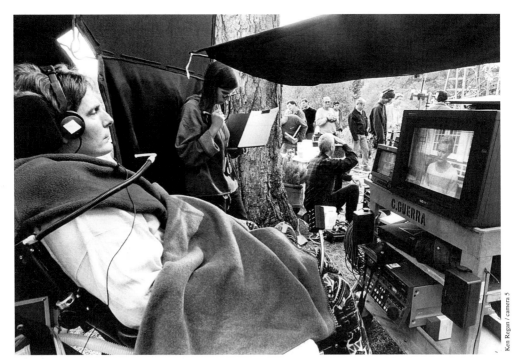

Sur le tournage de *In the Gloaming*, le « maire »
de Village Vidéo aux commandes.

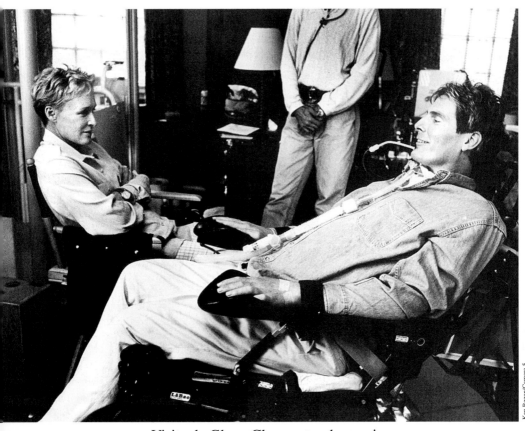

Visite de Glenn Close entre deux prises.

Discussion habituelle entre un réalisateur pas tout à fait comme les autres,
le producteur, Fred Zollo, deux acteurs, Glenn Close et Robert Leonard,
pendant le tournage de *In the Gloaming*.

La famille Reeve au complet : Alexandra, Christopher, Matthew, Will et Dana.

central qui collaient parfaitement à l'esprit de l'histoire. Les premières critiques furent très favorables, particulièrement celle du *Daily Variety* qui encensa tout le monde. Mais lorsque le film sortit sur les écrans en octobre, ce fut un flop. Plus tard, j'ai même plaisanté en disant que ce n'était pas un flop mais un cratère. Dans le *New York Times*, Vincent Canby écrivit : « Ce film est à la romance ce que les Hindenburg furent aux dirigeables. » Et il ajouta : « Christopher Reeve ressemble à un canari gonflé à l'hélium. Encore un rôle comme celui-là et c'est la cape pour toujours ! » Les spectateurs évitèrent massivement le film qui disparut des salles en quelques semaines.

Inutile de dire que ce fut un coup terrible. C'était la première fois que j'essuyais un échec si cuisant. Bien entendu, je me le reprochais et m'en attribuais l'entière responsabilité. Rétrospectivement, je pense que j'avais travaillé si longtemps sur *Superman* que mon interprétation de Clark Kent aura pu déteindre sur celle de Richard Collier. Et puis, le tournage de *Somewhere in Time* avait été si agréable que nous n'étions peut-être plus très objectifs. Le film était-il vraiment mauvais ? En tout cas, nous avons été anéantis que le public sanctionne ainsi notre travail. Toute l'équipe, acteurs et techniciens, s'empressa de se lancer dans d'autres projets.

Quelques années plus tard, cependant, un retournement de situation miraculeux s'opéra. La télévision câblée se développa et les gens découvrirent notre petit film. Charles Champlin, un critique du *Los Angeles Times*, y consacra une émission sur une chaîne locale, et on commença à parler de *Somewhere in Time*. Il devint même un film-culte, le plus populaire et le plus demandé de Z Channel. Plus de dix ans après sa sortie, un fan inconditionnel, Bill Shepherd de Covina en Californie, fonda le Insite, International Network of *Somewhere in Time* Enthusiasts (le « réseau international des enthousiastes de *Somewhere in Time* ! »), qui compte aujourd'hui des milliers de membres. Bill publie un bulletin trimestriel et chaque année, au mois d'octobre, sept cents membres de Insite se retrouvent au Grand Hotel, pour un « week-end *Somewhere in Time* ». J'y fus invité avec Dana en 1994 et j'y reçus un accueil enthousiaste. Sous la pression tenace, obstinée des membres de Insite, la Chambre de Commerce de Hollywood me décerna une étoile sur le boulevard de la Célébrité, dix-sept ans après la sortie du film !

En août 1979, dès la fin du tournage de *Somewhere in Time* sur l'île magique, je filai à Londres pour tourner *Superman II*. Nous avions acheté avec Gae une vieille maison dans Chelsea, une maison qui datait de 1850. La routine reprit : suspendu à des câbles sur fond d'écran bleu aux Pinewood Studios pendant la journée, puis deux heures d'entraînement physique chaque soir. Travailler avec Richard Lester, le réalisateur, était un véritable plaisir car il était toujours très chaleureux, plein de suggestions de jeu. Il avançait beaucoup plus rapidement que la plupart des metteurs en scène et utilisait souvent simultanément deux ou trois caméras, si bien que le temps passa vite. Gae continuait à travailler pour l'agence de mannequins de Laraine Ashton. Nous sortions beaucoup, sans cesse invités à des soirées, des galas de bienfaisance, des premières. Cependant, l'événement marquant de cette année 1979, et en fait l'événement marquant de toute ma vie, fut la naissance de mon fils Matthew, le 20 décembre.

Il vint au monde à la clinique de Welbeck Street à Mayfair. Gae y était entrée la veille au soir et j'étais resté avec elle, m'attendant à l'arrivée imminente du bébé. Cependant vers 10 heures le lendemain matin, les médecins pensèrent qu'il s'agissait d'un faux travail et envisagèrent même de nous renvoyer à la maison. Laraine Ashton et son père m'invitèrent à déjeuner. Je m'en allai, convenant avec Gae que je reviendrai tout de suite après, au début de l'après-midi.

Nous avions juste commencé le plat de résistance lorsque le maître d'hôtel fonça vers notre table me prévenir que l'enfant était en train de naître. Je sortis en courant du restaurant et, miraculeusement, tombai sur un taxi devant la porte ! Habituellement, il est si difficile de trouver un taxi à Londres qu'on les réserve à l'avance. En trouver à la porte du restaurant était comme un signe des dieux ! J'avertis le chauffeur que je doublais le prix de la course s'il m'emmenait aussi vite que possible à Welbeck Street, sans nous tuer. Il était plus que content de me rendre service. Je me rappellerai toujours sa remarque apaisante : « Calmez-vous, chef. Quand mon premier est né, j'étais à la chasse, un endroit plus sympa qu'ici ! » Puis il continua à disserter sur les pères et les fils, tout en conduisant à tombeau ouvert vers Mayfair. À certains moments, il roulait même littéralement sur le trottoir.

Survivre à cette course me parut un autre signe des dieux. Je me précipitai dans la chambre de Gae juste au moment où Matthew faisait son apparition ! Dès qu'il eut respiré, je l'ai déposé dans les bras de Gae, qui pleurait à la fois d'épuisement et de joie. Au lieu de brailler de tous ses poumons, comme je m'y attendais, Matthew se pelotonna tranquillement et s'assoupit, mais avant de s'endormir, il ouvrit un œil et me regarda. J'avais l'impression qu'il me demandait : « Qui es-tu ? » Puis, rassuré sur le bien-fondé de ma présence, il s'endormit. Je pense que ce regard de totale acceptation que me lança mon premier enfant, dans les minutes qui suivirent sa naissance, me donna la leçon la plus importante : l'amour entre parents et enfants est inconditionnel.

Quand j'en eus terminé avec *Superman II*, nous nous sommes tous embarqués, Gae, Matthew et sa nounou, pour Los Angeles où nous avons planté notre nouveau camp dans une maison sur les collines de Hollywood. J'ai passé mon brevet de pilotage aux instruments sur mon nouvel avion, un A 36 Bonanza. J'ai lu de multiples scénarios, et fait flotter Matthew au creux de mon bras dans le petit bain de la piscine. Je ne trouvais aucun projet qui me plût et, en juin, lassé de la vie à Hollywood, j'ai téléphoné à Nikos Psacharoupolos, à Williamstown, pour lui demander de participer au festival de théâtre pendant l'été. J'en avais été écarté pendant des années parce que j'étais devenu professionnel alors que la plupart des gens de mon âge étaient encore des étudiants, donc bénévoles, mais cette fois, Nikos m'accueillit à bras ouverts.

Nous avons convenu de monter *The Front Page* de Hecht et MacArthur, mis en scène par Robert Allan Ackerman, l'un des metteurs en scène à succès de Broadway. Edward Herrmann et Kate, la fille de Richard Burton qui était encore étudiante en théâtre, tenaient les deux autres rôles principaux. Celeste Holm faisait une comédienne de complément dans le rôle de ma future belle-mère. Nous avons refait nos bagages, fermé la maison louée ; je retrouvai enfin la grande famille du festival de Williamstown.

Robin Williams vint nous voir pendant les répétitions et parut s'amuser follement. Un soir, nous sommes allés dîner dans un restaurant de fruits de mer. En passant devant l'aquarium des homards, je me suis demandé tout haut ce qu'ils pouvaient bien penser et Robin se lança dans un numéro qui dura un quart d'heure : l'un d'eux s'était échappé, on l'avait vu sur l'autoroute, brandissant au bout de sa pince une pancarte sur laquelle était écrit : Maine. Un autre, originaire de Brooklyn, répétait : « Allez, enlève tes élastiques et viens te battre ! ». Un homard gay avait décidé de redécorer l'aquarium. Très rapidement, les clients des tables voisines cessèrent de faire semblant de ne pas écouter. Tout le monde était plié en deux de rire. Je me massais les zygomatiques tellement j'avais mal. Robin réutilisa par la suite ce numéro lors d'un grand dîner de gala pour le Actors Fund au Radio City Music Hall.

J'étais ravi de remonter sur les planches après quatre ans d'absence, d'autant plus que *The Front Page* fut un des succès de l'été.

À l'automne, on me proposa de jouer à Broadway dans *Fifth of July* de Lanford Wilson. Nous avons donc refait nos paquets pour nous installer à New York dans un duplex au coin de Columbus Avenue et de la 78ᵉ rue. Gae s'occupait de l'aménager pendant que je répétais. La pièce avait d'abord été jouée au Circle Rep, où William Hurt s'était une fois de plus distingué dans le rôle de Ken Talley, un ancien professeur, vétéran du Viêt-nam, amputé des deux jambes. J'étais flatté qu'on me demande de reprendre le rôle à Broadway. Mon premier soin fut d'apprendre à marcher comme si j'avais des prothèses. L'un des aspects les plus excitants du métier de comédien est de faire ses devoirs : c'est-à-dire d'apprendre tout ce qui est nécessaire à vous rendre convaincant dans un rôle.

La préparation de *Fifth of July* me conduisit dans un hôpital de Brooklyn et dans le monde des handicapés. Mike Sulsona, un vétéran du Viêt-nam, devint mon professeur. En 1969, Mike avait dix-huit ans, achevait son service militaire et s'apprêtait à rentrer chez lui la semaine suivante quand il marcha sur une mine qui lui arracha les deux jambes.

Au début, je me sentais gêné, bizarre, en sa présence, mais rapidement il me mit à l'aise. Il m'expliqua qu'avant de partir pour le Viêt-nam, il avait laissé tomber l'école et qu'il traînait dans la rue. Aujourd'hui, il était marié, père de deux enfants et auteur dramatique en herbe. Son accident avait donné un sens à sa vie. Il m'apprit à me tenir debout, à m'asseoir et à bouger comme un amputé. On me fabriqua des attelles pour que mes jambes aient l'air rigides. Il fallait que je fasse particulièrement attention à ne pas bouger les orteils pour ne pas détruire l'illusion. Je suis entré dans le rôle par ce côté physique.

Le rôle de Ken Talley marqua ma carrière d'acteur. Pour lui donner vie, je me servis d'un tas de petites choses apprises à l'école, avec Katharine Hepburn, sur les tournages de film, ou tirées de ma propre expérience. Une fois que j'eus maîtrisé les aspects techniques du rôle, je travaillai pour paraître spontané, vrai, « dans le moment ». C'est un terme du jeu d'acteur qui signifie le contraire de « prévu ». Vous connaissez les répliques, vous avez répété mais à chaque représentation vous jouez comme vous le sentez vraiment, à ce moment-là, plutôt que d'essayer de reproduire ce qui s'est passé lors des répétitions ou la veille.

L'une des craintes des amputés des deux jambes est de tomber en arrière car ils n'ont aucun moyen d'amortir la chute pour se protéger le dos. Or, à l'acte II de *Fifth of July*, un personnage bouscule Ken et le fait tomber à la renverse. À chaque représentation, cette scène déclenchait des réactions imprévisibles. Je vivais la situation différemment chaque soir. Parfois, je ressentais de la colère et je prenais l'attitude, le ton de celui qui pense : ne m'aidez pas, je n'ai besoin de personne ! D'autres fois, je pleurais qu'on vienne m'aider. Ou bien, je faisais comme si rien ne s'était passé. Les répliques étaient pourtant les mêmes, les dialogues ne changeaient pas. On peut dire : « Passez-moi le sel ! » sur une infinité de tons différents car on peut charger les mots de sens innombrables, qui dépendent de ce qu'on ressent à ce moment précis.

Lors des avant-premières au New Apollo Theater, Ellis Rabb réapparut et me donna un avis aussi concis et précis qu'à San Diego : « Ton interprétation est brillante ; mais la manière dont tu te comportes au moment du salut final est une honte. » Il me dit que je trichais avec le public en venant saluer comme si j'étais pressé de rentrer à la maison, me rappela que j'étais placé en haut de l'affiche, au-dessus du titre. Il m'expliqua comment saluer : ne pas me précipiter en entrant sur scène, avancer jusqu'au centre du plateau, marquer un temps d'arrêt, bien droit, et saluer. Le plus important, disait-il, était ce qu'on pensait pendant le salut. Il fallait regarder le balcon à droite, le balcon à gauche, puis les rangs de l'orchestre à droite et à gauche, et penser à chaque fois : merci d'être ici, ce fut un plaisir de jouer pour vous, et enfin saluer. J'ai essayé à la représentation suivante : le public se leva pour m'ovationner. J'ai alors compris la différence : j'étreignais les spectateurs. Au lieu de sous-entendre : oui, j'étais là, mais je n'y suis plus, je me mis à penser : « nous avons partagé cela, n'est-ce pas ? Je me suis donné un mal de chien pour vous ce soir et je suis content que vous l'ayez remarqué ». Ce que suggérait Ellis Rabb m'avait paru trop narcissique jusqu'à ce que je réalise que lorsque les gens ont assisté à une bonne représentation, ils veulent applaudir. Un salut bien fait ponctue la pièce, à la fois pour les acteurs et pour le public.

Fifth of July récolta des critiques dithyrambiques. Cela me fit plaisir car cela confirmait que je pouvais jouer des personnages complexes, tenir des rôles de composition et avoir du succès.

Le personnage que j'ai interprété ensuite était encore moins conventionnel que celui de Ken Talley. Je jouais un étudiant psychopathe, dans *Piège mortel*, de Sidney Lumet, avec Michael Caine. Le film est tiré d'un roman policier de Ira Levin. La relation ambiguë entre les deux personnages a choqué beaucoup de nos admirateurs respectifs, mais Michael et moi avons joué sans dérobade et le film fut très bien reçu. Avec le recul, je trouve que notre interprétation tient encore.

Piège mortel prépara la voie pour *Les Bostoniens* de James Ivory. Ce dernier fait partie des réalisateurs qui m'engagèrent parce qu'ils avaient aimé mon travail dans *Superman*. Il m'offrit un premier rôle, celui de Basil Ranson, un écrivain fauché du Mississippi qui arrive à New York dans les années 1870. Bien qu'il ne parvienne pas à trouver un éditeur pour le publier, il réussit à courtiser et à séduire Verena Tarrant, étoile montante du mouvement féministe. Le budget du film n'était que de deux millions de dollars mais la distribution comprenait Vanessa Redgrave, Jessica Tandy, Wallace Shawn et Linda Hunt.

James Ivory et Ismail Merchant, qui coproduisait le film avec lui, travaillaient avec la romancière et scénariste Ruth Prawer Jhabvala depuis les années 1960. Ils avaient la réputation de faire des films intelligents, à l'élégance raffinée comme *Les Européens*, *Bombay Talkies* ou *Chaleur et Poussière*. J'étais emballé par l'offre ; c'était exactement ce que j'avais envie de faire.

Ismail ne pouvait me payer que cent mille dollars, moins du dixième du cachet que je demandais à l'époque. Mon agent me conseilla de refuser : j'insistai sur le fait que l'argent n'était pas mon but, que c'était le genre de film que je voulais faire. Alors, il m'avertit : « Si tu fais ce film avec ces saltimbanques, tu donnes le premier coup de pioche pour enterrer ta carrière ! » Des années plus tard, après le formidable succès d'*Une chambre avec vue* et de *Howards End*, le même agent prit James et Ismail comme clients.

J'ignorai allègrement son conseil et entrepris de travailler l'accent du Mississippi. Mon entraîneur était de fort bonne famille, Haley Barbour, troisième du nom, avocat de renom de Yazoo City, qui devint plus tard président du Comité national des Républicains. Je lui ai envoyé certains manuels de conversation que je possédais depuis l'époque d'Edith Skinner à Juilliard. Il enregistrait les répliques, en y ajoutant parfois des articles de journaux ou de magazines, puis m'expédiait les bandes à Williamstown où je travaillais de nouveau au festival. En août 1983, je me présentai à Boston pour le tournage.

Les films de James Ivory sont si bien faits que la plupart des gens pensent que les scénarios sont gravés dans le marbre, immuables, et que les acteurs exécutent exactement ce que le metteur en scène leur demande. En fait, c'est tout le contraire. Le réalisateur rassemble, des deux côtés de la caméra, des artistes de talent qui s'impliquent, sont partie prenante du film, ont des idées et les défendent. Il prend alors chez chacun le meilleur de ce qu'il a à offrir et le polit jusqu'à en faire un bijou. Ruth Jhabvala disait que les scénarios qu'elle écrivait étaient des sortes d'esquisses et qu'elle laissait aux cinéastes le soin de construire les films. Je ne pense pas qu'elle soit venue même une seule fois sur le plateau. James était si détendu, confiant et facile à vivre qu'il obtenait le meilleur de chacun d'entre nous. Il était toujours prêt à tirer parti de ce qui se passait devant lui. Lui aussi, en tant que réalisateur, était « dans le moment ».

Un jour, nous tournions une scène sur une plage de Martha's Vineyard : Basil Ranson fait part à Verena (Madeleine Potter) de ses difficultés à être publié, se plaint de ce que ses idées n'intéressent personne. Madeleine et moi répétions, pendant que James préparait la prise de vue. Un jeune épagneul s'approcha de nous. Machinalement, tout en continuant à répéter, j'ai ramassé un bâton et le lui ai lancé : le chien rapporta le bâton que je lui relançai. Le jeu s'est poursuivi jusqu'à ce que James soit prêt à filmer. J'ai alors essayé de faire sortir le chien du champ de la caméra mais James nous suggéra de continuer à jouer. À la première prise, tout en expliquant quel raté j'étais et comme la vie était sans espoir à New York, j'ai ramassé le bâton et je l'ai jeté au loin. Mon nouvel ami se lança à sa poursuite, mais cette fois, il s'enfuit avec ! Je l'ai appelé pour qu'il revienne, mais il a continué à courir sur la plage. Je me suis alors tourné vers Madeleine et je lui ai dit : « Vous voyez, personne ne m'écoute ! » James garda cette réplique dans le film. Puis il polit la scène avec un plan de coupe sur le chien qui s'éloignait en courant. Ce type de choses arrivait presque tous les jours. Avec James, j'ai appris qu'un bon film a besoin de ces « accidents heureux ».

Le succès des *Bostoniens* dépassa toute attente. Le *Daily Variety* publia un long article sous le titre : « Un film d'art et d'essai au box-office ». Le film fut programmé dans quelques villes soigneusement choisies, mais bientôt Almi Pictures, le distributeur, dut en refaire des copies. Cette fois-ci, Vincent Canby du *New York Times* fut dithyrambique sur les comédiens, spécialement sur Vanessa Redgrave, dont l'interprétation lui valut un Oscar. Il conclut sa critique en disant que le film était « la meilleure adaptation à l'écran qui ait jamais été faite d'une œuvre littéraire ».

***

L'un des côtés les plus agréables du métier d'acteur est qu'il me donnait l'occasion de voyager partout dans le monde sans que je me sente un touriste. À Rome, Budapest, Zagreb, Paris ou Vancouver, je rencontrais les gens du pays. Souvent même, ils nous invitaient chez eux, dans leur vie privée.

J'appréciais aussi beaucoup de pouvoir continuer à pratiquer les sports que j'aimais. Pendant que nous tournions *Les Bostoniens*, je vivais à bord de la *Chandelle*, mon Swan 40, qui était mouillé à Vineyard Haven. Tous les matins, je prenais l'annexe et ramais jusqu'à la côte pour y attendre sur le quai que la camionnette de l'équipe vienne me chercher. Parfois, le week-end, mon frère Ben, alors à Martha's Vineyard, me rejoignait et nous sortions faire une balade en mer avec des membres de l'équipe du film. Une fois, nous avons embarqué James pour une navigation de nuit. C'était la première fois que cela lui arrivait. Il semblait impressionné que nous soyons si confiants, si à l'aise dans le noir ! Une autre fois, je l'ai emmené faire un tour en avion : je lui fus reconnaissant de me faire confiance et de penser que j'allais le ramener entier.

Pendant le tournage de *Superman III*, je faisais du planeur lorsque le temps le permettait : les conditions météo sont idéales lorsqu'il y a des nuages de front froid, de grosses boules de coton, bien gonflées. Sinon, j'allais à Redhill, dans le Surrey, au Tiger Club. Comme à Mackinac Island, c'était un voyage dans le passé. Les membres du club étaient de vrais aviateurs, dont beaucoup avaient servi dans la Royal Air Force et fait la Bataille d'Angleterre. Le nom de Tiger venait du Tiger Moth, un avion de combat de la Première Guerre mondiale. Le club en possédait plusieurs exemplaires, ainsi que d'autres biplans à cockpit découvert comme les Stamp et les Stearman. J'ai présenté au président du club ma licence américaine et j'ai eu l'honneur d'être admis en tant que membre étranger. Je me suis mis à porter la tenue de vol classique : veste de cuir, casque, lunettes. Je participais à de faux combats aériens au-dessus de la tranquille campagne anglaise. De temps en temps, nous volions en formation à cinq ou six et parfois, nous faisions des concours de ballons : on lâchait des ballons au centre du terrain d'aviation, et nous manœuvrions pour les toucher avec nos hélices avant qu'ils ne disparaissent dans le ciel.

J'aimais particulièrement voler sur le dos. Même attaché par une ceinture, les épaules passées dans un harnais, lorsque je retournais l'avion j'avais toujours un instant d'angoisse : n'allais-je pas tomber du cockpit et m'écraser en dessous dans un champ de maïs. Avant de se retourner, il fallait se souvenir d'une manœuvre cruciale : inverser le réservoir de carburant. Sinon, on entendait un petit hoquet puis le moteur s'arrêtait dans un crachotement, suivi d'un silence glaçant. Avec de la chance, on pouvait redresser l'avion et le moteur repartait mais sinon, c'était l'atterrissage d'urgence dans un champ. Mon expérience des planeurs m'avait préparé aux atterrissages hors piste : heureusement, je n'ai jamais eu de problème sur ces avions d'époque.

Pure coïncidence, je reçus un jour un scénario intitulé *The Aviator*. C'était l'histoire d'un pilote de l'aéropostale dans les années 1920, qui faisait la liaison entre Elko, dans le Nevada, et Boise dans l'Idaho. Le courrier était transporté dans le compartiment avant d'un Stearman. Les producteurs ignoraient totalement que je savais piloter cet avion. Quand ils l'apprirent, ils furent d'accord avec moi pour penser que si je pilotais moi-même, nous pourrions faire un film plus réaliste qu'avec une doublure. Nous n'avions plus besoin de découper les scènes en de multiples prises de vue et je pouvais, dans la foulée jeter quelques sacs postaux dans l'avion, sauter à bord, lancer le moteur et décoller. Cela permettait aussi de filmer en l'air depuis un hélicoptère plutôt que d'utiliser des gros plans tournés en studio.

Nous tournions en Yougoslavie, à la frontière autrichienne, près de Kranjska Gora. Les jours que je préférais étaient ceux où, tout à la fois, je jouais, je pilotais et je faisais un peu de réalisation. En effet, certaines fois, on installait une caméra sur l'une des ailes. Le directeur de la photographie me donnait des instructions afin de trouver un endroit approprié pour me filmer. Je décollais et déclenchais moi-même la caméra au moment voulu. Le réalisateur et l'équipe attendaient mon retour sur le terrain d'aviation, deux heures plus tard.

Un après-midi, au moment où je me posais, on me transmit le message disant que ma fille venait de naître à Londres ! Avec Gae, nous avions espéré que la naissance aurait lieu pendant un week-end pour que je puisse être présent, mais le bébé en avait décidé autrement et arriva quelques jours plus tôt. Le lendemain matin à l'aube, je partis en voiture jusqu'à la frontière autrichienne, filai à Klagenfurt, où j'attrapai un vol pour Vienne, puis un autre de Vienne à Londres, suivi d'une nouvelle course folle en taxi jusqu'à l'hôpital de Wimbledon. Je fus terriblement culpabilisé d'avoir à repartir travailler dès le lendemain matin. D'autant plus que nous n'avions pas décidé d'un prénom pour le bébé ! Finalement, après un mois de coups de téléphone et d'aller et retour entre Londres et la Yougoslavie, nous avons réussi à nous mettre d'accord pour appeler Alexandra cette petite fille blonde aux immenses yeux bleus.

Tous les quatre, avec nos deux magnifiques enfants, nous étions vraiment un chromo de la jeune famille idéale. Pourtant, je ne parvenais toujours pas à dépasser mes réticences sur le mariage. Malgré nos efforts conjugués, je me sentais encore insatisfait, mal dans ma peau. Je m'absentais beaucoup, j'étais souvent occupé ailleurs à des projets de films, à faire du sport ou à militer pour diverses causes sociales ou politiques. Je trouvais que j'avais à assumer des responsabilités trop tôt, en tout cas plus tôt que je ne m'y étais attendu. Même si j'étais incertain de mon avenir

avec Gae, j'adorais – et j'adore toujours – mes enfants.
J'étais déterminé, quoi qu'il arrive, à faire l'impossible pour
leur éviter les problèmes familiaux que j'avais connus dans
mon enfance.

Pendant le voyage de retour de Yougoslavie, j'étais
plongé dans un grand désarroi : j'exultais de joie à l'idée
de la naissance d'Alexandra et en même temps j'étais angoissé
de la tournure que prenait ma vie. En arrivant, j'ai continué
toute la nuit à broyer du noir sans trouver de solution. La
sonnerie du réveil me délivra à 6 h 30.

Chapitre 9

Au cours des années 1980, je restais fidèle à la promesse que je m'étais faite d'éviter les films d'action au profit de productions plus petites mais offrant des rôles plus intéressants. Et si, par hasard, je ne trouvais pas de bon projet de film, je m'en retournais vers les planches. En 1984, j'étais sur scène, dans le West End londonien, en compagnie de Vanessa Redgrave et de Dame Wendy Hiller dans *Les Papiers*. Cette pièce, dont l'idée est tirée d'un court roman de Henry James, avait été écrite par le père de Vanessa, Michael Redgrave, qui en avait lui-même joué le rôle principal dans les années 1950. Vanessa avait voulu reprendre cette pièce en hommage à son père, qui fêtait ses soixante-quinze ans. Il ne vint jamais aux répétitions mais, le soir de la première, il s'installa à la place d'honneur dans la loge royale. De fait, il était si près de la scène que jouer son propre rôle dans sa propre pièce, sous son propre regard, me demanda un gros effort de concentration. Je le rencontrai plus tard, à la soirée qui suivit la représentation et ne me souviens pas qu'il m'ait dit autre chose que : « Gardez la tête bien droite ! »

Nous prîmes beaucoup de plaisir, Vanessa et moi, à poursuivre les relations de travail entamées avec *Les Bostoniens*. Son talent m'en imposait. Dans le film, nous nous disputions pour les beaux yeux d'une jeune fille. Dans la pièce, elle jouait le rôle d'une vieille fille, retirée du monde, flattée des attentions d'une jeune Américaine, chercheur en littérature, sur la trace de la correspondance privée du poète romantique Jeffrey Aspern. Elle était totalement convaincante dans les deux personnages : partager la scène avec elle était un privilège.

Pendant l'été de 1985, j'ai joué Tony dans *The Royal Family* au festival de Williamstown, puis le Comte dans une version loufoque du *Mariage de Figaro*, au Circle in the Square, à New York. Nous portions des costumes des années 1930, tout blancs, jusqu'au dernier acte où le metteur en scène, Andrei Serban, nous avait habillés en costumes entièrement noirs du XVIIIe siècle. Certains personnages traversaient la scène sur des patins à roulettes. Je faisais ma première entrée sur une bicyclette puis, dans la plupart des autres scènes, j'arpentais les planches en tenue de cavalier, une cravache à la main. Si un acteur questionnait Andrei sur la logique qui sous-tendait une scène, il répondait simplement avec son fort accent roumain : « J'aime ! Ça, intéressant ! »

Au début de 1986, toujours en quête d'un projet de film, je parcourais ma bibliothèque lorsque mon regard tomba sur un scénario intitulé *Street Smart*. Il devait être là depuis des années ; je ne me souvenais même pas d'où il venait. Je me mis à le relire et plus j'avançais dans ma lecture, plus je me demandais pourquoi je n'avais pas réagi plus tôt. Le personnage principal, Jonathan Fisher, est un yuppie sans morale qui invente, de toutes pièces, le personnage d'un proxénète, pour en faire son portrait. Il espère ainsi garder son emploi au sein de l'équipe d'un journal chic de New York. Au cours de ses recherches, il rencontre, par hasard, un véritable proxénète appelé Fast Black et se retrouve très vite entraîné vers de dangereux bas-fonds. Le scénario trace un parallèle entre le jeune journaliste obséquieux et le redoutable proxénète. Quoique, en réalité, le proxénète soit plus honnête.

J'ai immédiatement porté le projet chez Cannon Films qui me donna le feu vert. On demanda à Jerry Schatzberg, qui avait réalisé *Panique à Needle Park* avec Al Pacino, de faire la mise en scène. Le rôle de Fast Black fut proposé à Danny Glover. Le script lui plaisait mais, après *Color Purple*, il ne voulait pas jouer un autre personnage antipathique.

Jerry avait entendu parler d'un acteur doué qui n'était pas encore aussi connu qu'il le méritait et dont le seul véritable gagne-pain à l'époque était de jouer Easy Reader dans *The Electric Company*. Dès le premier filage, je sus que j'aurais à travailler dur pour me maintenir à son niveau. Je venais de rencontrer Morgan Freeman.

À cause du petit budget de *Street Smart*, nous avons dû tourner à Montréal qui, par la magie de l'équipe de décoration, devait se transformer en New York. Lorsque nous devions tourner dans la rue, tous les panneaux en français étaient recouverts et les accessoiristes jonchaient les trottoirs de journaux et de détritus. Nous tournâmes trois jours dans Harlem et, en voyant le film, je fus stupéfait de constater à quel point ces images se confondaient avec celles tournées au Canada.

Je n'avais pas réalisé que Morgan était grand-père. Un soir, alors que j'attendais de tourner une scène, je les vis arriver, sa femme et lui, dans un break : une adorable petite fille était assise à l'arrière dans un siège de bébé. Ils avaient roulé depuis New York pendant sa semaine de congé, simples touristes américains en vacances d'été : il les embrassa tendrement toutes les deux avant qu'elles ne partent s'installer à leur hôtel, puis s'enferma dans sa caravane. Une demi-heure plus tard, le grand-père avait disparu, laissant la place à un dangereux proxénète, paré de vêtements criards et d'une dent en or. Bien que travaillant avec lui déjà depuis des semaines, j'étais sidéré par la métamorphose. Plus tard, ce même soir, nous avons tourné une scène où le proxénète attire Jonathan Fisher dans les toilettes d'un restaurant de Harlem, lui éclate la figure sur un lavabo et lui colle un pistolet sur la tempe. Ce genre de scène de terreur a été utilisée dans un nombre incalculable de films, sans créer de véritable impact : le spectateur sait que le héros du film ne peut pas être déjà éliminé mais Morgan savait transformer un cliché en moment fort. Pendant que nous tournions cette scène, j'avais vraiment l'impression qu'il pouvait me tuer ! Cela n'étonna personne qu'il soit nominé pour un Oscar et sa carrière décolla.

Menahem Golan et Yoram Globus, les directeurs de Cannon Films, ont produit et financé *Street Smart* à la condition que je donne à *Superman* au moins une suite de plus. Ils avaient acheté les droits à Ilya Salkind et à son père, Alexandre, lors d'un dîner à Cannes, au mois de mai précédent. Pendant que nous étions en tournage à Montréal, Larry Konner et Mark Rosenthal, les scénaristes, s'affairaient déjà sur *Superman IV*. Cette fois, l'idée de départ (et ma propre suggestion, je regrette d'avoir à le reconnaître), était que Superman intervenait dans la course aux armements nucléaires. Le personnage de Superman avait été utilisé pendant la Deuxième Guerre mondiale comme stimulant psychologique des troupes. De nos jours, alors que le président Reagan traitait l'Union soviétique d'« empire du mal » et que les discussions au sommet avec Mikhail Gorbatchev étaient dans l'impasse, je pensais que le personnage pourrait de nouveau servir. C'était une grossière erreur.

Par ailleurs, nous étions handicapés par des restrictions budgétaires. Cannon Films avait environ trente projets en chantier à l'époque, *Superman IV* n'étant que l'un d'entre eux. Konner et Rosenthal avaient écrit une scène où Superman atterrissait en plein milieu de la 42e rue et la descendait jusqu'aux Nations-Unies, où il faisait un discours. Si nous avions dû tourner cette scène pour *Superman I*, nous l'aurions fait dans la vraie 42e rue. Richard Donner, le réalisateur, aurait alors organisé les déplacements de centaines de piétons et de véhicules et aurait enchaîné au montage sur les employés de bureau à la fenêtre, bouche bée à la vue de Superman descendant la rue tel le joueur de flûte de Hamelin. À la place, nous avons filmé la scène en Angleterre, dans une zone industrielle, sous la pluie, avec une centaine de figurants, sans une voiture en vue, et un lâcher d'une douzaine de pigeons pour tout effet d'ambiance. Même si l'histoire avait été remarquable, je ne crois pas que nous aurions eu les moyens de répondre aux attentes du public.

Souvent le travail tombait à point pour me distraire des difficultés de ma vie privée. Mais pas cette fois : le film était une catastrophe et mon aventure avec Gae se délitait. Malgré l'énorme chagrin que me causait l'idée d'être séparé des enfants, je savais que Gae et moi ne pouvions plus sauver les apparences. À la fin du tournage, en février 1987, je repartis pour New York mais Gae et les enfants restèrent à la maison de Redcliffe Road.

Je fus vraiment très malheureux pendant les mois qui suivirent. J'étais revenu à une vie aussi vide que mon appartement. Je fis avec mon ami Michael Stutz un voyage d'une semaine à la Barbade mais même la plongée ou rencontrer des femmes disponibles ne suffisait pas à me sortir de ma dépression. J'ai alors compris que ça n'était pas de vacances dont j'avais besoin mais d'un moment à moi, pour un véritable travail de deuil.

Pour tenter de remonter la pente, je suis allé à Williamstown, au cœur de l'hiver, et j'y fis quelque chose de constructif au sens propre. Avec l'aide d'un architecte local, je dessinai des plans pour agrandir et rénover la maison. Les travaux commencèrent au début du printemps. Cela m'a toujours amusé de voir les ouvriers prendre du café et des beignets à 7 heures pour mieux passer à la bière à 9 h 30. À la fin de la journée, ils avaient bu quelques packs de six ! Mais, quelle importance ? Car, bien qu'ils aient construit ma maison en planant légèrement, la charpente était excellente et les angles droits.

Mon demi-frère Jeff y emménagea au début du printemps et trouva un boulot d'entraîneur de base-ball pour juniors à Pittsfield. Le soir, nous partagions des plats à emporter sur une table de jeux, dans la salle à manger en chantier. De temps en temps, je prenais l'avion pour aller à des rendez-vous à New York et j'acceptai quelques propositions pour gagner un peu d'argent. Un jour, j'ai même participé à un documentaire sur l'avenir de l'aviation pour le musée Smithsonian, à Washington. J'avais filmé mon voyage en vidéo pour Matthew et Alexandra mais cela ne les a pas beaucoup impressionnés. Gae m'expliqua au téléphone que les images du monument à Washington et du mémorial Lincoln les avaient ennuyés. Ils avaient regardé un moment, puis éteint le magnétoscope.

L'un des signes de ma profonde dépression était que je ne parvenais plus à prendre de décision. J'avais changé d'agents à l'automne de 1985 parce qu'ils ne m'apportaient pas les rôles que je voulais. Le premier projet que mes nouveaux agents à ICM avaient monté pour moi, était ce troc *Street Smart/Superman IV*, qui se révéla un désastre. Golan et Globus ne risquèrent pas un sou pour la promotion de *Street Smart*, et le film disparut rapidement de l'affiche malgré une très bonne presse. Quant à *Superman IV*, c'était tout simplement une catastrophe du début à la fin. Cet échec a terriblement secoué ma carrière. Je me suis donc laissé convaincre par mon équipe d'agents d'accepter un rôle secondaire dans *Scoop*, autre remake de *The Front Page*. Les stars du film étaient Kathleen Turner et Michael Caine.

Je pensais qu'une comédie me remonterait le moral. D'autre part, j'avais eu beaucoup de plaisir à travailler avec Michael dans *Piège mortel*. Dans la version réalisée en 1940, *His Girl Friday*, le personnage de Ralph Bellamy sonne juste mais trop honnête pour Rosalind Russell. Dans la version actuelle, l'idée était d'en faire un pauvre bouffon : un gros bonnet très soucieux de ses fringues et de la coloration de ses cheveux. Pour faire bonne mesure, on y ajouta une peur maladive de l'altitude, un détournement de mon personnage de Superman que l'équipe trouva très drôle.

Ma scène phare dans le rôle de Blaine Bingham III se déroule dans un ascenseur vitré. Le personnage est pris d'une panique hystérique lorsque l'ascenseur se coince entre deux paliers d'un centre commercial. On m'assura que ce serait à se tordre de rire. Avant que je ne me retourne, j'avais signé un contrat et me retrouvai sur le tournage, à Toronto, en train de faire l'imbécile. J'avais accepté ce boulot pour échapper à ma peine, ce qui rendait encore plus difficile ma performance quotidienne dans une comédie légère, mais le pire était encore à venir. Au bout de deux semaines de tournage avec Kathleen, on apprit que Michael Caine était dans l'impossibilité de venir nous rejoindre. Il tournait aux Bahamas *Les Dents de la mer IV* et le requin mécanique s'était cassé ; le film était en panne, suspendu jusqu'à ce que des pièces détachées hydrauliques arrivent de l'Ohio. On appela Burt Reynolds pour le remplacer. Malheureusement, Kathleen et lui ne pouvaient pas se supporter. J'ajoutai donc à mon fardeau celui d'être leur arbitre. Essayer d'être drôle tout en gérant des problèmes personnels et une atmosphère tendue sur le plateau m'exténuait.

Jonathan, le frère de Gae, vivait à Toronto à l'époque, c'est donc chez lui que Matthew et Alexandra habitèrent lorsque Gae me les amena pour les vacances de printemps. Les enfants passèrent quelques jours avec moi au Sutton Place Hotel. Ils adorèrent le service de chambre, jouèrent dans ma caravane pendant que je tournais et tapèrent dans le ballon au parc. Cependant, à mon avis, ils ne comprenaient pas pourquoi leurs parents habitaient deux endroits différents dans une même ville. J'étais en partie tenté de recoller les morceaux, ce qui aurait été plus simple pour tout le monde mais quand j'y repensais sérieusement, j'étais frappé de cette évidence : ni la facilité, ni la commodité ne pouvaient fonder une relation affective durable. J'étais conscient qu'il me fallait traverser cette épreuve et qu'à long terme, nous nous en trouverions tous beaucoup mieux. Plus tard cette année-là, Gae et moi sommes parvenus à un accord à l'amiable sur la garde conjointe des enfants et leur confort matériel à tous les trois. Au cours des années qui ont suivi notre séparation, nous n'avons jamais rencontré de problèmes majeurs à propos de l'éducation des enfants.

Dès le départ, *Scoop* était condamné pour diverses raisons : un scénario trop lâche, une mauvaise entente entre Kathleen et Burt, et mes efforts trop évidents pour incarner Blaine Bingham III. C'était la première fois que j'avais accepté un rôle pour de mauvaises raisons, sans aucun réel souci artistique. Et j'appris à mes dépens que jouer une comédie n'est pas forcément le meilleur remède pour soigner une dépression. Dès les pré-projections, à l'automne, je sus, à la réaction mitigée du public, que *Scoop* serait un échec. Suivant de si près la débâcle de *Superman IV*, ce film marqua pour moi la fin de neuf années dans la cour des grands du cinéma.

Je me suis de nouveau retiré à Williamstown pour me plonger dans les répétitions de *The Rover* et achever les travaux de la maison à la chambre octogonale. Jeff quitta son travail à Pittsfield pour entraîner une équipe en ville. Mon autre demi-frère, Kevin, nous rejoignit et trouva un emploi de charpentier. Nous avons passé de nombreux après-midi tous les trois à lancer une balle de base-ball. Un jour, nous avons fait un concours à celui qui lancerait la balle le plus loin, à partir du perron. J'ai gagné et décidé de construire une barrière à l'endroit où la balle était tombée, transformant du même coup la prairie en pelouse devant la maison. J'appelais fréquemment les enfants à Londres et attendais impatiemment leur visite, aussitôt après la fin de l'année scolaire, la troisième semaine de juillet. Comme les répétitions se passaient bien et que je me réjouissais de la présence de mes deux plus jeunes demi-frères, je commençais à trouver la vie plus agréable, et même à sortir de temps en temps avec d'autres acteurs. Et puis, dans la soirée du 30 juin, je suis allé au cabaret et j'ai vu Dana.

* * *

Depuis mon accident, j'avais eu le temps de revenir sur ma vie, bien plus de temps d'ailleurs que je ne l'aurais souhaité. Je n'aurais jamais imaginé que, dans ma quarantaine, j'aurais le loisir ou l'envie de m'étendre sur le passé alors que mon avenir semblait si brillant et prometteur. Mais pendant ces interminables après-midi à l'institut Kessler, et même aujourd'hui quand Will et Dana sont ailleurs, je ne peux m'empêcher de repenser au passé. L'une des images qui me revient souvent à l'esprit est un graphique vertical de trois colonnes : la colonne A représente le talent et le métier, la colonne B, la carrière et la colonne C, la vie personnelle. Je me suis souvent dit qu'en théorie, les trois colonnes devraient se trouver et progresser à niveau égal. En ce qui me concerne – et je suppose que c'est la même chose pour la plupart des gens –, le graphique se présente très différemment. Avec mon premier enthousiasme d'adolescent pour la scène, la colonne B grimpa en tête. J'ai eu très vite du succès, trop vite peut-être. La barre a continué de monter régulièrement tout au long de mes pérégrinations depuis le théâtre McCarter et le festival Williamstown, en passant par Cornell, Juilliard, Broadway jusqu'au monde des stars de cinéma. À vingt-cinq ans, j'étais connu et reconnu, j'appartenais, en apparence de manière durable, au monde des personnalités d'Hollywood. Quant à la colonne A, talent et métier, elle progressa plus lentement, quelque peu gênée par la nature même du système : dès que vous êtes une star, la plupart des réalisateurs et des producteurs tiennent pour acquis que vous allez, sans indication aucune, faire des miracles. Au sommet de ma carrière, j'étais royalement traité sur les plateaux – ce qui est certainement flatteur pour l'ego mais dommageable pour progresser et trouver des idées. Il est facile de se laisser gâter et de survoler le rôle au lieu de le creuser, au lieu de continuer à faire le travail qu'on faisait avant d'être connu. Enfin, la colonne C, ma vie personnelle, fut souvent reléguée à l'arrière-plan. Réussir et rester indépendant me semblaient plus importants que mes aventures personnelles.

À la fin des années 1980 et au début des années 1990, une porte venait de se refermer violemment devant moi. Je ne faisais plus partie de la crème des acteurs ; maintenant, mes agents devaient se battre pour obtenir des rendez-vous. Parfois il me fallait passer une audition, ce qui ne m'était plus arrivé depuis une dizaine d'années. Quand j'ai tenté ma chance pour le rôle qu'a joué Richard Gere dans *Pretty Woman*, j'avais préparé trois scènes pour le réalisateur, Garry Marshall. Le jour du bout d'essai, on m'annonça au bureau de la production que Julia Roberts était prise ailleurs et ne pourrait pas me donner la réplique. J'ai donc joué les scènes avec la directrice de casting qui, le nez dans les pages, lut son texte avec autant de talent qu'une mauvaise comédienne de théâtre associatif. Au milieu de la deuxième scène, la rage, la frustration et l'humiliation furent plus forts que moi. Je déchirai le texte, balançai les morceaux de papier sur le sol, et dit à Garry Marshall et au producteur que rien ne les autorisait à traiter quelque acteur que ce soit de cette façon. Sur quoi, je tournai les talons et quitté la pièce, dignement. Très souvent mes agents, Scott Henderson et Arnold Rifkin (j'ai changé pour William Morris en 1988 et n'ai que des raisons de m'en réjouir depuis) me proposaient pour un rôle et s'entendaient dire que, bien que je corresponde au personnage, les producteurs préféraient « une tête moins connue ».

Mais je me suis toujours débrouillé pour travailler ; je trouvais quand même ironique que ma carrière plafonne au moment où je commençais à faire des progrès en tant qu'acteur. Même si, parfois, je faisais un téléfilm pour payer les factures, je m'efforçais d'en tirer le meilleur parti. *Morning Glory*, ou *The Rose and the Jackal* et *The Sea Wolf* (tous deux pour TNT) furent des films auxquels j'ai vraiment cru et dont je continue de penser qu'ils font partie de ce que j'ai fait de mieux.

Là où une porte s'était fermée, une autre venait de s'ouvrir. Celle de Dana. Mon mariage était florissant et ma vie privée plus satisfaisante que jamais. Maintenant, lorsque je partais en tournage, mon contrat exigeait une maison assez grande pour nous tous : Dana et moi, Will, la nounou, plus Matthew et Alexandra lorsqu'ils venaient nous voir. Je m'assurais que chacun y trouve sa place et que toute la famille puisse y fonctionner. C'était un changement radical par rapport à l'époque où les tournages étaient souvent une échappatoire. Pendant le tournage de *The Sea Wolf*, à Vancouver, l'été de 1992, Matthew et Alexandra m'accompagnèrent à bord de la goélette qui faisait le *Ghost*. Le soir, nous nous relayions auprès de Will, alors âgé de six semaines, pour essayer de le calmer malgré ses coliques. L'été suivant, j'ai passé dix semaines à Calgary pour faire *The Black Fox* pour CBS : un western, situé au Texas, dans les années 1860. Alexandra y joua le rôle de la fille d'une des familles du fort, tandis que Matthew gagnait de l'argent de poche à régler la circulation ; il joua aussi le rôle d'un jeune suppléant du shérif. Le week-end, on montait à Banff faire de la randonnée dans les Rocheuses. Un après-midi, je pris Will sur mon dos pour grimper jusqu'à un lac retiré où nous pourrions nager ; nous sommes redescendus à pied jusqu'au Banff Springs Hotel, où nous avons dîné en famille. Alexandra et moi montions à cheval ; avec Matthew je jouais au tennis ; quant à Will, il lui suffisait de participer à nos activités pour être heureux, mais il appréciait particulièrement que je lui donne son bain.

En octobre 1992, pendant une courte période, mes vies professionnelle et personnelle furent apparemment en parfait équilibre. Au printemps précédent, Dana et moi avions assisté à la première de *Howards End*, au Lincoln Center ; nous étions placés juste derrière James Ivory et Ruth Jhabvala.

J'avais trouvé le film formidable et quand la salle se ralluma, je tapai sur l'épaule de James et lui glissai à l'oreille : « N'importe quel rôle dans votre prochain film, je suis prêt ! » Le lendemain matin, il m'appela pour me proposer le rôle de Lewis, un jeune Américain, membre du Congrès, dans *Les Vestiges du jour*, dont le tournage devait commencer à Londres en septembre.

Tout se remettait en place. Je faisais de nouveau partie du groupe Merchant-Ivory, pour la première fois depuis *Les Bostoniens* ; je partageais la vedette avec Anthony Hopkins et Emma Thompson ; c'était l'un des meilleurs scénarios que j'aie jamais lus ; Dana, Will et moi étions ensemble dans de magnifiques hôtels anciens ou des auberges dans l'ouest de l'Angleterre, près de Bath ou de Gloucester ; et Matthew et Alexandra venaient souvent nous retrouver, en train, de Londres.

Dès les premiers jours de tournage, il fut évident pour chacun sur le plateau que Tony et Emma jouaient le rôle de leur vie. Je fus transporté d'enthousiasme quand je réalisai que, à mon simple niveau, je participais à un film qui deviendrait à coup sûr un classique. James était toujours aussi généreux et ouvert à toute suggestion que lors de notre première collaboration, neuf ans plus tôt.

Dans une scène, le personnage de Lewis enrage de ne pouvoir convaincre un diplomate français (interprété par le même Michael Lonsdale que j'avais connu vingt ans plus tôt à Paris) de cesser de ne s'intéresser qu'à ses problèmes de pieds gonflés pour s'engager dans la lutte contre les nazis. Lewis le pousse à prendre conscience de la menace qui couvre peu à peu l'Europe de l'ouest, mais le diplomate est trop occupé à commander une bassine d'eau chaude pour soulager ses pieds ! À la première prise, spontanément, je lui ai arraché sa chaussure pour la jeter, dans un mouvement d'écœurement, sur le sol. Ce geste n'était pas prévu dans le scénario mais il parut juste à James qui le garda au montage.

Plus tard, dans la soirée, Lewis s'en prend aux membres de la bonne société anglaise qu'il accuse de n'être que des amateurs en politique, totalement ignorants de ce qui se passe dans la réalité. Il lève son verre aux « professionnels », c'est-à-dire aux pragmatistes américains, comme lui-même, dont la vision n'est pas restée bloquée au XIXe siècle. Après cette sortie, il me semblait que Lewis aurait dû s'excuser auprès de son hôte (James Fox) et lui préciser que ses remarques désobligeantes pendant le dîner ne le visaient pas personnellement. J'en ai parlé à James et nous avons rajouté des répliques : mon personnage expliquait son amour de l'Angleterre, depuis l'enfance, et son plaisir à y venir en vacances en famille. La caméra tournait ; je me suis approché de notre hôte tout en m'excusant. James Fox ne s'attendait pas à ce mouvement vers lui, si bien que son expression de stupéfaction polie fut parfaitement juste à l'image. Une fois de plus, comme dans la scène des *Bostoniens*, avec le chien sur la plage, James fut satisfait de la spontanéité de l'improvisation et la garda dans le montage final.

À sa sortie, à l'automne de 1993, *Les Vestiges du jour* fut salué comme un chef-d'œuvre et reçut huit nominations aux Oscars. Je faisais partie du voyage de presse à Los Angeles – deux jours de réclusion dans une suite d'hôtel à recevoir des groupes de journalistes de la terre entière. Je m'y suis volontiers plié car j'étais persuadé que ma performance dans le rôle de Lewis était l'une des meilleures que j'aie faites et j'espérais qu'elle donnerait le signal du redémarrage de ma carrière cinématographique. Les journalistes furent courtois et écoutèrent attentivement mes réponses. Cependant mon nom fut à peine mentionné dans les articles qui suivirent. Tout leur intérêt était concentré sur Tony, Emma, James et leur formidable collaboration après *Howards End*. J'étais très fier d'avoir participé à un grand film : j'ai simplement un peu regretté qu'il n'ait eu aucune retombée sur ma carrière.

Une fois encore, les trois colonnes n'affichaient pas un niveau égal. La colonne B, carrière, ne décollait pas. J'étais en revanche fier de la colonne A, talent et métier ; j'avais d'ailleurs exprimé à plusieurs reprises devant des journalistes mon soulagement de voir les années Superman derrière moi et mon sentiment que le meilleur de ma vie d'acteur était encore à venir. Entre quarante et cinquante ans, j'étais prêt à relever des défis, à jouer des rôles complexes, au cinéma comme au théâtre. Dana, Will et moi avons déménagé pour Bedford, et pour la première fois j'ai savouré le plaisir de rester à la maison, juste heureux de notre vie commune.

J'avais une autre chance, celle de connaître d'autres passions qui m'aidaient à supporter les revers de ma carrière. Vers la fin des années 1980, j'ai commencé à m'intéresser de plus près à l'équitation, allant parfois jusqu'à m'entraîner cinq ou six jours par semaine pour préparer des compétitions.

Lorsque la construction du *Sea Angel* fut achevée, je partis avec Dana naviguer le long des côtes entre la baie de Chesapeake et la Nouvelle-Écosse, parfois seuls, mais souvent avec des amis ou les enfants qui venaient nous rejoindre pour une étape.

Je m'intéressais toujours à la politique. Je fis campagne pour le sénateur Patrik Leahy, du Vermont, un puissant avocat spécialisé dans les affaires d'environnement et de culture. Je suis entré au bureau de la Fondation Charles Lindbergh, qui subventionne la recherche de nouvelles technologies sur l'environnement. J'ai apporté mon soutien à Amnesty International, à Natural Resources Defence Council et à People for the American Way.

J'ai milité dans l'association Environmental Air Force. J'emmenais dans mon avion personnel (à l'époque un Cheyenne II, un turbopropulseur à sept places) les officiels du gouvernement et les journalistes constater par eux-mêmes les dégâts causés à l'environnement dans certaines régions cachées. À plusieurs reprises, je leur ai fait survoler les forêts du Maine : la vue aérienne révélait une pratique habituelle des marchands de bois qui déboisent des centaines d'hectares et ne laissent intact que le pourtour de la zone pour masquer la dévastation.

À l'automne de 1987, on me demanda de participer à une action politique nettement plus dangereuse : soixante-dix-sept acteurs de Santiago du Chili avaient été menacés de mort par le général Pinochet s'ils ne quittaient pas le pays avant le 30 novembre. Ariel Dorfman, un auteur chilien exilé aux États-Unis, me contacta à Williamstown et m'expliqua que seule la présence d'artistes internationalement reconnus dans les jours précédant la date de l'ultimatum pourrait leur sauver la vie. Je me joignis donc à un petit groupe d'acteurs représentant l'Allemagne, la France, l'Espagne, l'Argentine et le Brésil. En tant que membre d'Equity, le syndicat des acteurs américains, je représentais trente-huit mille comédiens des États-Unis.

Pendant des années, les Chiliens avaient souffert sous un régime de terreur. Les étudiants dissidents et les citoyens en vue opposés à Pinochet étaient simplement « disparus », la nuit, par des escadrons de la mort. Parce qu'ils pratiquaient une satire politique à peine voilée et qu'ils avaient les faveurs du public, les acteurs de Santiago étaient considérés comme subversifs, une menace pour le dictateur. Leur influence sur l'opinion publique posait de plus en plus de problèmes à Pinochet, juste avant le référendum qui devait, en avril de la même année, lui assurer le pouvoir. Le fait que le dictateur annonce si clairement son intention d'exécuter tant de membres de l'opposition dénotait un niveau d'oppression accru. Des tonnes de télégrammes et de lettres de protestation arrivèrent du monde entier, gouvernements et société civile confondus. Pour aller voir les artistes menacés, rencontres qui eurent lieu dans différents endroits de Santiago, j'étais accompagné de six gardes du corps. On craignait réellement que les artistes invités ne soient la cible de représailles de la part de l'armée.

Le samedi soir, au cours de notre visite, plusieurs milliers de personnes devaient se réunir dans un stade pour un meeting « Por vida y arte » (Pour la vie et l'art). L'événement avait été autorisé, mais avant même qu'il ne commence, les militaires attaquèrent à la lance à eau et refoulèrent violemment la foule pour l'empêcher d'entrer. Nous nous sommes réfugiés dans un garage où, bien que cernés par des tireurs d'élite, nous avons pu participer à la manifestation, comme prévu. Dans un espagnol hésitant, j'ai transmis le soutien des acteurs et des simples citoyens des États-Unis. Suivirent des chants de lutte, des lectures de textes de Pablo Neruda et un message de solidarité venant de la veuve de Salvador Allende, assassiné lors du coup d'État de 1973.

Pendant mon voyage en Europe en 1972, dans des villes comme Glasgow, Liverpool et Leeds, j'avais remarqué la force des liens entre le théâtre et la population mais à Santiago, j'ai constaté quelque chose de beaucoup plus puissant : la force de la culture au service des opprimés, des déchus.

Le lendemain matin, l'un des journaux publiait à la une un dessin satirique me représentant portant Pinochet par la peau du cou, avec cette légende : « Où tu l'emmènes, Superman ? »

Je revins aux États-Unis un peu secoué par l'intensité de l'expérience mais satisfait par l'impact de notre action. Le 30 novembre arriva et aucun des acteurs chiliens ne fut tué : c'était la première fois qu'une menace de la dictature n'était pas mise à exécution. Les Chiliens commencèrent à réaliser que Pinochet pouvait être renversé. Il n'obtint pas le vote populaire qui devait ratifier son pouvoir. En avril 1988, il dut démissionner, mais demeura cependant commandant en chef des armées. Quelques mois plus tard, Patricio Alwyn, le chef de la Démocratie-Chrétienne, fut élu président du Chili.

L'expérience du Chili démontra clairement le pouvoir qu'ont les célébrités à faire changer les choses. Je savais que quelques-uns de mes confrères en étaient, comme moi, convaincus. Pendant sa campagne pour la présidence, en 1988, Michael Dukakis avait recruté plusieurs acteurs connus pour attirer les foules et la faveur des médias. Mon ami Ron Silver, militant politique expérimenté, fut frappé par l'ignorance et la manière dont ces gens pourtant célèbres ne savaient pas s'exprimer : il eut alors l'idée de créer un organisme qui les y formerait. Nous fûmes avec Susan Sarandon, Alec Baldwin, Blythe Danner les premiers membres du groupe : nous nous sommes baptisés The Creative Coalition (TCC) et avons décidé d'ouvrir l'association à tout artiste. Dans les quelques mois qui suivirent, nous avons été rejoints par des agents artistiques, des gens de la pub, des écrivains, des machinistes, des chanteurs d'opéra, chacun apportant sa propre vision du groupe. Nous avons décidé, pour des raisons d'efficacité, de ne pas nous éparpiller mais de nous concentrer sur trois ou quatre causes importantes que le comité directeur choisirait et qui seraient ratifiées par 75% des membres.

Notre première grande entreprise consista à nous battre pour préserver les Subventions nationales pour les arts (les NEA) contre les attaques des Républicains comme Jesse Helmes, furieux que les impôts du contribuable soient utilisés pour subventionner un art dit obscène. Nous n'avons eu aucune difficulté à montrer que, sur vingt-cinq années de fonctionnement, et sur les quatre-vingt-dix mille artistes subventionnés par les NEA, seule une douzaine d'entre eux avait provoqué des controverses. En regard des retombées financières et culturelles pour le pays, et des clauses du Premier Amendement, l'inconvénient paraissait mineur. Nous soutenions aussi que les hommes politiques n'avaient aucune autorité à se mêler de réduire les aides accordées aux artistes par une autorité fédérale.

Le système de critique entre pairs – des artistes jugeant les mérites d'autres artistes – avait toujours très bien fonctionné. En 1990, les Subventions nationales pour les arts ont résisté aux offensives de Helmes. Cependant, le conflit n'est pas définitivement réglé.

En 1994, je fus élu co-président avec Blair Brown. Tous les deux, nous souhaitions faire passer au second plan les célébrités de notre groupe pour mettre en avant les membres moins connus. Avec l'aide de Robert Kennedy Jr (qui devint un ami très cher après mon accident), nous avons lancé une action en faveur de l'approvisionnement en eau de New York. Faute de protéger de la pollution les réservoirs situés dans le nord de l'État, la ville devrait s'équiper de systèmes de filtre qui coûteraient des milliards de dollars, des dollars qu'elle n'avait pas. À force de meetings, de pression sur les médias et de lobbying à Albany, la capitale de l'État de New York, pendant presque deux ans, nous avons fini par convaincre le gouverneur Pataki et les élus d'accorder un crédit d'un million de dollars pour la protection de la plus importante réserve d'eau de la région de New York. Nous avons aussi contribué au lancement du tri des déchets urbains, malgré les objections des équipes de voirie et de Dinkins. À plusieurs reprises, les autorités tentèrent de mettre fin au projet, sous prétexte de réductions budgétaires À chaque fois, nous avons répliqué par des collages d'affiches dans le métro et des messages radio. Et les crédits furent rétablis.

TCC attira rapidement l'attention à la fois d'Albany et de Washington. Bientôt nous avons été assiégés par toutes sortes de groupes d'avocats et de politiciens sollicitant notre aide pour leurs clients ou leurs campagnes. Un après-midi, alors que je m'apprêtai à rejoindre l'aéroport après une conférence sur les NEA, trois cadres du Parti Démocrate me coincèrent pour me pousser à me présenter au Congrès : ils avaient pensé que je pourrais briguer le siège du Massachusetts (qui comprenait Williamstown), siège vacant depuis la mort de Silvio Conte. Je leur répondis immédiatement : « Me présenter au Congrès ? Et perdre mon influence à Washington ? » Je savais qu'un membre de la Chambre des représentants est constamment harcelé par des problèmes d'argent, sous contrôle de groupes d'intérêts, tandis que mes confrères de TCC et moi étions libres de nous exprimer sans arrière-pensées, ni obligations envers qui que ce soit ; de plus, nous étions mieux couverts par les médias. C'était peut-être injuste mais c'était le système.

Pendant cette période, mes amis chez William Morris me firent différentes propositions, mais aucune d'entre elles n'était vraiment intéressante. Celui qui insistait le plus, c'était John Kimble, l'un des agents de télévision les plus cotés. Trois chaînes importantes voulaient me faire tourner un feuilleton. Presque tous les scénarios étaient indigents ; certains me rappelaient des propositions que j'avais refusées l'été de 1976 (cependant aucun n'était aussi mauvais que *L'Homme de l'Atlantide*). Malgré tout, un ou deux d'entre eux étaient bien écrits. J'ai particulièrement apprécié les pilotes de *Picket Fences* et *Chicago Hope*. CBS me donna carte blanche pour créer moi-même un feuilleton mais tous ces projets impliquaient un déménagement à Los Angeles, ce que ni Dana ni moi ne voulions. C'était rassurant de savoir que si Matthew ou Alexandra, pour quelque raison que ce soit, avaient besoin de moi, je pouvais sauter dans le premier Concorde et me retrouver à Londres en quelques heures. Il m'arrivait d'aller à Londres juste pour assister à un match de foot ou passer le week-end avec eux. Vivre à Los Angeles aurait ajouté presque cinq mille kilomètres à la distance qui nous séparait déjà.

Je ne voulais pas déménager sur la côte Ouest mais j'aimais bien y faire de courts voyages pour un film ou une télévision. J'ai ainsi passé quelques semaines au Nouveau-Mexique pour le tournage de *Speechless*, avec Michael

Keaton et Geena Davis. Et toute la famille a particulièrement apprécié notre séjour à Point Reyes, au nord de San Francisco, pendant que je travaillais sur le remake du *Village des damnés*, de John Carpenter.

Pour les besoins de *Above Suspicion*, j'ai retrouvé l'univers des infirmes. Déjà, dans *Fifth of July*, je m'étais mis dans la peau d'un amputé des deux jambes ; cette fois, je jouais un policier paraplégique après une blessure par balle. J'ai travaillé mon rôle dans un centre de rééducation de Van Nuys, une banlieue de Los Angeles. J'ai appris à monter et descendre de voiture, à me glisser sur une planche pour aller du fauteuil roulant au tapis de la salle de rééducation, je passais presque tout mon temps avec une jeune femme qui avait été écrasée par une bibliothèque lors d'un récent tremblement de terre. Elle avait une plaque vissée sur le crâne et recommençait tout juste à marcher. Contrairement à Mike Sulsona, mon coach pour *Fifth of July*, elle était encore très déprimée et avait les plus grandes difficultés à supporter son nouvel état. J'essayais de contrôler mes émotions pendant que je l'observais lutter pour tenir debout entre deux barres parallèles et avancer à tout petits pas douloureux. Après ces séances, je fuyais à l'hôtel, le confortable Sunset Marquis, me répétant sans cesse : « Dieu merci, ce n'est pas moi ! »

La vie continua ainsi jusqu'au printemps de 1995. Dana passa des auditions à New York. Je me levais à 6 heures pour faire courir Buck avant de passer la journée au bureau. Parfois, je laissais mes affaires pour emmener Will à une séance de natation pour bébé ou au jardin d'enfants à Mount Kisco. Comme d'habitude, nous avons mis le *Sea Angel* à l'eau début avril, nous sommes même sortis en mer sous une tempête de neige. Mes amis les Halmis, de chez Hallmark Entertainment, m'offrirent le rôle principal dans *Kidnapped*, qui devait se tourner en Irlande.

Une nuit, dans un grand moment de tendresse, Dana et moi avons décidé que l'Irlande serait le lieu idéal pour concevoir notre deuxième enfant. Matthew et Alexandra pourraient venir nous rejoindre de Londres, avec leurs amis. Au retour à Bedford, à l'automne, je devais réaliser mon premier film pour le grand écran, une comédie romantique intitulée *Tell Me True*. Nos projets pour l'année s'harmonisaient merveilleusement. Mais un soir de mai, je remplis un dossier d'inscription à un concours hippique et le vendredi suivant, nous étions en route vers un certain Culpepper.

Chapitre 10

De retour à la maison, à Bedford, j'ai institué un programme de travail : exercices physiques le matin, bureau l'après-midi. Le sénateur Jeffords, du Vermont, me contacta pour obtenir mon soutien et ma collaboration sur un amendement d'un projet de loi au Sénat qu'il défendait et qui prévoyait d'augmenter les plafonds des remboursements des assurances, pour les faire passer d'un million de dollars à dix. Cet amendement Jeffords portait sur le projet de loi Kennedy-Kassebaum, qui assurait à toute personne ayant des antécédents médicaux une couverture sociale reconductible, ce qui signifiait que la personne continuerait de bénéficier de son assurance si elle changeait d'emploi. J'ai envoyé un courrier à tous les sénateurs sans exception, en expliquant que l'augmentation des plafonds des assurances ne représentait pas une charge pour les employeurs ; le coût (à peu près neuf dollars par an, par employé, pour une entreprise moyenne) pourrait être partagé entre employeurs et employés. Les entreprises comptant moins de vingt salariés en seraient exemptées, et la loi ne prendrait effet qu'en 2004.

Je m'y suis consacré pendant un mois, donnant des interviews et relançant mes interlocuteurs par téléphone, pour maintenir la pression. Nous avons enfin obtenu qu'on passe au vote. Jeffords comptait sur le soutien de dix-huit de ses confrères : après un tour de table, le pointage dénombrait quarante-deux voix favorables. Bien que nous ayons perdu, la marge entre les pour et les contre était beaucoup plus étroite que prévu ; ce qui nous laissait penser que l'idée pourrait être de nouveau présentée, soit associée à une autre loi sur la santé publique, soit en tant que loi à part entière.

Je me suis aussi intéressé à différentes manières d'augmenter les subventions de la recherche allouées par les NIH Je me suis même adressé au président Clinton, m'enflammant de nouveau comme lors de mon discours devant la Convention Démocrate : dépenser une somme raisonnable aujourd'hui en faveur de la science représentait une économie de milliards de dollars sur le long terme. Je fis alliance avec les sénateurs Tom Harkin et Arlen Specter pour une proposition de loi : toute compagnie qui assure contre la maladie devrait verser à la recherche un penny prélevé sur chaque dollar de toute prime d'assurance. Les estimations les plus modérées évaluaient que cet « impôt » générerait 24 milliards de dollars par an. Lorsque Harkin et Specter sondèrent le Sénat sur ce projet de loi, le score fut de quatre-vingts-dix-huit voix pour et aucune contre. Encouragés par cette réaction, ils demandèrent un vote officiel. La loi fut rejetée par soixante-cinq voix contre trente-trois. J'ai vu là la parfaite illustration de la duplicité de la plupart des hommes politiques : ils savent ce qui est juste mais sous la pression de groupes d'intérêts, comme le lobby des assurances, ils mettent leur conscience de côté au moment du vote. La dernière proposition pour augmenter les fonds consacrés à la recherche est de taxer chaque paquet de cigarettes d'un dollar et demi. Mesure qui a plus de chances de passer : les politiciens prennent ainsi moins de risques à une époque où l'opinion publique s'élève contre les fabricants de tabac.

Pendant les tout premiers mois de 1996, je fus extrêmement occupé : j'étais à la maison avec ma famille, investi dans ces causes politiques, je préparais ma prestation à la cérémonie des Oscars et je travaillais beaucoup ma forme physique. Même si j'avais décidé de ne pas retourner en rééducation pour jouer mon va-tout et décrocher du respirateur, chaque matin je m'entraînais à respirer. En février, j'arrivais à tenir quatre-vingt-dix minutes. Progressivement Dana et moi avons réuni un staff d'infirmières et d'aides-soignants pour me prodiguer les vingt-quatre heures de soins continus dont j'avais besoin et nous permettre de mener une vie familiale à peu près normale. Un jour, à Kessler, un psychologue m'avait dit : « Ne faites pas de votre femme une infirmière ou une mère. » Nous nous réjouissions d'avoir les moyens de suivre ce conseil ; car, dans bien des cas, c'est la femme du patient qui s'occupe de lui, et la pression sur le couple est terrible.

Je m'adaptais assez bien à ma nouvelle vie, mais en dépit de toutes ces activités, il me tardait de trouver un objectif plus créatif. Au début d'avril, Michael Fuchs, l'ancien PDG de Home Box Office, vint à mon secours. Nous étions restés amis depuis l'époque de la création de la TCC, où il avait apporté son soutien à notre association débutante et nous avait prêté des locaux dans le bâtiment de HBO. Il avait fait de cette dernière l'une des grands chaînes câblées, en développant des projets exceptionnels, en prenant des risques dans ses choix et en faisant venir des talents du cinéma et des autres chaînes.

Un soir, Michael nous rejoignit Dana et moi à un dîner avec mon amie et ancien agent Andrea Eastman et son mari Richard. Il venait de perdre son poste à la suite d'une restructuration chez Time Warner, la maison mère de HBO : il devait abandonner un bon nombre de projets, dont *In the Gloaming*, un film dont la production était pratiquement montée. Michael savait que je désirais passer à la réalisation ; en fait, plusieurs années auparavant, j'avais été sélectionné pour réaliser *Family Album*, pour HBO, mais les producteurs et moi n'avions pu nous mettre d'accord sur le casting. Je m'étais incliné et j'étais parti. Le film ne s'était pas fait. Et voilà que, bien que poussé vers la porte, il me parlait de *Gloaming* comme du projet idéal pour mes débuts de réalisateur !

Colin Callender, le directeur de production des films HBO pour la côte Est, Keri Putnam, son adjoint, le producteur Fred Zollo et Will Scheffer, qui avait adapté le scénario d'après une nouvelle publiée dans le *New Yorker*, vinrent me voir à la maison, à Bedford, un après-midi de début mai. Je pense qu'ils éprouvaient le besoin de se rassurer ; je doute qu'aucun d'entre eux ait jamais pensé embaucher un réalisateur débutant, sous ventilation assistée et tétraplégique ! Mais j'avais ma petite idée : après avoir lu le scénario, l'idée générale me plaisait, cependant tout n'était pas parfait.

Ils étaient à peine installés dans le salon que j'ouvrais la réunion. Je leur ai d'abord exprimé ma reconnaissance pour l'intérêt qu'ils me portaient puis ma certitude que le projet était fait sur mesure pour moi, autant par le contenu émotionnel de l'histoire qu'en termes de production. (L'expérience des auditions m'avait appris qu'il était toujours payant de prendre des responsabilités.) Aussitôt après, j'ai enchaîné, en prenant le risque majeur de perdre le contrat, sur le fait que le scénario avait besoin d'un bon remaniement : le personnage du père manquait d'envergure, la relation entre la mère et son fils frisait le romantique de manière déplacée et on ne comptait plus les clichés sur le monde gay. J'avais une chance sur deux qu'ils se retirent poliment : j'ai appris plus tard qu'au contraire mon attitude sans complexe leur avait donné confiance. Will Scheffer proposa sa collaboration immédiate. Après le départ des directeurs, nous avons rapidement déjeuné, ouvert le scénario à la première page et commencé la réécriture. Je lui étais très reconnaissant de l'attention qu'il portait à mes propositions. Souvent les auteurs sont jaloux de leur travail, surtout lorsqu'ils sont convaincus qu'il est remarquable.

In the Gloaming est l'histoire de Danny, un jeune homme atteint du sida, qui revient mourir chez lui. Son retour a de profondes répercussions sur la famille, notamment sur sa mère. Après une longue séparation, une nouvelle relation s'établit entre eux. Cela se passe plus mal avec son père et sa jeune sœur qui, eux, n'ont jamais vraiment accepté son homosexualité. Pendant les quatre derniers mois de sa vie,

Danny offre à sa famille désunie une occasion de cicatriser ses blessures et de se réconcilier.

Le travail le plus urgent était de repenser le personnage de Danny : dans le scénario original, il apparaissait trop sarcastique, amer et critique envers sa famille. Il me semblait qu'une attitude digne et calme le rendrait plus sympathique. Je me sentais peut-être une forte complicité avec Danny à cause de ma propre situation. Après avoir frôlé la mort deux fois, je n'éprouvais plus de ressentiment envers aucun de mes proches, y compris ceux avec qui j'avais eu des relations difficiles. Je n'attendais plus qu'on me rende « justice » et je ne cherchais plus vengeance. Ces problèmes de famille qui, pendant des années, m'avaient perturbé, me paraissaient aujourd'hui moins graves.

J'ai alors suggéré à Will que, lorsque Danny amène sa mère à se confier, à lui raconter sa vie dans une série de conversations au crépuscule, son attitude devrait être plus compréhensive que critique. Notre collaboration était très enrichissante. Will semblait sincèrement touché de ce que je venais de vivre au cours de l'année précédente. Nous avons passé les deux dernières semaines de mai à travailler ensemble à Williamstown. Au 1er juin, nous avions un scénario dont nous étions tous deux fiers et que nous pouvions défendre.

J'ai consacré le reste de l'été au petit jeu de la guerre des castings. Mes priorités étaient, dans l'ordre, de trouver des acteurs de premier plan, et de former une famille vraisemblable. Les producteurs, HBO, comprenaient ; ils préféraient cependant engager des acteurs certes de renom mais qu'on ne voyait pas ou peu à la télévision. Dès que nous avons commencé à lancer des noms, je me suis dit : pourvu que ça ne se passe pas comme pour *Family Album* ! Pour leur premier film, la plupart des réalisateurs sont tellement anxieux d'arriver au bout qu'ils cèdent sur le casting. Pour ma part, je ne voulais pas démarrer en faisant de trop lourds compromis.

Chaque fois que HBO et moi nous retrouvions dans une impasse, j'ai proposé de me retirer du projet. Finalement nous sommes tombés d'accord que personne mieux que Glenn Close ne pouvait jouer la mère. Je l'ai contactée sur un tournage en Australie et, vingt-quatre heures plus tard, elle avait lu le scénario et accepté le rôle. J'étais très excité. C'est alors qu'on me demanda de contacter Gene Hackman pour le rôle du père. Sans vouloir nier son immense talent (ni l'amitié qui nous liait depuis le tournage de *Superman I*), je ne pouvais, une seule seconde, imaginer Gene et Glenn mari et femme. J'essayais de convaincre HBO que Janet et Martin devaient avoir le même âge, faute de quoi l'histoire perdait toute logique, et leur réconciliation finale, tout sens.

La bataille des noms dura encore à peu près trois mois, plus de temps qu'il n'en faut pour faire le casting de la plupart des films à gros budget. Une fois acquis le choix de Glenn, ce furent des discussions sans fin à propos de chaque rôle, excepté celui qu'interprétait Whoopi Goldberg. Je l'ai appelée sur le plateau de *Ghosts of Mississippi* pour lui expliquer son rôle et m'assurer qu'elle avait bien compris qu'il s'agissait juste d'une apparition. Elle ne posa qu'une seule question : « Est-ce que je suis une bonne ? » Je lui répondis : « Non, une infirmière ! » Je lui proposai de lui envoyer immédiatement un exemplaire du scénario pour qu'elle puisse le lire mais elle me répondit que ça n'était pas la peine et donna son accord sur-le-champ.

Fin août, j'étais épuisé mais nous avions un casting d'enfer. J'avais obtenu gain de cause pour chaque rôle. J'étais reconnaissant que des acteurs de la taille de Glenn Close, Robert Sean, Bridget Fonda, David Strathairn et Whoopi Goldberg aient accepté de me faire confiance ; j'étais très content d'avoir pu leur envoyer un scénario au point et pas un simple brouillon.

L'équipe technique se mit en place beaucoup plus facilement que le casting, sous le contrôle de l'efficace Nellie Nugiel, qui s'occupait de la logistique quotidienne. J'ai embauché mon cousin Nick Childs comme assistant, ce qui ne manqua pas de susciter des réflexions, jusqu'à ce que les directeurs de production s'aperçoivent qu'il était largement qualifié pour cet emploi : ils lui proposèrent d'ailleurs plus tard un poste de responsable de post-production. Fred Helmes, un directeur de la photographie aux multiples talents, et qui avait travaillé à plusieurs reprises avec David Lynch, adora le scénario et rejoignit rapidement l'équipe. La fille de Glenn, Annie, et mon fils Will furent choisis pour jouer les rôles de Bridget et Robert jeunes, dans la séquence de début du générique – inoffensive trace de népotisme. Nous avons trouvé un lieu de tournage idéal, une maison de Pound Ridge, à dix minutes de chez moi. Andy Jackness et son équipe en firent une parfaite décoration. Vers la fin septembre, tout était en place.

Nous avons commencé par une lecture du scénario, tous ensemble, autour d'une table dans les bureaux de la production, à Bedford Hill. La nuit précédente, je n'arrivais pas à trouver le sommeil et j'avais repensé aux moments de ma vie où je m'étais retrouvé au poste de commande : je me revoyais, adolescent, hurlant sur mon équipage pendant les régates de Blue Jay, je ressentais encore la honte du prix du meilleur marin/meilleur sportif fair-play, je me rappelais quelques réalisateurs qui m'avaient bloqué par leur incapacité à communiquer. Je repensais au talent de James Ivory à être « dans le moment ». J'avais appris combien il est important de savoir diriger mais aussi de savoir s'effacer.

Aujourd'hui, c'était mon tour. J'ai installé mon fauteuil roulant au bout de la table et tous les regards se sont tournés vers moi. Nous y étions. Nous avions réuni une équipe d'artistes exceptionnels de chaque côté de la caméra et j'attendais avec impatience les contributions qu'ils allaient apporter au film. Nous avons ouvert le scénario à la première page et commencé la lecture.

La veille du tournage, Glenn offrit une soirée pour toute l'équipe où, dans un discours très émouvant, elle dit qu'elle était très heureuse de participer à ce nouvel épisode de mon aventure. Je me sentais chaleureusement soutenu par toutes les personnes présentes. Ce soir-là, j'ai dormi d'un sommeil profond, au lieu de contempler le plafond en me demandant dans quoi je m'étais embarqué.

Le lendemain matin, Nick me conduisit en camionnette sur le tournage, avec quinze bonnes minutes d'avance. J'avais décidé d'arriver tous les matins en avance de telle sorte que personne ne se fasse de souci pour moi. Neil Stutzer, qui était chargé de faciliter mes déplacements, avait conçu une rampe de plus de dix mètres de long qui montait du trottoir jusqu'à la porte d'entrée de la maison. C'était par là que j'accédais au plateau. Mais il fallait la faire disparaître, la démonter lorsque nous tournions des extérieurs, puis la remonter pour que je puisse quitter le plateau, en fin de journée. Une fois que j'étais à l'intérieur, je m'installais devant un moniteur ; la script, mon infirmière, Nick, les chargés de production et des gens de HBO, me rejoignaient alors dans ce qui devint bientôt pour tous le Village Vidéo.

Chaque journée de travail commençait par la lecture de la scène suivante, aussitôt après le maquillage et l'habillage des acteurs. Les éclairagistes étaient prêts car nous vérifiions la position des acteurs dès la veille au soir avant de partir. Pendant la pré-production, en septembre, j'avais parcouru toutes les pièces de la maison avec l'équipe des décorateurs ; je connaissais l'emplacement de chaque meuble et les mouvements de caméra qu'ils permettaient. Tout cela impliquait des ascenseurs, des rampes et, éventuellement, qu'on me transfère sur une sorte de strapontin de 43 cm de large pour que je puisse passer dans les couloirs étroits. On m'y amarrait, les bras croisés, les genoux joints, la tête retenue par des bandes de Velcro sur l'appui-tête, pour que je n'aille pas cogner contre les murs en cas de spasme. Je plaisantais souvent sur ma ressemblance avec Gary Gilmore et je suggérais qu'on m'accroche un gros cœur rouge sur la poitrine en forme de cible. Une fois sanglé, je lançais le fameux : « Allons-y ! » Sur ce, les accessoiristes m'emportaient au premier, ou ailleurs.

Au moment de tourner, je m'installais dans ma chaise devant le moniteur ; je devenais le maire de Village Vidéo. Fred Helmes utilisait un viseur qui transmettait directement sur mon écran, à partir de n'importe quel endroit dans la maison ou de la propriété. Nous utilisions un système de micros et de haut-parleurs de façon à pouvoir discuter des angles de prise de vue et du choix des objectifs aussi facilement que si j'avais été à côté de lui, sur le plateau. Cette technologie est aussi utilisée par des réalisateurs valides. On sait que Francis Ford Coppola dirige ses acteurs à partir d'un bus et j'ai même entendu dire que Steven Spielberg a réalisé une partie du *Monde Perdu*, la suite de *Jurassic Park*, depuis sa maison de Long Island, en liaison satellite avec le plateau à Los Angeles. Pour ma part, je ne m'en suis servi que parce que j'y étais obligé ; les jours de tournage, nous aurions perdu beaucoup trop de temps à me monter à l'étage et à trouver un endroit où me mettre. De plus le bruit du respirateur aurait perturbé les acteurs et compromis la qualité de la bande-son.

Le travail sur le plateau fut très serein et rarement interrompu. Je crois que le fait que je sois dans un fauteuil roulant a aidé chacun à rester concentré. Un jour, Glenn est arrivée sur le plateau, souffrant d'une pneumonie. Elle aurait dû rester alitée, mais comme d'habitude, elle joua superbement, profitant de chaque changement de scène pour se faire une petite perfusion d'antibiotiques. Je me rappelle les propos de Robert Leonard : « Tu n'entendras pas grand monde se plaindre : "Je suis fatigué…" Ah oui ? T'as vu le type dans le fauteuil ?" Tout est relatif. »

J'aimais beaucoup les scènes d'extérieur parce que je pouvais descendre sur le plateau, être proche des acteurs. L'une de mes scènes préférées est celle où Glenn, jeune mère, joue à chat perché dans le jardin avec ses deux enfants. Nous avons utilisé ces images pour le générique de début du film ; on comprenait d'emblée la préférence de la mère pour son fils et la jalousie de la fille. J'ai proposé à Glenn de répéter avec Annie et Will, tout en demandant à Fred de mettre discrètement en marche la caméra, dès que je lui en donnerais le signal. Will se mit en place, les mains sur les genoux et attendit. Je lui ai crié de commencer la scène, mais il me répondit : « Pourquoi tu ne dis pas "Action" ? » Glenn et l'équipe essayèrent de ne pas éclater de rire mais c'était sans espoir. Will, du haut de ses quatre ans, avait appris que "Action" signifie le début et "Cut" la fin de la prise. Il entendait être dirigé comme il se doit. Ma crainte qu'il se sente gêné devant la caméra était manifestement sans fondement. Il ralentit même dans sa course au bon moment pour que Glenn puisse l'attraper et le serrer dans ses bras. Il me confia d'ailleurs plus tard qu'il aurait pu facilement la distancer mais que ça n'était pas dans le scénario.

L'un de mes problèmes était que je ne voulais pas que le père, joué par David Strathairn, apparaisse comme un personnage caricatural – sombre, sévère et grandiloquent. Il fallait aussi que je parvienne à convaincre Robert Leonard que ne pas s'agiter n'est pas forcément ennuyeux ; au contraire, cela rend le personnage plus mystérieux : la curiosité du spectateur est piquée et il veut en savoir plus sur ce qu'il pense. J'ai demandé à David de chercher des occasions d'être avec son fils, plutôt que de l'éviter. Lorsqu'il vient voir Danny dans sa chambre de malade et lui apporte les trophées de tennis qu'il a gagnés au lycée, il faudrait qu'il ait l'air d'espérer qu'on va le retenir. Il en ressort une gaucherie, à mon avis très vraisemblable et même douloureuse à regarder. De même, lorsque Robert résistait à la tentation de provoquer ses parents ou de les critiquer trop méchamment, j'ai assisté à l'émergence d'un jeune homme courageux et digne.

Très souvent les acteurs venaient me rendre visite à Village Vidéo pour discuter un point particulier ou faire des propositions. Un après-midi, nous tournions l'une des scènes les plus importantes du film, celle où Glenn entre dans la chambre du malade pour la première fois. Conseillée par Whoopi, elle apprend à dépasser sa peur, à toucher son fils et à s'occuper de lui. Quand nous avons fait le plan large, j'ai ressenti une légère appréhension ; Whoopi était manifestement mal à l'aise et éprouvait quelque difficulté à connecter le cathéter et brancher la transfusion. Or elle n'était libre que deux jours. Nous avions déjà tourné les scènes faciles, mais celle-ci était absolument capitale et il ne nous restait que quatre heures pour la mettre en boîte. Après deux ou trois prises, elle tira une chaise à mes côtés pour discuter. Je lui ai demandé si les conseils de mon infirmière, Tracy DeLuca, qui avait soigné beaucoup de malades du sida, pouvaient l'aider. Certains acteurs auraient reçu cette proposition comme une insulte, mais pas Whoopi. Elle prit aussitôt l'infirmière par la main et l'emmena à l'écart.

Un quart d'heure plus tard, Tracy réapparaissait et levait le pouce en signe de victoire. Whoopi installa sa chaise au chevet de Danny et annonça qu'elle était prête à tourner. J'ai alors décidé de ne pas refaire le plan large et de passer directement au plan rapproché. Comme d'habitude, Fred était prêt. Je dis : « Moteur », puis « Action » sans avoir la moindre idée de ce qui allait suivre. Cette prise fut parfaite, Whoopi était maintenant tout à fait convaincante. Non seulement elle avait dominé les gestes techniques, mais elle avait trouvé le ton juste pour s'adresser à un parent affligé.

Je fis une autre prise, juste par sécurité, et continuai ma journée, sûr d'avoir capté l'un des meilleurs moments du film.

Vers la fin octobre, nous avions la plupart des images en boîte et nous avons organisé une somptueuse fête à Mount Kisco, au Luna, un restaurant qui appartenait à mon amie et consœur membre active de TCC, Susan Liederman. Le lendemain, j'ai commencé le montage dans notre petit bureau, à côté de la gare de Bedford Hills. David Ray, qui comptait à son prestigieux actif le montage de *A Bronx Tale* de Robert De Niro et *Billy Bathgate* de Robert Benton, avait déjà assemblé un premier fil conducteur. Pas mal de réalisateurs, de Mike Nichols à Jonathan Demme ou Richard Donner, m'avaient prévenu que la première fois qu'on voit le film bout à bout, on en ressort aussi déprimé que perplexe. Je dois avouer que j'ai ressenti l'inverse. Certes, certaines scènes semblaient hachées, et il y avait encore du travail à faire sur le rythme et le découpage. mais plus le film se déroulait et plus j'étais ému et reconnaissant des prouesses, de talent et de générosité, aussi bien des acteurs que des techniciens.

David et moi avons passé les six semaines suivantes à revoir chaque prise, bougeant les scènes comme les pièces d'un puzzle, et mettant l'accent sur tel ou tel personnage selon les moments forts. L'ordinateur Avid que nous utilisions nous permettait de faire immédiatement des changements : rien à voir avec la salle de montage de Stuart Baird pour *Superman*, encombrée de bandes de film pendues un peu partout, en attente d'être scotchées bout à bout. Vers la mi-novembre, nous étions prêts à montrer le film à HBO. Nous avions nettoyé la bande-son et provisoirement ajouté quelques morceaux empruntés à un film irlandais peu connu, que nous avions découvert après audition d'une bonne centaine de partitions.

Les réactions furent mitigées. Quand la lumière se ralluma, Fred Zollo déclara le film prêt pour une distribution immédiate ; Bonnie Timmerman, coproductrice et directrice de casting, pleura tellement qu'elle dut quitter la salle. J'étais content que le film ait « tenu » – personne ne s'était tortillé d'impatience sur son siège ou n'était sorti téléphoner (ce qui arrive souvent dans ces projections pour professionnels). Colin Callender fut poli, mais s'éclipsa rapidement pour New York. Le lendemain, il m'envoya un courrier qui qualifiait notre travail de premier jet prometteur, accompagné d'une dizaine de pages de notes et de remarques. Je n'étais pas d'accord avec la plupart d'entre elles. Stratégiquement, j'ai quand même préféré demander à David de faire les changements suggérés pour voir s'ils amélioraient le film, plutôt que de justifier mes choix, point par point. Entre-temps, Colin embaucha une monteuse conseil, Kathy Wenning : ils avaient travaillé ensemble et avec succès sur de nombreux projets et il lui faisait une confiance absolue. Elle avait aussi monté plusieurs films pour Merchant-Ivory, dont *Les Bostoniens* et *Howards End*. J'étais donc heureux du choix de Colin. Après tout, peut-être avais-je raté le film ou, du moins, n'avais-je pas su en tirer le maximum. Le regard neuf d'une personne si sensible et si expérimentée ne pourrait qu'enrichir le film.

Kathy commença par regarder la version de Colin, puis la mienne. Je m'attendais à ce qu'elle se range du côté de Colin, persuadé qu'elle avait été embauchée pour le soutenir, mais elle proposa qu'on utilise mon montage comme fil conducteur de la version définitive. J'en fus profondément touché et rassuré ; après tout, notre travail, à David et moi, suivait scrupuleusement un scénario, qui avait été apprécié par tous ceux qui avaient travaillé au projet.

Au départ, Kathy avait été embauchée pour deux semaines. Elle avait prévenu qu'elle ne pourrait pas rester plus longtemps car elle avait entrepris des études d'architecture. Mais dès que nous nous sommes retrouvés, David, elle et moi serrés autour de l'écran de l'ordinateur, que nous avons commencé à travailler, elle n'a plus pu s'en arracher. J'ai été très sensible à la bonne volonté de David devant les suggestions de Kathy. Je me disais que j'avais beaucoup de chance de pouvoir profiter de leur talent à tous les deux.

J'ai terriblement peiné sur la scène de la mort de Danny : fallait-il rester sur un magnifique gros plan de Glenn, au moment où elle réalise que, peut-être, son mari l'aime encore, ou revenir sur Danny à son dernier souffle ? Nous en avons discuté sans fin, nous avons essayé les deux versions, nous avons même abandonné ce débat pendant une semaine pour mieux y revenir, nous avons ajouté différentes musiques de fond ; nous n'en finissions pas de chercher l'image juste. Mais cette collaboration était très stimulante. Je me rappelais comment James Ivory intégrait les suggestions, laissait la liberté de parole à chacun selon son cœur, avant de prendre la décision finale. Je me souvins de l'une des maximes de Niko, que j'avais entendue il y avait des années lorsque j'étais stagiaire au festival de Williamstown : « Le théâtre est une démocratie dont le roi est le metteur en scène. »

Au bout de trois semaines de torture sur la scène de la mort, j'ai décidé de garder une brève image de Danny, dont la meilleure prise ne permettait pas de discerner s'il était en train de mourir ou de doucement s'endormir. L'ambiguïté servait parfaitement ce moment fort. Et puis rester jusqu'au bout sur Glenn aurait pu paraître servir la star plutôt que l'histoire.

Malheureusement, en janvier, je fis une phlébite à la jambe gauche et on dut m'hospitaliser pendant une semaine pour me mettre sous perfusion d'anticoagulants. Kathy et David transportèrent l'ordinateur à l'hôpital pour continuer le travail. Dès que je fus hors de danger, je retournai au montage ; mais en février, on me découvrit un autre caillot dans la même jambe et je dus retourner au Northern Westchester Hospital (ma deuxième maison), pendant encore cinq jours.

Le film devait sortir le 20 avril. Toutes les querelles de montage étaient maintenant oubliées. Dave Grusin avait apporté la touche finale en composant une partition simple mais éloquente. J'étais vraiment soulagé de savoir chacun content du résultat.

Les producteurs de HBO (et en particulier Colin Callender) apportèrent leur soutien inconditionnel au film. Ils prévoyaient de faire, un lundi soir, quelques semaines avant la soirée télé, une projection au Musée d'art moderne, suivie d'une grande réception. Dana et moi attendions cette soirée avec impatience.

Hélas, le samedi après-midi, en me transférant de mon vélo d'exercice à mon fauteuil, l'infirmière et l'aide-soignant eurent un problème au moment de me poser. Au lieu de retomber doucement au centre du siège, je heurtai l'accoudoir, balançai dangereusement quelques instants puis passai par-dessus et tombai sur le sol. Dana les aida à me relever et à me remettre sur le fauteuil, mais je sentais que quelque chose n'allait pas dans mon bras gauche : il semblait plus flasque et beaucoup trop souple.

Le lendemain nous sommes retournés à Northern Westchester pour faire une radiographie, qui révéla une fracture de l'humérus, l'os situé entre l'épaule et le coude. Les chirurgiens décidèrent de maintenir ensemble les deux morceaux de l'os en les fixant à l'épaule par une tige en titane.

Cependant j'étais toujours sous anticoagulants ; je risquais donc de perdre une grande quantité de sang pendant l'intervention. Toute la journée du dimanche, je suis resté branché à une perfusion destinée à inverser l'effet anticoagulant. Finalement, à 20 heures, j'étais prêt. On appela le chirurgien chez lui, au milieu du dîner. On me laissa dans mon fauteuil mais on me couvrit d'un drap de plastique de façon à ce que je n'aie pas l'air d'une victime dans un film à hémoglobine.

D'abord, l'anesthésiste essaya 10 mg de Versed, un sédatif : cette dose est habituellement suffisante pour calmer et détendre la plupart des gens. Moi, je continuais à bavarder, j'essayais de regarder, inquiet, à travers le plastique, le Dr Lewin qui rassemblait marteau, ciseaux et perceuse. On augmenta la dose de Versed jusqu'à 22 mg (probablement assez pour endormir un gorille d'un quintal et demi !), mais je ne montrais toujours aucun signe d'assoupissement. Tracy suggéra qu'on sorte « la bonne came », c'est-à-dire le Diprovan. Cinq minutes plus tard, j'étais KO, ce qui n'était pas plus mal, vu que j'en savais déjà assez sur la suite. Je me réjouis de ne pas avoir eu à assister à l'opération en direct.

D'abord le Dr Lewin perça l'épaule et le haut de l'humérus, faisant gicler du sang sur le sol, sur lui-même et toute l'équipe d'infirmières. Une fois qu'il eut accédé à l'os, il y fit entrer la tige en titane, à l'aide du marteau et des ciseaux que je l'avais vu préparer. En moins de quarante-cinq minutes, tout était fini. Et je me reposais dans la salle de réveil. L'opération s'était déroulée sans problème et la radio montra que l'os avait été parfaitement réajusté. Je pouvais rentrer à la maison.

Le lendemain matin, je fis remarquer à Tracy que j'étais plus fatigué que d'habitude. Elle avoua qu'elle n'était pas surprise car j'avais perdu presque deux litres de sang, à peu près le tiers de la quantité que nous avons dans le corps. Elle me conseilla de rester tranquillement au lit jusqu'à l'heure de me préparer pour le gala du soir. Pour une fois, j'étais trop heureux de lui obéir, car j'ai habituellement horreur de rester enfermé par une belle journée. Vers 16 h 30, Tracy et l'un des aides me levèrent et m'habillèrent. Je ne me sentais pas encore tout à fait remis mais j'étais très impatient d'aller retrouver toute l'équipe, plus les amis, les proches et les relations que, pour certains, je n'avais pas revus depuis des années.

Les gens avaient répondu si nombreux à l'invitation que le film a dû être projeté dans deux salles en même temps. Colin Callender et Fred Zollo en firent chacun une présentation très gentille. J'ai particulièrement apprécié celle de Fred, qui dit que je m'étais montré aussi « pénible et têtu que n'importe quel autre réalisateur » mais qu'il était prêt à refaire un deuxième film avec moi. Dana, Alexandra, Ben et ma mère, assis sur le même rang à côté de moi, me lancèrent des regards d'encouragement quand le film apparut à l'écran. Je craignais qu'ayant été réalisé pour la télévision, le film ne rende rien sur un écran de cinéma. Ce ne fut pas le cas. L'image, de Fred Helmes, était encore plus belle que sur la copie informatique, et je découvrais des détails dans le jeu des acteurs.

À la fin du film, la caméra s'éloigne de la maison pendant que Dana chante la chanson-titre. Le générique de fin démarre au deuxième couplet, sur une image du banc, maintenant vide, où la mère et son fils avaient eu certaines de leurs conversations les plus intimes. Je fus heureusement surpris que personne ne bouge ou ne parle, même lorsque le générique continuait de défiler sur un fond noir, pendant presque deux minutes. Quand la salle se ralluma, le public se tourna vers moi et les comédiens, et se leva pour nous applaudir. Un tel hommage à peine deux ans après m'être retrouvé dans un lit d'hôpital, ignorant si je pourrais retravailler un jour, me bouleversait.

Lors de la réception qui suivit, un flux constant de gens s'arrêtait à notre table, m'assurant de leur soutien, y compris quelques réalisateurs très affables. Calvin Klein s'approcha de notre table et au moment où il allait me parler, son regard tomba sur Alexandra, assise à ma gauche, absolument éblouissante dans une robe achetée pour l'occasion. Je les ai présentés l'un à l'autre : on pouvait presque voir les dollars tournoyer dans son regard. Peggy Siegel, l'agent qui avait organisé la fête, dut quasiment l'éloigner. Sur le chemin du retour, Alexandra et moi en fîmes des plaisanteries. Je lui demandai si elle avait envie d'être mannequin, un sujet que nous avions déjà abordé ; je fus soulagé d'entendre qu'elle n'était toujours pas intéressée. Quelle chance d'être le père d'une jeune fille si belle et si peu gâtée !

In the Gloaming sortit le 20 avril. Il ne fit pas une très bonne audience mais la presse fut formidable.

Il m'est arrivé en tant qu'acteur de sentir que j'avais fait de mauvais choix, ou que je n'avais pas su tirer le maximum d'un rôle ; parfois, j'ai même espéré avoir une seconde chance pour revenir sur mes erreurs. Mais, pour ma première réalisation, je n'ai pas eu ce genre de regrets : tout au long du film, je m'étais régalé à prendre des douzaines de décisions par jour, en faisant confiance à mon seul instinct. J'ai vraiment aimé diriger les acteurs et les techniciens et je n'ai jamais rechigné aux modifications ou à suivre une meilleure idée. Mon expérience avec James Ivory m'avait profité. J'ai même trouvé un moyen de rendre hommage à l'une de mes scènes préférées des *Bostoniens* : chaque jour, Glenn arrivait sur le plateau son petit chien, Gaby, sur les talons. En le voyant, j'ai décidé de lui donner un rôle dans le film.

Lorsque j'avais annoncé à Richard Donner que j'allais réaliser un film, il m'avait immédiatement répondu : « Et alors, où est la nouveauté ? » Bien sûr, il se rappelait que, pendant l'interminable tournage de *Superman*, je l'avais bombardé de questions sur les objectifs, les angles de prise et l'éclairage. Quand j'avais du temps à perdre, je parcourais dans ma voiturette de golf les sites du tournage – les unités de vol, de maquette, d'effets spéciaux et en particulier, la salle de montage – embêtant tout le monde pour apprendre le plus possible des spécialistes qui travaillaient pour nous. Ce fut comme aller dans une école de cinéma, pendant un an et demi. Bien que je ne m'en sois pas rendu compte à l'époque, je me préparais à la réalisation.

In the Gloaming marquait une transition dans ma carrière. Tant de gens qui subissent des blessures comme la mienne se voient contraints d'abandonner leurs passions ! Des musiciens, des peintres ou des charpentiers ne pourront peut-être plus jamais retourner sur leur terrain d'élection... Pour ma part, j'avais la chance de trouver un nouveau débouché, créatif, dans le droit fil de ce qui m'avait toujours passionné depuis l'adolescence.

Le succès qui vint couronner cette nouvelle aventure ne fut que la « cerise sur le gâteau » : nous avons été nominés pour cinq Emmy et avons remporté quatre prix du Cable ACE, dont celui de la meilleure dramatique.

Bien que toujours dans mon fauteuil roulant, j'avais fait un grand pas en avant.

Chapitre 11

La porte de notre chambre coulisse et Will entre. Il fait suffisamment jour pour qu'on distingue les arbres au-dessus du Velux. Il sait que je ne peux pas parler car on a gonflé ma trachéotomie pour la nuit, empêchant l'air de parvenir à mes cordes vocales. Il me fait un signe de la main et je lui réponds par un bruit de cliquetis. Il saute sur le lit de Dana en lui disant qu'il est l'heure de se réveiller et d'aller jouer au hockey. Ils sortent tous les deux de la chambre et bientôt j'entends les commentaires de Will sur la partie à deux que Dana et lui jouent en bas dans le salon, avec des crosses en plastique et une capsule de bouteille comme palet. Il est 6 heures, trop tard pour se rendormir. Parfois, j'essaie de somnoler mais la plupart du temps, je regarde les arbres prendre forme au-dessus de moi et je prépare ma journée.

Will continue à jouer tout seul au hockey pendant que Dana lui prépare son petit déjeuner et le déjeuner qu'il emporte à l'école. À 8 heures, l'infirmière et l'aide-soignant du matin arrivent. L'infirmière me donne mes vingt pilules que j'avale d'un coup avec du jus d'airelles : vitamines, médicaments pour m'aider à contrôler les spasmes, à empêcher ma vessie de s'atrophier et maintenir un fonctionnement intestinal. Je m'octroie une tasse de café que je bois avec une paille. Puis commence la douloureuse tâche de bouger mon corps de la position dans laquelle il a été toute la nuit.

J'ai les articulations et les muscles figés et je peux à peine tourner la tête tellement j'ai le cou raide. En général, j'ai des picotements, des sensations de brûlure dans les deux jambes et mal derrière le genou gauche là où j'ai eu des phlébites. Je dors avec des attelles sur les deux pieds pour les empêcher de s'affaisser ; si on ne maintient pas souples les tendons et les ligaments et qu'on les laisse s'atrophier, je ne pourrai jamais me tenir debout ou marcher. J'ai aussi des attelles sur les bras qui me maintiennent les doigts dans une position naturelle. Sinon, ils se contracteraient et mes poings se fermeraient sans pouvoir se rouvrir un jour.

Lorsque je suis débarrassé de tout ce matériel, on me roule sur le dos, mais mon corps se rebelle quelle que soit la douceur avec laquelle on me manipule. Mes bras et mes jambes s'agitent dans tous les sens, ma poitrine se contracte, j'ai du mal à respirer. L'infirmière branche l'oxygène qui est toujours à côté de mon lit. Parce que j'ai des muscles encore forts, il faut parfois les poids conjugués de l'infirmière et de l'aide pour contrôler les spasmes et contraindre mon corps à ne plus bouger.

Will entre, sa *lunch box* à la main, portant mon sac à dos violet, qui est maintenant devenu le sien. Il grimpe par-dessus la barrière du lit et vient m'embrasser. Je lui dis ce que je pense faire dans la journée ; quand j'aurai fini mon travail, en fin d'après-midi, je le regarderai jouer au basket dans l'allée devant la maison ; ou bien après le dîner, nous regarderons ensemble un match de hockey à la télévision ; ou bien encore, je ne rentrerai que tard dans la nuit, après qu'il se soit mis au lit, car je prends l'avion pour aller faire une conférence dans une autre ville ou assister à une soirée pour recueillir des fonds. Si la ville où je vais possède une équipe sportive professionnelle, je lui rapporte toujours un sweater, un palet ou un casque au nom de l'équipe. Lorsque je suis au loin, ces moments de tendresse que nous passons ensemble le matin, nos petites conversations sur le sport, les baleines ou le système solaire me manquent terriblement. Pour ne plus y penser, je demande à la personne qui s'occupe de moi d'allumer la radio.

Puis nous commençons à étirer très doucement les quatre membres. L'infirmière maintient allongée une jambe, pendant que l'aide déplie l'autre, d'abord à 90° sur le côté, puis en me poussant le genou vers la poitrine, puis levée à la verticale et enfin en faisant la grenouille : en poussant le genou plié d'un côté et de l'autre. Pendant tout ce temps, l'infirmière m'examine soigneusement le corps à la recherche de petites plaques rouges qui pourraient être le premier signe d'une nécrose cutanée, d'une escarre. Les rougeurs sont presque toujours causées par une pression ou une irritation : le frottement du talon d'une chaussure ou celui du fauteuil roulant sur le genou. Si ces irritations ne sont pas tout de suite soignées correctement, des ulcérations graves, comme celle que j'avais eue dans la région du sacrum, peuvent apparaître très rapidement.

En juin 1997, on me découvrit une rougeur à l'extérieur de la cheville gauche, probablement due au frottement d'une chaussure. Un dermatologue et le Dr O'Hanlon, mon pédicure, spécialiste en soins traumatologiques, vinrent m'examiner mais ne purent tomber d'accord sur un traitement. Vers la mi-juillet, la rougeur s'était transformée en une plaie de la taille d'une pièce de deux francs, de plus d'un centimètre de profondeur. Puis elle s'infecta. Quand l'infection attaqua l'os, on envisagea l'amputation pour éviter sa propagation à tout le corps. Nous étions alors à Williamstown, tout près de l'Albany Medical Center où Scott Henson était devenu patron du service de neurochirurgie. Je lui ai téléphoné pour lui demander de m'aider.

Deux jours plus tard, je montrais ma cheville à un chirurgien orthopédiste, à un médecin rééducateur, à un spécialiste des plaies et à un chirurgien vasculaire, à qui le Dr Henson avait demandé de venir comme un service personnel. Je le regardais couper les tissus morts, une opération qu'on appelle le débridement, manipuler délicatement le bistouri et prudemment couper dans la peau. Et je me disais : « Cet homme, l'un des meilleurs neurochirurgiens du pays, qui a assisté le Dr Jane dans une opération sans précédent sur mes vertèbres cassées, est en train de m'opérer la cheville lui-même ! »

On me fit passer à des doses de cheval d'antibiotiques puissants que les infirmières pouvaient m'administrer à la maison. J'étais contraint de rester assis sur la terrasse à Williamstown, condamné au piquet pendant que Dana, Will, Matthew, Alexandra et plein d'amis jouaient au foot ou au volley sur la pelouse devant la maison. Mais le traitement fit ses effets : il y eut des hauts et des bas, y compris des réactions allergiques aux médicaments, mais à la mi-août, il n'y avait plus d'infection dans l'os et la plaie commençait à diminuer. Je mangeais une nourriture adaptée, je vivais la jambe surélevée, je portais des bas de contention pour empêcher le gonflement et en décembre ma cheville était presque complètement cicatrisée.

Le dérouillage du matin dure en général une heure. Si nous avons un emploi du temps serré, comme souvent lorsque je tournais *In the Gloaming*, nous pouvons le faire en moitié moins de temps. Mais cela signifie que je risque plus de spasmes pendant la journée. Après, on me fait une toilette de la tête aux pieds. On change les pansements autour de la trachéotomie, ceux de la cheville et à l'endroit du cathéter au-dessus du pubis. Ce type de cathéter est inséré chirurgicalement dans la vessie et crée un drainage permanent, il me permet aussi de boire autant que je le désire, ce qui est essentiel pour les reins.

À ce moment-là, cela fait déjà à peu près une heure et demie qu'on s'occupe de moi et je suis prêt à être habillé. Parce que je dois être habillé lorsque je suis encore allongé, je déteste les jours qui s'achèvent par un gala. Ces soirées sont évidemment indispensables mais je dois avouer que j'aimerais qu'elles ne soient pas aussi nombreuses. Les aides-soignants n'étant disponibles que le matin et la nuit, lorsque je dois assister à une soirée, on m'habille à 9 heures du matin. Parfois, je me rebiffe et porte des vêtements plus confortables.

En arrivant à la soirée, je m'excuse abondamment pour ma tenue, arguant que j'ai mal compris le code vestimentaire.

Même les jours où je reste à la maison, m'habiller prend du temps. J'ai surtout du mal à admettre que je ne peux pas le faire tout seul. À quarante-cinq ans, que deux personnes vous tournent et vous retournent pour vous enfiler votre caleçon est une dure leçon de patience et d'humilité. Je choisis mes vêtements mais il y a une chose avec laquelle je ne peux pas négocier : je porte toujours ces fameux bas de contention détestés, car ils améliorent la circulation sanguine dans les jambes. Finalement, je suis prêt à être installé dans le fauteuil. La cérémonie du lever peut donc durer jusqu'à trois heures.

Certains jours, je dois rester au lit plus longtemps que d'habitude. Toutes les trois semaines, on change le tube de la trachéotomie : on retire l'ancien, on nettoie très soigneusement l'endroit et on pose un autre tube. Tracy faisait cela mieux que les médecins. Je n'oublierai jamais la première fois qu'on dut changer le tube, une semaine après mon retour à la maison. Deux pneumologues étaient venus tout exprès. Ils m'administrèrent une anesthésie légère, retirèrent le tube, enlevèrent des petits morceaux de tissu cicatriciel dans la gorge, et furent incapables de remettre le nouveau tube. Il y avait deux minutes que je n'étais plus ventilé ; j'avais les lèvres bleues et les yeux exorbités. Je ne pouvais pas respirer tout seul car l'air que j'inspirais par la bouche s'échappait par le trou béant de la trachéotomie au lieu d'aller dans mes poumons ! L'un des médecins se rua sur le téléphone pour appeler un othorino pendant que l'autre ne cessait de me demander : « Ça va ? » Tracy entra dans la pièce et d'une main experte introduisit le nouveau tube. Pendant qu'elle reconnectait le tuyau du respirateur, et que je me remettais à respirer, l'un des médecins lui reprocha de s'être mêlée de leur travail et d'avoir touché le tube sans gant. Matthew et Alexandra qui venaient juste d'arriver pour les vacances de

Noël regardaient la scène avec horreur : ils n'avaient jamais vu d'urgence auparavant. Les deux pneumologues plièrent bagage, emportant leur ego avec eux.

Ce n'était pas la première fois que Tracy prenait les choses en main et faisait la preuve de son talent. Quelques jours après mon arrivée à Bedford, le Dr Kirshblum lui demanda de me retirer la sonde de la poitrine. Cela demande une qualification spéciale que bien sûr Tracy possède. L'installation de cette sonde m'avait beaucoup traumatisé à l'hôpital de Virginie, mais elle était nécessaire pour m'administrer rapidement des médicaments ou du sang. On entre une sonde dans une veine du bras, on la fait remonter jusqu'à l'épaule puis redescendre dans une artère principale tout près du cœur. Le fait que ce soit un spécialiste qui pratique cette opération n'avait pas suffi pas à me rassurer.

Pendant que Tracy se préparait à me retirer la sonde, je lui fis une leçon sur le danger que comportait ce geste médical. Je lui expliquai que l'extrémité de la sonde était dans une artère importante, que si elle ne faisait pas extrêmement attention elle pourrait provoquer une hémorragie interne, lui suggérai que, tout bien réfléchi, je ferais mieux d'aller à l'hôpital… Au moment où je finissais ce petit discours assez condescendant, Tracy brandit la sonde. Elle avait mis environ une minute à l'enlever et je ne l'avais même pas remarqué.

Lorsque je n'ai pas un emploi du temps trop chargé, j'inclus toujours des exercices physiques **dans** ce rituel du matin. Nous tenons un tableau de mes activités quotidiennes de manière à ce que chaque groupe de muscles travaille autant. Au-delà des bienfaits physiques, l'exercice m'aide à me tourner vers l'avenir. Quelle que soit mon humeur, je me force toujours à faire quelque chose qui empêche mon état actuel de se détériorer. C'est comme pendant les premiers mois de 1977 : lorsque je m'entraînais pour *Superman*, j'avais dit à mon chauffeur de m'emmener à la salle de gymnastique même si je disais vouloir rentrer à la maison. Une fois là-bas, il ne me restait plus qu'à me changer, enfiler mes vêtements de sport et prendre les haltères.

Aujourd'hui que je dois lutter contre l'atrophie musculaire, la perte de densité osseuse, l'ostéoporose et tous les autres effets secondaires d'une lésion médullaire, j'utilise la même technique. Sauf que cette fois-ci, c'est moi le chauffeur. Il n'y a personne qui claque du fouet, rien qui ne m'empêche de traîner au lit. Je ne peux compter que sur l'autodiscipline et la foi, bien que cette foi soit plus scientifique que religieuse. La perspective réelle et proche de réparer une moelle épinière endommagée témoigne du dévouement, de la persévérance, de la compassion et du talent de quelques grands esprits. Le moins que je puisse faire est de me tenir à la hauteur de leur dévouement pendant qu'ils accomplissent l'impossible en laboratoire. Je crois qu'ils vont réussir, même si je sais qu'il n'y a aucune certitude.

Le rituel matinal du lever et de l'exercice se termine en général vers 11 heures. J'avale un petit déjeuner léger composé de céréales ou d'un toast avec du thé, occasionnellement d'une omelette pour maintenir mon taux de protéines. Parfois, je regrette le temps où je ne pouvais rien avaler car il m'est très difficile de rester mince. Je plaisante souvent avec Dana et les infirmières sur le poids que j'ai repris au cours du printemps de 1997. Je leur rappelle que sur les reportages tournés au moment où l'on me remettait l'étoile sur le boulevard de la Célébrité à Hollywood, je ressemble à Marlon Brando – et pas le Marlon Brando de *Streetcar* ou de *Sur les quais*.

Je me considère comme très chanceux car mon emploi du temps est extrêmement varié. De nombreux patients n'ont pas d'autre choix que de rester piégés dans la routine, ce qui bien sûr ne les aide pas à voir l'avenir avec optimisme. Moi, je voyage, je rencontre des scientifiques dans leurs laboratoires qui me racontent les progrès de la recherche avant même qu'ils ne soient publiés dans les revues spécialisées. Grâce à la générosité de groupes qui me demandent de venir donner des conférences, je suis allé partout dans notre pays, partageant mon expérience, essayant de faire prendre conscience des problèmes des handicapés. Il m'arrive souvent d'intervenir dans des centres de rééducation et de transmettre les informations que je possède à d'autres personnes atteintes comme moi de lésions médullaires Enfin, j'ai eu la chance de pouvoir réaliser un film : créer m'a procuré une grande satisfaction et m'a empêché de trop penser à moi.

Je passe beaucoup de temps à organiser des événements pour recueillir de l'argent pour la Fondation Christopher Reeve. La première année d'exercice, nous avons collecté plus de sept cent cinquante mille dollars (quatre millions cinq cent mille francs), dont 70% sont allés à l'APA et le reste à des associations qui se consacrent à améliorer la qualité de la vie des handicapés. J'ai aussi participé à la création d'un film publicitaire intitulé *Circle of Friends* (« le cercle d'amis ») au profit de l'APA. J'ai demandé à des amis, Paul Newman, Mel Gibson, Meryl Streep, et à un certain nombre de scientifiques, d'en faire partie.

Je passe la plupart de mon temps à téléphoner ou à écrire aux membres du Congrès pour augmenter les fonds pour la recherche. Le but est de doubler le budget du National Institute of Health, malgré le premier vote contre. Le projet de loi Harkin-Specter est toujours d'actualité, celui qui exigerait que les compagnies d'assurance donnent à la recherche un centime par prime d'assurance ; j'ai rencontré des dirigeants de plusieurs compagnies pour leur demander leur soutien. Souvent, je parle de mon arrière-grand-père, Franklin d'Olier, qui, dans les années 1920, dirigeait la Prudential Insurance Company. Je suis profondément convaincu que non seulement il aurait soutenu ce projet de loi mais qu'en plus il aurait fait pression sur les autres assureurs pour qu'ils fassent de même. Je travaille encore avec le sénateur Jeffords sur le projet de loi visant à augmenter le plafond des assurances à dix millions de dollars ainsi que sur la législation qui permettrait d'augmenter les fonds de la recherche biomédicale en prélevant une taxe sur les cigarettes. Je corresponds de manière régulière avec le président Clinton, le pressant de suivre l'exemple de Roosevelt avec la polio et de recueillir suffisamment de fonds pour mener une guerre acharnée contre la maladie d'Alzheimer, la sclérose en plaques, les accidents vasculaires cérébraux, la maladie de Parkinson et les lésions médullaires. Parce que la guérison de ces maladies est si proche que prendre la tête du mouvement pourrait devenir pour lui un fait marquant de son mandat.

Au moindre temps mort, à la moindre accalmie, mes assistants Michael et Sarah montent des bureaux du rez-de-chaussée, armés de fax, lettres, messages, et de l'agenda. J'ai toujours assez de travail pour m'occuper toute la journée, mais généralement je traite en premier les sujets urgentissimes, dits « périls en la demeure ». Tout ce qui tourne autour de l'American Paralysis Association, autour de la fondation Christopher Reeve ou du lobbying à Washington est prioritaire. Nous essayons aussi de donner satisfaction aux demandes des associations de personnes atteintes de lésions médullaires. Souvent, lorsque je ne peux pas me rendre à un dîner ou à un congrès, j'enregistre un message vidéo. Ces jours-là, la maison déborde de techniciens et de matériel. (Nous ne savons plus comment réaménager le salon, pour qu'il ait l'air différent sur chaque vidéo.) Certains jours, lorsque mes obligations paraissent trop écrasantes, je prends du temps pour sortir, m'appuyer contre le dossier de mon fauteuil et profiter de la vue de la ferme des Gonzales un peu plus bas. Les chèvres et les moutons paissent avec bonheur dans le champ près de la mare, pendant que poulets et pintades s'affairent en sécurité dans le jardin devant la maison.

En réalité, ils ne sont pas toujours en sécurité. À l'automne de 1997, Jay Wiseman, un ami de la famille, vint vivre avec nous comme baby-sitter à mi-temps pour Will et aide-soignant pour moi. Il amena avec lui Oliver, le chien le plus amical qui soit, un mélange de berger belge et de saint-bernard, qui devint un grand copain de Will. Il n'avait que neuf mois, mais il était déjà un invité parfait. Pour faire ses besoins, il allait dans les bois plutôt que de souiller notre pelouse manucurée. Il savait si bien se tenir que nous le laissions circuler partout dans la maison et dans notre propriété.

Habituellement, il restait dans les parages, mais un jour où je travaillais dans mon bureau et que je regardais par la fenêtre, je le vis qui montait la colline en trottant, un des poulets des Gonzales dans la gueule. Jay fit recracher à Oliver la volaille massacrée et l'attacha à un arbre pendant que Dana et moi nous nous torturions sur la manière d'annoncer l'accident à nos voisins. Elle les appela le soir, se confondit en excuses et elle promit que cela n'arriverait plus jamais. Lynn, leur plus jeune fille, qui répondit au téléphone, n'eut pas l'air aussi bouleversée que nous le pensions. (C'était une surprise car je croyais que les poulets étaient des animaux familiers.) Elle dit simplement que si Oliver recommençait, elle ne lui pardonnerait qu'à la condition qu'on l'invite la prochaine fois où Robin Williams viendrait à la maison.

J'essaie de finir ma journée de travail vers 17 h 30 pour pouvoir passer un peu de temps avec Will ou avec Dana si elle est de retour de ses rendez-vous en ville. Nous dînons vers 18 h 30, 19 heures au plus tard. En général, les menus se composent de poisson ou de viande rouge accompagnés de légumes, épinards, brocolis et de salade, dont j'ai besoin pour maintenir mes taux d'hémoglobine et d'albumine. C'est indispensable pour accélérer la cicatrisation d'une éventuelle escarre et me garder en bonne forme.

Après le dîner, s'il ne fait pas trop froid, nous faisons la course avec Will dans l'allée devant la maison. Mon fauteuil roulant n'est pas à la hauteur contre sa bicyclette même s'il me donne un handicap au départ mais j'adore qu'il prenne du plaisir à battre son père, exactement comme n'importe quel autre enfant. À part ouvrir des portes ou de temps en temps pousser des meubles qui sont sur mon chemin, il ne se soucie pas beaucoup de mon handicap. Ce que j'apprécie très profondément. L'hiver, nous regardons les matchs des New York Rangers à la télévision, et chaque saison nous assistons à plusieurs matchs de hockey au Madison Square Garden. J'ai commencé à apprendre à Will à jouer au hockey quand il avait deux ans, avant même qu'il ait jamais mis une paire de patins. Aujourd'hui, il est passionné par ce jeu et peut citer le nom de toutes les équipes de la fédération nationale de hockey. Lorsque Dana entre dans la cuisine le matin, elle le trouve en général plongé dans la rubrique sports du *New York Times*. Puis il vient me voir dans notre chambre et me fait un compte rendu des derniers résultats de ses équipes favorites ou des faits marquants des matchs de la veille. Lorsqu'il joue au hockey dans le salon, je débarque souvent dans mon fauteuil roulant et je passe et repasse comme si j'étais le véhicule chargé de refaire la glace

Lorsque nous ne sortons pas, je vais en général me coucher vers 21 h 30, ce qui est très contraire à ma nature. Quand j'étais sur mes deux jambes, je ne me couchais jamais avant 23 h 30 ou minuit : maintenant, il faut que je monte plus tôt car la procédure du coucher prend presque deux heures. Une infirmière et un aide se partagent la tâche. D'abord, ils sortent du fauteuil mes jambes et mon bras gauche, puis l'auxiliaire agrippe fermement la toile qui reste sous moi en permanence et se met en position pour porter la partie supérieure de mon corps. L'infirmière me tient sous les genoux. Ils comptent jusqu'à trois et me soulèvent ensemble. Ils me déposent doucement (la plupart du temps !) sur mon lit. Leur coordination est cruciale car si la toile glissait je pourrais tomber sur le sol entre le fauteuil et le lit. Depuis que cela m'est arrivé entre le vélo d'exercice et mon fauteuil, je suis toujours un peu inquiet lors de ces transferts. Mais je pense que cet accident a servi d'avertissement à tous ceux qui travaillent avec moi. Les transferts sont maintenant presque toujours parfaitement exécutés.

Puis viennent les formalités du déshabillage, que je suis finalement parvenu à accepter. Au début, je devais maîtriser ma colère contre moi-même pour me retrouver dans cette situation. Souvent, j'écoute de la musique ou je regarde la télévision, de manière à oublier qu'on s'occupe de moi comme d'un bébé. Lorsque je suis dévêtu, on me refait une toilette. Tous les deux jours on me lave les cheveux : j'ai la tête posée en arrière dans une petite bassine. L'eau du shampooing s'écoule dans un seau que l'on vide ensuite dans le lavabo. Une fois par semaine, on me transfère dans un fauteuil en plastique spécial et je m'offre une vraie douche. Malheureusement, cette opération prend beaucoup de temps et le transfert du lit au fauteuil de douche est assez dangereux, car les accoudoirs ne peuvent être relevés et on doit donc me faire passer par-dessus. Bien que tous les aides soient compétents, je me sens plus en sécurité avec certains qu'avec d'autres.

Lorsque je suis propre, je choisis un T-shirt pour la nuit et je décide du nombre de couvertures dont j'ai besoin, selon ma température. Parce que la connexion entre mon cerveau et les neurones de la moelle épinière a été chamboulée, mon corps réagit souvent n'importe comment. Les gens autour de moi peuvent mourir de chaud alors que je réclame du chauffage et des couvertures. Presque toutes les nuits, je me réveille vers 4 heures du matin avec la sensation d'être sur un gril. Dana, qui dort à côté de moi, paraît supporter très confortablement une pile de couvertures.

Une fois que je suis au lit, l'aide me dégourdit de nouveau les muscles l'un après l'autre. Il les étire et les fléchit. Après douze ou treize heures d'immobilité dans le fauteuil roulant, c'est un grand soulagement et l'un des meilleurs moments de ma journée. Malheureusement, immédiatement suivi par l'un des pires : la séance intestinale. Je plaisante souvent en disant que c'est une de mes émissions préférées.

Je suis allongé sur le côté et l'aide appuie avec son poing sur mon estomac pour pousser les selles dans les intestins et les faire s'évacuer sur un drap de plastique placé sous moi : une partie de la rééducation consiste à éduquer les intestins à libérer les selles à heures fixes. Cela prend à peu près un mois avant de se conditionner et il y a beaucoup d'accidents avant que le corps n'apprenne à produire des résultats à une heure donnée. De nouveau, je laisse mon esprit vagabonder. Les infirmières et les aides-soignants sont tous professionnels mais tous, nous reconnaissons quelle invasion de l'intimité cela représente et quel outrage à la dignité. Parfois, la séance dure une heure, qui semble une éternité. Lorsque je ne parviens pas à décrocher mentalement, je ne peux m'empêcher de repenser à l'accident et de déplorer le coup du sort qui m'a mis dans cet état.

Quand le rituel est terminé, Dana me rejoint dans le lit étroit et nous passons un moment d'intimité ensemble. Nous nous disons bonne nuit et elle va se coucher dans son lit à côté, car il n'y a pas de place pour nous deux dans le mien. Il est alors presque minuit. Je prends mes « dormeurs », une pilule de Benadryl et une de Ambien 10 mg, un sédatif doux. Je déteste avoir à prendre des médicaments le soir, mais je ne peux pas faire autrement car ils m'évitent d'avoir des spasmes pendant la nuit. Une demi-heure plus tard, je rêve, indemne de nouveau et je pars vers de nouvelles aventures.

* * *

Les gens me demandent souvent à quoi cela ressemble d'être coincé dans un fauteuil roulant. Mises à part les complications médicales, je dirais que le pire est d'avoir eu à quitter le monde physique, d'être passé du rôle de participant à celui d'observateur sans y avoir été préparé. La plupart d'entre nous sont prêts à abandonner progressivement les activités physiques qu'ils aiment au fur et à mesure qu'ils avancent en âge. À soixante ans, je n'aurais certainement pas continué à faire des concours d'équitation ou à skier aussi vite qu'à quarante. Je ne naviguerais sûrement pas en solitaire : gréer ou hisser des voiles, barrer dans une mer dure requièrent des bras plus forts et des corps plus agiles.

Simplement, j'aurais eu le temps de me préparer à d'autres manières de profiter de ce que j'aime faire. Mais devoir changer, devoir presque tout abandonner à quarante-deux ans vous anéantit. Et lorsque je me souviens qu'être est plus important que faire, que la qualité des relations est la clef du bonheur, alors seulement je parviens à faire bonne figure. J'y crois vraiment mais la liberté, la spontanéité, l'action et l'aventure me manquent plus que je ne saurais l'exprimer. Parfois lorsque nous sommes à Williamstown, je me mets sur la terrasse et je regarde le mont Greylock, au-delà des prés, et je me revois faisant partie de tout cela. Nous faisions des randonnées dans la montagne, nous nous baignions dans les torrents, galopions dans les champs, coupions notre arbre de Noël dans les bois au-dessus de la maison : maintenant, ce n'est plus qu'un paysage, un décor, certes magnifique mais presque comme contenu derrière des cordons de velours rouge. J'ai l'impression de visiter un splendide musée d'extérieur.

Lorsque j'ai emménagé à Williamstown en 1987, le remorqueur pour mon planeur était garé à côté de la grange. Puis le cheval remplaça le planeur et un van prit sa place. Au fil des ans, les trois stalles furent successivement occupées par Valentine, Abby, Hope, Dandy, Denver et Buck. J'ai appris à Alexandra à monter et nous avons passé ensemble des heures heureuses à frotter selles et harnais, à rentrer les chevaux après les avoir douchés, nous levant à 6 heures du matin pour les nourrir. Bill Stinson se servait de l'autre moitié de la grange pour ranger son matériel de jardinage, si bien qu'il était toujours dans les parages. Très souvent,

Matthew et Alexandra allaient jouer avec des amis dans le grenier à foin au-dessus, construisant des forts avec des bottes de paille et s'attaquant à coups de balles de tennis. La grange restait toujours fraîche et accueillante même pendant les jours chauds et humides du mois d'août.

Aujourd'hui, les stalles sont vides. La grange est fermée et ma camionnette, remplie de plans inclinés, de bouteilles d'oxygène, de matériel d'urgence a pris la place du van. Nous nous souvenons tous de ce qu'était l'endroit mais nous n'en parlons pas beaucoup. La grange aussi est devenue un décor. Alexandra a continué à monter à cheval pendant un an après mon accident. Je lui ai même servi d'entraîneur pour un concours local. Puis elle a abandonné. Au moment où j'écris, elle vient juste d'avoir quatorze ans. Son travail scolaire lui demande beaucoup plus de temps, elle aime passer des week-ends avec des amis et le téléphone sonne de plus en plus souvent au fur et à mesure que des garçons de son âge parviennent à trouver le courage de lui demander de sortir avec eux. Il y a peut-être d'autres raisons pour lesquelles elle a cessé de monter mais je ne pose pas de questions. Dana non plus ne monte plus car c'était une activité que nous faisions ensemble.

Lorsque le premier *Superman* est sorti, j'ai donné des douzaines d'interviews pour la promotion du film. La question qu'on me posait le plus fréquemment était : qu'est-ce qu'un héros ? Je me rappelle comme j'en parlais avec aisance, la réponse désinvolte que j'ai répétée tant de fois ! Pour moi, un héros était un individu qui accomplissait une action courageuse sans en considérer les conséquences, un soldat qui rampe hors d'une tranchée pour aller récupérer un camarade blessé ; des prisonniers de guerre qui ne cessent d'essayer de s'évader alors qu'ils savent très bien qu'ils seront exécutés s'ils se font prendre. J'y incluais aussi des individus plus extraordinaires : Houdini et Lindbergh par exemple, ou John Wayne et Kennedy, et même des sportifs devenus des figures légendaires comme Babe Ruth ou Joe DiMaggio.

Aujourd'hui, la définition du héros que je donnerais est complètement différente. Je pense qu'un héros est un individu ordinaire qui trouve la force de supporter et de persévérer malgré des obstacles écrasants. Tel le garçon de quinze ans, rencontré à Kessler, qui s'était reçu sur la tête en se bagarrant avec son frère et qui en est resté paralysé, à peine capable d'avaler ou de parler. Travis Roy, étudiant de première année à la fac, paralysé lors des premières secondes d'un match de hockey. Henry Steifel, paralysé à dix-sept ans, depuis le torse, dans un accident de voiture, qui a repris des cours et travaille à Wall Street à trente-deux ans mais qui passe à côté de tant de choses qu'offre la vie. Eux, ce sont les vrais héros, et avec eux les familles et les amis qui les accompagnent.

La photo de la pyramide de Quetzalcoatl m'a suivi de l'hôpital de Virginie à Kessler. Je regardais les centaines de marches qui menaient aux nuages et je m'imaginais en train de les gravir lentement mais sûrement. Soudain, quelque chose arrive et vous retombez trois marches en arrière. Le pire est de ne pas pouvoir le prévoir. Plusieurs fois je me suis engagé à aller quelque part, à faire quelque chose, et la nuit précédente ou le matin même, une escarre ou une crise de dysautonomie ou une brutale infection pulmonaire me contraignaient à me faire hospitaliser.

En gravissant les marches, j'ai assisté à la remise des Oscars, parlé à la Convention Démocrate, réalisé un film, écrit ce livre, fait du travail politique, et voyagé plus que la plupart des tétraplégiques. En revanche, pour ce qui est de la rubrique recul, j'ai été hospitalisé onze fois pour dysautonomie, pneumonie et collapsus, un bras cassé, deux phlébites, une éventuelle fracture de la hanche, et l'infection de la cheville droite qui a failli se solder par une amputation de la jambe.

Tant d'« experts » – médecins, psychologues, kinésithérapeutes, autres patients, amis et membres de la famille – m'ont dit qu'avec le temps non seulement je me stabiliserais physiquement mais que je m'adapterais psychologiquement à mon état. Il s'est passé exactement le contraire : plus vous restez dans un fauteuil roulant, plus votre corps se dégrade et plus vous avez à lutter pour le maintenir. Psychologiquement, je suis parvenu à un modus vivendi : j'ai des jours avec et des jours sans mais ceux-ci ne me bloquent plus. Cela ne veut pas dire que j'aie accepté la paralysie ou que je la voie d'un œil serein.

La carence sensorielle est ce qui me blesse le plus : je n'ai pas pu serrer Will dans mes bras depuis qu'il a deux ans et demi. Il en a maintenant cinq et demi. C'est la raison pour laquelle nous avons décidé avec Dana de ne pas avoir un autre enfant ; ce serait trop douloureux de ne pas pouvoir prendre, embrasser ce bébé comme je l'ai fait avec les autres. Le monde physique garde pour moi la même importance ; je n'en suis pas détaché et je ne peux pas vivre comme un pur esprit. Certes nous ne nous réduisons pas à des corps, ces maisons que nous habitons lors de notre passage sur terre. Mais cette idée est plus un concept intellectuel qu'une philosophie de vie. Je suis jaloux lorsque quelqu'un parle d'un récent séjour au ski, lorsque des amis s'embrassent ou lorsque Will joue dans l'allée au hockey avec quelqu'un d'autre.

Si on me demandait la leçon que j'ai tiré de cette expérience, je serais très clair : je sais que je dois donner alors que parfois j'ai vraiment envie de prendre. Je me suis d'instinct rendu compte qu'une partie de mon travail de père était d'éviter que Will se fasse du souci pour moi. Si je m'apitoyais sur mon sort ou que je me laissais aller à la colère en sa présence, je ferais reposer, sur ses épaules d'enfant de cinq ans, un injuste fardeau, si je passais mon temps à gémir, à me lamenter sur le passé, je ne pourrais pas être si proche de Matthew et d'Alexandra, qui naturellement se tournent vers moi en quête de conseil. Et quelle vie serait celle de Dana si je me laissais aller et n'étais plus qu'une épave déprimée dans un fauteuil roulant ? Tout cela me demande des efforts, car il m'est toujours très difficile d'accepter le tour qu'a pris ma vie, simplement à cause d'un moment de malchance.

Lorsque j'étais en Californie pour l'inauguration du building qui abrite le centre de recherche Reeve-Irvine, j'ai passé une autre IRM Les médecins voulaient vérifier qu'un kyste ne s'était pas développé sur la moelle épinière ou qu'une cavité ne s'était pas formée – parfois, la moelle s'ouvre, longtemps après le traumatisme, endommageant encore un peu plus les neurones. Heureusement, les images étaient bonnes : deux ans et demi plus tard, il n'y avait pas d'autre détérioration. C'étaient d'excellentes nouvelles. Mais les propos du chef radiologue me dégrisèrent rapidement. Il me montra que la lésion sur la moelle épinière ne faisait qu'un centimètre. Il ajouta que si j'étais tombé la tête tournée plus à gauche de quelques millimètres, j'aurais été tué sur le coup, tandis que si j'étais tombé la tête légèrement plus à droite, j'aurais probablement été couvert de bleus et de contusions mais j'aurais été sur pied quelques semaines plus tard. J'ai simplement heurté la barre sous un angle tel que cela m'a transformé en tétraplégique sous ventilation assistée. L'ironie de la chose me frappa durement, mais je gardai mes sentiments pour moi. Je savais qu'il ne servait à rien de ressasser. Mais je mesurais, viscéralement, à quel point notre existence est fragile.

* * *

Et maintenant, je navigue de nouveau. Cette fois-ci, nous sommes à bord du *Sea Angel*, en route pour le Maine. C'est la nuit et je suis à la barre. En bas, dans le bateau, les enfants et Dana dorment. La brise est chaude et légère, et nous naviguons dans la clarté de la pleine lune. Pendant un moment, je regarde derrière moi, fasciné par le bouillonnement de l'eau à l'arrière. Un peu plus loin, il y a de l'écume, mais l'eau se calme déjà. Plus loin encore, notre sillage a disparu et rien ne montre que nous sommes passés par là.

Cette image est venue, je pense, sous l'effet de la peur : les meilleurs moments de ma vie sont derrière moi. Je regarde en arrière avec nostalgie en espérant que mes souvenirs ne vont pas disparaître. Pour moi, ils restent très intenses, mais je m'y accroche plus que je ne l'aurais jamais fait avant que ma vie ne change si radicalement. À quarante-deux ans, dans la fleur de l'âge, je tenais pour acquis que j'avais encore devant moi des expériences formidables à vivre, dans tous les domaines. Je me retournais rarement, sinon jamais, car le présent était tellement riche et plein de promesses ! Maintenant, malgré la douleur que cela me cause, je ne peux m'empêcher de déplorer que tant de moments merveilleux s'estompent !

11 avril 1995. Dana et moi fêtons notre troisième anniversaire de mariage en nous offrant une suite gigantesque au Mark Hotel à New York. Dîner au restaurant, théâtre puis retour à l'hôtel où nous avons fait l'amour jusqu'au matin. C'était aussi excitant que le moment où je lui ai demandé de m'épouser : oublié le dîner, nous étions allés directement dans la chambre. Il n'y aura jamais plus une autre nuit comme celle-ci.

Cela fait six ans que j'ai joué dans *Les Vestiges du jour* ; quinze ans depuis ce superbe été des *Bostoniens* ; dix-huit ans depuis *Fifth of July*. La dernière fois que je suis monté sur les planches, c'était pour jouer *The Guardman* à Williamstown. Comment cela peut-il faire si longtemps ? Le temps s'estompe dans mon esprit. Soudain, j'ai l'impression que c'était hier que Tim Murray, Ben et moi emmenions le *Sea Angel* pour l'hiverner à Chesapeake, je me souviens de chaque détail de la navigation, mais Tim est parti et mon frère et moi n'en parlons jamais.

Récemment, je passais devant notre ancien appartement de la 78ᵉ rue et je me suis arrêté un moment pour me souvenir, pour humer l'atmosphère de l'endroit qui avait été ma maison pendant plus de dix ans. En levant les yeux, je vis que les cerisiers que nous avions plantés sur la terrasse étaient toujours là, appartenant maintenant à la vie de quelqu'un d'autre. Un pâté de maisons plus loin, le terrain de jeux bitumé PS 77 était toujours le même. Quand il avait à peine quatre ans, je venais ici avec Matthew jouer au squash contre le mur. Je me souviens comme j'avais le dos raide de m'être penché pour tenir le siège de sa bicyclette quand il apprenait à faire du vélo sans petites roues sur les trottoirs près du Muséum d'histoire naturelle ! Il y a vingt-deux ans, oubliant toute prudence, j'ai invité tous mes parents, Franklin et Helen, Barbara et Tris, à la première de *A Matter of Gravity* et me suis arrangé pour qu'ils soient assis les uns à côté des autres. Il y a vingt ans, j'étais assis au milieu d'un public en tenue de soirée au Centre Kennedy et regardais Superman voler sur l'écran pour la première fois. Il y a moins de quatre ans, Buck était en pension à Sunnyfield Farm, juste à côté, et nous travaillions avec Lendon, heureux de faire partie d'un groupe de cavaliers enthousiastes. Aujourd'hui, lorsque nous passons devant la carrière et les écuries, devant les chevaux que je connaissais et qu'on a remis au pré, je détourne toujours le regard.

Il faut que j'arrête ce flot de souvenirs ou au moins que je sois capable de les sortir de leur tiroir juste un moment, de les regarder, puis de les y remettre. Je sais maintenant comment faire, il faut que j'applique à ma vie la règle d'or du jeu d'acteur : il n'y a pas d'autre manière possible de survivre que d'être « dans le moment ». Exactement comme mon accident m'a forcé à redéfinir le mot « héros », il a fallu que j'examine ce que signifiait « vivre » aussi pleinement que possible dans le présent. Comment survivre au moment où le présent est sombre ou douloureux alors que le passé paraît si séduisant ? Sur scène, dans un film, être « dans le moment » est relativement facile et très satisfaisant ; c'est une création artistique sans implications personnelles. Mais vivre avec cette philosophie quand le « moment » est bien difficile : c'est une autre affaire.

À contrecœur, je me suis détourné du sillage derrière nous et me suis concentré sur ce qui était devant nous, mais maintenant, le bateau est endommagé, j'ai été blessé, et nous avons perdu nos cartes de navigation. Tout le monde est attentif, rassemblés sur le pont, attendant tranquillement de voir si nous pouvons rejoindre la côte. Au loin, une faible lumière clignote : cela peut être une bouée, un autre bateau, ou l'entrée d'un port pour se mettre à l'abri. Nous n'avons aucun moyen de mesurer la distance que nous devons parcourir ou même si nous pourrons nous maintenir à flot le temps d'y arriver. Nous sommes d'accord pour essayer et pour nous entraider à barrer. Au matin, si nous tenons le cap, notre *Sea Angel* bien-aimé sera amarré en sécurité au quai et, ensemble, nous rentrerons tous à la maison.

Postface

L e Dr Jane avait raison. Environ un an après que j'eus quitté Kessler, je retrouvai la sensation à la base de la colonne vertébrale. Tout compte fait, je suis bien « incomplet ». L'IRM que j'ai passée à l'automne de 1997 au UC Irvine montra aussi que la partie antérieure de la moelle épinière, celle qui contrôle les fonctions motrices était intacte. La lésion en C2 qui empêche les messages du cerveau de parvenir au corps n'est toujours longue que de vingt millimètres. Si vous posiez votre petit doigt à l'endroit de la lésion, vous ne sentiriez plus alors qu'une moelle épinière complètement normale.

Selon le Dr Schwab, cela fait de moi le candidat par excellence pour les premiers essais sur l'homme de la régénération nerveuse. En raison de la petite taille de la lésion, il semble probable qu'au fur et à mesure que les neurones se régénéreront, ils seront capables de refaire les bonnes connections. Mes chances de guérison sont aujourd'hui plus importantes qu'on ne le pensait il y a à peine quelques années.

Christopher Reeve
Vingt ans de carrière

Au cinéma

Gray Lady Down, réalisé par David Greene

Superman, réalisé par Richard Donner

Somewhere in Time, réalisé par Jeannot Szwarc

Superman II, réalisé par Richard Lester

Deathtrap (Piège mortel), réalisé par Sidney Lumet

Monsignor, réalisé par Frank Perry

Superman III, réalisé par Richard Lester

The Bostonians (Les Bostoniens), réalisé par James Ivory

The Aviator, réalisé par George Miller

Street Smart, réalisé par Jerry Schatzberg

Superman IV, réalisé par Sidney J. Furie

Switching Channels (Scoop), réalisé par Ted Kotcheff

Morning Glory, réalisé par Steve Stern

Noises off, réalisé par Peter Bogdanovich

Remains of the Day (Les Vestiges du jour),
réalisé par James Ivory

Above Suspicion, réalisé par Steve Schachter

Speechless, réalisé par Ron Underwood

The Village of the Damned (Le Village des damnés),
réalisé par John Carpenter

À la télévision

Love of Life, CBS
The American Revolution, PBS
Anna Karenina, CBS
Last Ferry Home, WCTV-Boston/Hearst Entertainment
The Great Escape : the Untold Story, NBC
The Rose and the Jackal, TNT
Carol and Company
The Road from Runnymead, PBS
Road to Avonlea
Bump in the Night, CBS
Death Dreams
Tales from the Crypt, HBO
Mortal Sins, USA Network
Sea Wolf, TNT
Black Fox, CBS

Au théâtre

Broadway :
The Aspern Papers (*Les Papiers*) d'après Henry James
(à Londres)
A Matter of Gravity de Enid Bagnold
Fifth of July de Lanford Wilson
Le Mariage de Figaro de Beaumarchais

Off-Broadway :
My Life de Corinne Jaecker
The Winter's Tale (*Le Conte d'hiver*) de William Shakespeare

En province :
La Vie de Galilée de Bertold Brecht
The Music Man
Finian's Rainbow

South Pacific
Love's Labour's Lost (*Peines d'amour perdues*)
de William Shakespeare
The Merry Wives of Windsor (*Les Joyeuses Commères*
de Windsor) de William Shakespeare
Richard III de William Shakespeare
As you Like it (*Comme il vous plaira*) de William Shakespeare
The Devil Disciple (*Le Disciple du diable*) de Bernard Shaw
The Plow and the Stars (*La Charrue et les Étoiles*)
de Sean O'Casey
The Firebugs (*Monsieur Bonhomme et les Incendiaires*)
de Max Frisch
The Way of the World
Troilus and Cressida (*Troïlus et Cressida*)
de William Shakespeare
John Brown's Body de Steven Vincent Benet
The Royal Family
Holiday
Camino Real de Tennessee Williams
The Front Page (*Spécial Dernière*) de Ben Hecht et MacArthur
La Cerisaie de Anton Tchekhov
Summer and Smoke (*Été et Fumée*) de Tennessee Williams
The Greeks
Richard Cory de A. R. Gurney
Love Letters de A. R. Gurney (à Boston, Los Angeles,
San Francisco)
Death Takes a Holiday
The Guardsman

Réalisation

In the Gloaming (HBO, nomination aux Emmy, quatre prix
au Cable Ace)

Annexes

Discours à la Convention Démocrate

26 août 1996

« Au cours de ces dernières années, on a beaucoup entendu parler des "valeurs familiales". Et, comme nombre d'entre vous, je me suis vraiment, et vainement, interrogé sur la signification de cette expression. Ce n'est que depuis mon accident que j'en ai trouvé une explication à peu près satisfaisante. À mon avis, ces valeurs nous confèrent à tous une sorte de parenté, nous englobent dans une famille où chaque individu compte. Et malheureusement, beaucoup de membres de cette, de notre, famille, souffrent.

Pour ne prendre qu'un exemple, un Américain sur cinq est, d'une manière ou d'une autre, touché par un handicap. Vous-même avez peut-être une tante qui souffre de la maladie de Parkinson ; un voisin traumatisé à la moelle épinière ; un frère frappé par le sida. Si nous croyons à cette idée de famille, il faut que nous nous battions pour elle.

D'abord et avant tout, un pays comme le nôtre ne peut tolérer aucune sorte de discrimination. C'est pourquoi la Americans with Disabilities Act ("la loi sur les Américains handicapés") est si importante et doit être respectée par tous. C'est une loi qui relève des droits civils. Elle démolit les obstacles, qu'ils soient d'ordre architectural ou moral. Son but est de permettre aux handicapés d'accéder non seulement aux immeubles mais à la vie sociale. Je suis profondément convaincu que notre pays doit apporter un soutien total à ceux qui s'occupent des handicapés et les aident à vivre de manière indépendante.

Bien sûr, il faut équilibrer le budget de la nation. Et nous le ferons.

Certes, nous devons être attentifs au moindre dollar dépensé. Mais il est aussi de notre devoir de porter assistance à notre famille. Nous devons aider, soigner et guérir.

Et dans le domaine du handicap, ce que nous pouvons faire de plus intelligent est d'investir dans la recherche médicale afin de trouver des solutions pour protéger, guérir de la maladie. L'Histoire de notre pays est faite d'histoires de ce type. Lorsque nous nous penchons sur un problème, en général nous en trouvons la solution. Alors, nous devons donner à nos scientifiques les moyens d'aller de l'avant.

Ce qui signifie augmenter les subventions pour la recherche. Aujourd'hui, par exemple, aux États-Unis, deux cent cinquante mille personnes souffrent d'une lésion de la moelle épinière. L'État dépense environ 8,7 milliards de dollars par an simplement pour subvenir aux besoins de ces membres de notre famille. Par ailleurs, il ne consacre que 40 millions à la recherche qui permettrait pourtant d'améliorer réellement les conditions de vie de ces patients, les affranchirait de l'aide publique et même les guérirait.

Il nous faut être encore plus intelligent, voir plus loin. Car l'argent que nous dépensons aujourd'hui pour la recherche, déterminera demain la qualité de la vie de tous les membres de la famille.

Quand j'étais en centre de rééducation, j'ai rencontré un jeune homme blessé à la moelle épinière. Gregory Patterson conduisait tranquillement dans Newark, New Jersey, lorsqu'une balle perdue d'un règlement de comptes entre gangs, a traversé la vitre de sa voiture… son cou… pour finir par sectionner sa moelle épinière. Il y a cinq ans, il aurait pu en mourir. Aujourd'hui, grâce à la recherche, il est en vie.

Mais être en vie n'est pas, en soi, suffisant. Nous avons tous la responsabilité morale et financière d'alléger sa souffrance et d'éviter à d'autres une telle douleur. Et pour cela, il n'est pas nécessaire d'augmenter les impôts. Il faut simplement augmenter nos prétentions.

L'Amérique est forte d'une tradition que beaucoup nous envient probablement : nous accomplissons souvent l'impossible. C'est l'une de nos particularités nationales. C'est ce qui nous a permis de traverser le continent d'est en ouest. C'est ce qui a fait de notre économie la plus puissante du monde. C'est ce qui nous a fait marcher sur la lune.

Sur le mur de ma chambre, au centre de rééducation, j'avais épinglé le poster d'une mise à feu de la navette spatiale, couvert des autographes des astronautes de la NASA. Tout en haut on pouvait lire : "On a découvert que rien n'est impossible." Cette phrase devrait nous servir de devise. Une devise qui n'est réservée ni aux Démocrates, ni aux Républicains. Une devise pour tous les Américains. Car la tâche est à la dimension de la nation.

Nos rêves nous paraissent a priori irréalisables, puis improbables et enfin, à force de volonté, ils deviennent inéluctables. Si nous avons été capables de conquérir l'espace, nous devrions aussi être capables de conquérir notre corps : dominer le cerveau, le système nerveux central et toutes les maladies qui détruisent tant de vies et dérobent au pays un tel potentiel.

La recherche redonnera espoir aux victimes de la maladie d'Alzheimer. Nous avons déjà identifié le gène qui en est la cause. La recherche redonnera espoir à des gens comme Mohammed Ali ou le Révérend Billy Graham qui souffrent de la maladie de Parkinson. La recherche redonnera espoir aux millions d'Américains qui, comme Kirk Douglas, subissent les séquelles lourdes d'un accident vasculaire cérébral. Nous pourrons soulager des personnes qui, telle Barbara Jordan, luttent contre la sclérose en plaques. La recherche permettra de découvrir des traitements pour soigner des gens comme Elizabeth Glaser, que le sida a emportée. Et maintenant que nous savons que les neurones de la moelle épinière peuvent se régénérer, nous sommes sur le bon chemin pour que des millions de personnes dans le monde, qui sont dans la même situation que moi, se lèvent de leur fauteuil roulant et marchent.

Il y a cinquante-six ans, Franklin Delano Roosevelt inaugurait de nouveaux bâtiments pour les National Institutes of Health. Il déclarait à cette occasion : "La défense de ce pays ne peut se concevoir uniquement à travers la fabrication d'avions, de navires, de fusils et de bombes. Nous ne serons une nation puissante que si nous sommes d'abord une nation en bonne santé." Ceci est encore vrai aujourd'hui.

Le Président Roosevelt nous a montré qu'un homme qui pouvait à peine se soulever de son fauteuil roulant, était tout de même capable de soulever l'enthousiasme d'une nation. Et je veux croire – ainsi que ce gouvernement – dans le plus important des principes que Roosevelt nous ait enseignés : l'Amérique n'abandonne pas ses concitoyens dans le besoin. La grandeur de l'Amérique est que tous nous prenions soin de tous. Réinsuffler de la force à cet idéal, c'est notre défi, aujourd'hui.

Merci beaucoup. »

Discours à la remise des diplômes à l'école Juilliard

23 mai 1997

« Tout d'abord, je tiens à remercier le Dr Polisi pour
avoir retranscrit mot pour mot ce que je lui avais dicté [le
président Polisi vient de faire une déclaration en l'honneur
de Christopher Reeve]. Je suis très ému de me retrouver ici ;
j'y étais étudiant il y a seulement vingt-quatre ans. Je me
souviens que la première pièce à laquelle j'ai assisté au cours
d'art dramatique, était *La Nuit de l'iguane* de Tennessee
Williams ; un acteur nommé Robin Williams y interprétait
un vieil homme. Et je me souviens m'être dit : s'il se met à
faire de la comédie, gare à nous, il va faire un malheur. Il
était tout simplement extraordinaire. Je garde des souvenirs
extrêmement chaleureux de mon séjour ici, quoique je me
souvienne aussi que nous nous aplatissions contre les murs
lorsque John Houseman venait à passer. Il était vraiment
terrifiant. À tout moment, on pouvait être convié à monter
pour une petite conversation, et se voir soudain conseiller
de changer d'orientation, de se diriger par exemple vers la
programmation informatique. Les étudiants disparaissaient
alors, ne laissant derrière eux qu'un vestiaire vide. En revanche,
si on passait le cap des quatre années dans l'établissement,
on en ressortait l'un des meilleurs acteurs, réalisateurs,
musiciens ou chanteurs d'opéra que ce pays puisse fabriquer.
Car même si on peinait sur la technique théâtrale, même si
on subissait la pression des professeurs, on était sûr de leur
soutien total. On avait tous l'impression que l'école, l'institution,
était de notre côté.

Maintenant, il vous reste à jouer la partie la plus difficile.
Car, à l'extérieur, dans la réalité, les institutions vous seront,
dans la plupart des cas, hostiles. Mon expérience récente
m'a permis d'établir un parallèle entre la situation du

handicapé et celle de l'artiste, face aux institutions. Juste un exemple : vous avez peut-être vu, la semaine dernière, l'émission de télévision "48 Hours" ; une mère y questionnait en larmes sa compagnie d'assurance sur les raisons pour lesquelles son fils ne pouvait obtenir un fauteuil spécial pour se doucher, et vous l'avez vue essuyer un refus. Pour ma part, quand j'ai quitté le centre de rééducation, l'assurance m'a annoncé que je ne bénéficierais que de vingt heures de soins par semaine et qu'elle ne financerait pas un respirateur de secours ; or, je suis sous ventilation assistée, dépendant d'un respirateur ; si celui-ci tombe en panne, je suis en grave danger. Heureusement, j'avais les moyens de m'en offrir un, mais les autres ? J'interroge régulièrement des responsables de compagnies d'assurance sur le pourquoi de leur attitude, je leur demande pourquoi ils ne prennent pas plus en compte les personnes. Des personnes qui ont payé leurs primes d'assurance et qui sont dans le besoin. Ils me répondent : eh bien, notre business, c'est la gestion du risque. Je leur rétorque alors : votre business, c'est d'abord les gens.

Pendant les neuf dernières années, j'ai milité, dans la Creative Coalition, pour préserver le National Endowment for the Arts (NEA), les subventions pour les arts. Je me souviens de réunions avec des opposants au NEA, des gens au QI élevé, paraît-il. Lorsque je leur ai demandé : mais qu'est-ce qui vous pose problème dans le NEA, ne voyez-vous pas ce que cela apporte autour de vous, pas seulement en termes de qualité de vie mais aussi financièrement ? Ils répondent : on ne devrait pas continuer à distribuer de l'argent ; si un artiste a de la valeur, cela se saura. Eh bien, allons au bout de cette logique. Avons-nous été formés uniquement pour produire immanquablement des succès commerciaux ? Ce serait une tragédie pour ce pays et pour le monde entier.

Un autre opposant au NEA, m'a objecté cet argument : pourquoi vous tous qui faites tant d'argent à Hollywood, ne vous associez-vous pas pour financer les artistes ? Parlons-en : qui cela concernerait-il ? Disons Sylvester Stallone, Arnold Schwarzenegger, Jean-Claude Van Damm... Quelle belle tribune de confrères ! Imaginez le directeur artistique de la compagnie d'Alaska déposant devant cette assemblée une demande de subvention pour la saison ! C'est ridicule.

En trente années d'existence du NEA, des centaines de milliers de subventions ont été allouées. Grâce à elles, l'art a pu être enseigné à l'école. La peinture, la musique, la danse et le théâtre ont pu atteindre des publics éloignés de tout. En trente ans, on n'a connu qu'une vingtaine de cas litigieux. Et pourtant le NEA demeure un cheval de bataille facile de la controverse politique.

Dans les années 1990, les travaux de Mapplethorpe et Serrano avaient suscité un mouvement d'indignation. Aujourd'hui, c'est du passé et la nouvelle stratégie des opposants au NEA, est de le faire disparaître en supprimant purement et simplement le budget. Il y a quelques années, le budget pour les arts était de 167 millions de dollars. Presque trois fois rien : cela représente 64 cents par personne. En Suède, c'est 3 dollars par personne qui sont dépensés pour l'art. Et voyez la richesse et la diversité de leur production artistique. Or, aujourd'hui, notre budget est descendu à 98 millions de dollars. Ainsi, plutôt que de s'attaquer au contenu, on confisque une partie du budget. Nous devons nous battre pour que cela change.

Ce que je veux vous dire, à vous qui venez d'obtenir votre diplôme, c'est que les institutions peuvent se révéler hostiles. Vous allez affronter le monde extérieur, et vos interlocuteurs, qu'il s'agisse des politiciens, du secteur des affaires, ou des gens qui font et défont la cote de l'art, vont vous donner du fil à retordre ; ce sera plus difficile que ce que vous avez enduré, ici, pour devenir l'artiste que vous êtes. Mais n'oubliez jamais que, même si le monde institutionnel est contre vous, le public, lui, est toujours de votre côté. Car les citoyens de ce pays veulent de l'art. Un sondage récent révèle que 61% des Américains sont favorables à une augmentation des dépenses pour les arts. De fait, sur les vingt dernières années, plus de gens ont fréquenté galeries, musées, salles de concert, opéras et théâtres que n'en ont réunis les stades, tous événements sportifs confondus.

Vous ne trouverez peut-être pas tout de suite une place dans un orchestre symphonique ou dans un grand corps de ballet, vous ne serez peut-être pas tout de suite pensionnaire d'une troupe de théâtre, car les temps sont difficiles et l'argent rare. Mais ne perdez jamais espoir. N'abandonnez pas, ne vous trahissez pas. Ne laissez personne entamer votre intégrité. Vous êtes artistes et c'est l'une des plus hautes et des plus nobles vocations possibles aujourd'hui dans ce pays. Accrochez-vous. Vous avez déjà accompli quelque chose de formidable, d'extraordinaire. Nous avons besoin de vous. Félicitations. Et merci beaucoup. »

Déposition devant le sous-comité pour l'affectation de fonds du Sénat : aides au travail, à la santé, aux services humanitaires et à l'éducation

5 juin 1997

« Il y a cinquante-sept ans de cela, un homme frappé d'une maladie alors incurable prononça ces paroles prophétiques : "Nous ne pourrons être une nation puissante à moins d'être une nation en bonne santé. Nous devons donc mettre à son service non seulement des hommes, des femmes et du matériel mais aussi du savoir-faire et des connaissances scientifiques."

Ces mots du Président Franklin Roosevelt sont tirés de son discours d'inauguration des National Institutes of Health, en octobre 1940. Alors que la guerre faisait rage en Europe et que les États-Unis s'apprêtaient à entrer dans le conflit, le Président Roosevelt prévoyait déjà que, pour sa propre sécurité, une nation comme la nôtre se devait d'investir dans la recherche médicale.

La question est de savoir si, aujourd'hui, notre président actuel et le Congrès ont l'intention, et la sagesse, de tenir compte des paroles de Franklin Roosevelt et reconnaissent le rôle vital joué par la recherche pour la sauvegarde économique et sanitaire de notre nation.

Pour ma part, je suis persuadé que la recherche est indispensable pour éradiquer la maladie, réduire la souffrance humaine, ainsi que les coûts occasionnés par les soins. Un cinquième des dépenses de santé est consacré aux maladies du cœur et au cancer, les deux premières causes de décès chez les Américains. Les dépenses pour la maladie d'Alzheimer – qui ravage 4 millions d'Américains et représente une note annuelle de 100 milliards de dollars – devraient augmenter avec le vieillissement de la génération du baby-boom, née après guerre.

D'un point de vue économique, le coût de la santé – sans parler du coût humain – est franchement stupéfiant. La maladie de Parkinson atteint à peu près 500 000 Américains et coûte à notre nation au moins 6 milliards par an. Environ 250 000 Américains vivent des handicaps d'importance variable dus à un traumatisme de la moelle épinière. Chaque année, nous dépensons 10 milliards de dollars uniquement pour les entretenir. Chaque année 500 000 Américains souffrent d'accidents vasculaires cérébraux, ce qui coûte à la nation plus de 30 milliards de dollars en traitements médicaux, rééducation, soins à long terme, sans oublier les salaires perdus. Le diabète, qui touche à peu près 16 millions d'Américains, coûte entre 90 et 140 milliards de dollars par an, et est l'une des premières causes de cécité, de maladies des reins et d'amputation.

Comment mettre un terme à la perte économique et humaine que causent ces maladies ? Par la recherche.

Lorsque j'ai rencontré le Président, en mai 1996, il m'a appris que le rapport entre les résultats cliniques et la recherche était plus élevé aux États-Unis que dans n'importe quel autre pays du monde. L'argent que nous dépensons dans la recherche donne des résultats pratiques qui justifient totalement l'investissement consenti. Prenons quelques exemples.

La recherche financée par les National Institutes of Health a permis l'identification de mutations génétiques responsables de l'ostéoporose, de la maladie de Lou Gehrig et de la maladie de Huntington. Un traitement efficace de la leucémie lymphoblastique aiguë a été mis au point et, aujourd'hui, environ 80% des enfants qui en étaient atteints sont non seulement toujours en vie mais délivrés de la maladie, après cinq ans. Grâce à la recherche, la nature même des médicaments est en train de changer. On attaque la maladie au stade cellulaire, plus tôt, de façon plus pointue, avant qu'elle n'envahisse tout, avec plus de succès et moins d'effets secondaires. Les avancées en génétique nous permettront bientôt d'intervenir avant même que les symptômes de la maladie n'apparaissent.

Des victoires importantes ont été remportées dans la bataille contre le cancer. Il y a seulement dix ans, le sida équivalait à une condamnation à mort. Aujourd'hui, certaines personnes, dont les taux de cellules T4 sont extrêmement bas, sont souvent en mesure de renforcer leur système immunitaire, grâce aux nouveaux protocoles mis au point par les NIH et les laboratoires qui en dépendent. Les chercheurs parlent même d'un vaccin contre le sida. Il y a seulement quelques années, cela aurait paru de la pure science-fiction.

En 1988, le neuroscientifique suisse Martin Schwab a découvert deux protéines qui inhibent la croissance nerveuse dans la moelle épinière des mammifères. Cette découverte était révolutionnaire. Jusqu'alors, il était en effet admis que les neurones de la moelle ne pouvaient se régénérer à cause de l'absence de facteurs de croissance. En 1990, Schwab provoqua la régénération de neurones dans la moelle de rats en neutralisant les protéines inhibitrices à l'aide d'un anticorps appelé IN-1. Soutenue par un financement approprié, cette expérience pourrait, semble-t-il, être appliquée à l'homme, dans les deux années à venir.

Lorsque l'on sait qu'il y a seulement dix ans, une lésion de la moelle était considérée comme incurable, le progrès accompli paraît vraiment extraordinaire. Des avancées similaires se produisent dans le traitement de la maladie de Parkinson, la sclérose en plaques, les accidents vasculaires cérébraux, etc., toujours grâce à la recherche qui a permis une meilleure compréhension du fonctionnement complexe du cerveau.

Nous ne pouvons risquer de stopper cette progression simplement parce que nous renâclons à lui consacrer l'argent nécessaire. Il est impératif que les gens et plus encore nos représentants élus comprennent que l'investissement dans la recherche, aujourd'hui, ça n'est pas une loterie. Ce n'est pas une perte d'argent. C'est le seul moyen de soulager la souffrance tout en sauvant l'économie de l'Amérique.

Pour ne pas se payer de mots, il faudra investir des dollars ; des subventions qui, apparemment, ne trouvent pas leur place dans les restrictions du budget adopté par le Congrès, cette semaine, et qui propose de réduire l'ensemble des dépenses de santé de 100 millions de dollars pour l'année prochaine et de plus de deux milliards dans les cinq ans à venir.

C'est pourquoi je soutiens la proposition des sénateurs Specter et Harkin de créer un National Fund for Health Research qui apporterait des fonds supplémentaires à la recherche. Cette proposition de loi suggère de prélever un penny sur chaque dollar payé en primes d'assurance, ce qui augmenterait de 6 milliards de dollars par an le budget des National Institutes of Health.

Certains experts prétendent que cette proposition ne passera jamais, à cause du puissant lobby des assurances. Mais il a récemment été prouvé que les plus puissants lobbies ne pouvaient rien contre une législation soutenue par les deux partis et le public. Ainsi, la National Rifle Association n'a pas réussi à faire abroger l'interdiction des armes d'assaut.

De même , le peuple américain n'était pas assez naïf pour croire les allégations d'une douzaine de fabricants de cigarettes lorsqu'ils affirmaient devant le Sénat que la nicotine ne crée pas d'accoutumance et qu'ils niaient que son taux ne soit conçu et augmenté à cet effet. Aujourd'hui nous assistons à la mort de Marlboro Man et de Joe Camel. Dans pratiquement tous les États, des gens attaquent les fabricants de cigarettes et leur demandent des dommages et intérêts. Cette semaine, des milliers d'employés du gouvernement ont signé une pétition à l'adresse du Président pour qu'il interdise la cigarette à l'intérieur des locaux de l'administration.

Je doute sérieusement que le lobby du tabac puisse stopper ce mouvement.

La droite morale conduite par Pat Robertson, Pat Buchanan et la Christian Coalition a essayé par deux fois (en 1992 et en 1996), sans succès, de s'emparer, de prendre le pouvoir au parti Républicain. Voilà encore un exemple d'un lobby apparemment puissant qui n'a pu arriver à ses fins.

Mais je sais aussi d'expérience, comme défenseur du National Endowment for the Arts, qu'on peut échouer ; ainsi, bien que je me sois farouchement battu pendant cinq ans partout dans le pays, pour convaincre des bienfaits économiques de la vie artistique, bien que j'aie encouragé les groupements d'artistes à participer chaque année au Arts Advocacy Day, bien que j'aie brandi, ici et là, le sondage affirmant que 61% des Américains souhaitent l'augmentation des subventions en faveur de l'art, malgré tout cela, à notre grande consternation, le Congrès a réduit le budget du NEA de 167 à 99 millions de dollars par an. Du même coup, des milliers d'orchestres, de compagnies de danse, de théâtre et de musées n'ont pas vu le jour faute de capitaux. Cela ne représente pas seulement une grave régression de la qualité de vie du pays mais aussi une preuve de plus que, quand il le décide, le Congrès peut – et il le prouve – ignorer le plus fort des lobbies, aussi ancré soit-il dans sa base.

J'ai discuté avec des dirigeants de compagnies d'assurances de cette proposition de loi. Ils m'ont souvent affirmé que leur marge de profit est tellement faible que céder 1% de leur chiffre d'affaires serait une perte dangereuse. Cet argument me paraît à peu près aussi crédible que lorsque les fabricants de cigarettes prétendent que la nicotine ne crée pas d'accoutumance. Il est difficile d'éprouver de la compassion pour une compagnie d'assurances, quand on voit une mère en larmes supplier qu'on lui accorde un fauteuil pour que son fils tétraplégique puisse prendre une douche. En ce qui me concerne, mon assurance a refusé de prendre en charge toute kinésithérapie au-dessous des épaules, en dépit du fait que les chercheurs les plus en pointe ne cessent d'insister sur l'importance de maintenir en bonne forme le système cardio-vasculaire, sur la prévention de l'ostéoporose et de l'atrophie musculaire, dans l'hypothèse d'une récupération fonctionnelle ; récupération que la recherche permettra très certainement dans les toutes prochaines années.

Les assureurs voient dans cette proposition de loi un nouvel impôt. Mais en quoi est-elle déraisonnable, d'autant qu'à long terme, elle devrait leur faire faire des économies ? La recherche permettra aux Américains de se maintenir en meilleure santé, ce qui entraînera une diminution des demandes de remboursement. On impose bien les compagnies pétrolières au profit de la construction et de l'entretien des autoroutes. Dans l'État de New York, tout gain au loto est taxé de manière significative et cet impôt est versé à un fonds pour l'éducation. La plupart des États prélèvent des taxes sur les ventes, qui représentent une importante source de revenus pour toute une série de services proposés au public. Qu'est-ce qui empêche de demander aux compagnies d'assurances d'aider à résoudre la crise de la santé dans ce pays ?

Grâce aux progrès de la science, nous pouvons sauver des millions de vies. Notre défi, à l'avenir, n'est pas simplement d'améliorer la qualité de vie de ceux que l'on sauve mais de trouver les moyens de leur éviter de souffrir.

Nos scientifiques se trouvent au seuil de découvertes déterminantes dans presque tous les cas de maladie qui éprouvent tant de gens aujourd'hui, ici et dans le monde entier. Les compagnies d'assurances doivent bien à nos familles et à notre société de leur accorder un petit sacrifice qui pourrait se transformer en un tel bienfait. Je souhaite que cette excellente proposition de loi, qui reçoit déjà un énorme soutien de la base, soit votée au cours de cette session législative.

Merci beaucoup. »

Discours à la National Organization on Disability

8 octobre 1997

« Merci, merci beaucoup pour ces mots de présentation. Encore une fois, je voudrais remercier l'agence de publicité JCPenney de m'avoir donné mon premier job il y a des années. Ce fut une sorte de choc. Je ne m'étais jamais trouvé devant une caméra car je n'avais fait jusque-là que du théâtre. J'étais coincé dans ma chemise : pour éviter qu'elle ne fasse des plis, elle était fixée, rentrée dans le dos de mon pantalon. À peine avais-je posé un pied sur le plateau, que j'entendis le réalisateur hurl r dans les haut-parleurs : "Maquillage ! Faites quelque chose, il est tellement fade !" J'ai mis un petit moment à me remettre de cet affront.

Je voudrais insister sur le fait que j'ai déjà passé trois anniversaires dans ce fauteuil roulant. À quarante-deux ans, je pensais qu'il me restait à vivre le meilleur de la vie ; dans les interviews, j'expliquais que j'étais convaincu que des choses formidables m'attendaient, à la fois professionnelles et privées. Plus que jamais, je voyais la vie en rose. L'un des derniers films que j'aie tournés avant mon accident s'intitule *Above Suspicion*, dans lequel je tiens le rôle d'un paraplégique. Pour préparer le rôle, je suis allé dans un centre de rééducation à Van Nuys, en Californie. J'y ai appris à monter et à descendre de voiture, d'un lit, à passer sur un tapis de rééducation. J'ai passé pas mal de temps avec une jeune femme qui avait été blessée lors d'un tremblement de terre en Californie. Elle avait reçu une bibliothèque sur la tête. Elle recommençait juste à apprendre à marcher. Pendant deux semaines, je suis allé la voir tous les deux jours. À chaque fois que je ressortais, je remontais dans ma voiture pour retourner à mon confortable hôtel, je me souviens avoir remercié Dieu que ça ne me soit pas arrivé, à moi.

Huit mois plus tard, j'avais un accident de cheval et rejoignais le monde des handicapés.

Vous tous, ici, dans cette pièce êtes des décideurs, dans le monde économique, dans des associations, des fondations, des décideurs qui êtes très influents auprès du gouvernement. Ce que je voudrais vous dire aujourd'hui c'est que même si nos affaires sont prospères, même si les nôtres réussissent, ça n'est pas une raison pour tourner le dos à certains membres de la famille et en faire des étrangers, des exclus. L'idée d'exclus ne devrait pas exister. Nous avons tous notre place dans la grande famille américaine.

Ceux qui ont le plus devraient donner le plus, aussi bien au niveau de l'État qu'au niveau privé. Si on respectait vraiment cette règle de vie, si on travaillait tous ensemble, si, par exemple, les compagnies d'assurances donnaient un penny sur chaque dollar de prime, on récolterait vingt-quatre milliards par an au profit de la recherche. Le paysage de la santé aux États-Unis en serait radicalement modifié. Avec un seul penny. Pas besoin de le prélever sur le compte du consommateur. Il n'est pas une seule compagnie d'assurances dans ce pays qui ne puisse s'offrir de prélever un penny par dollar pour venir en aide aux membres handicapés de la famille. Pourtant, dès qu'on évoque ce sujet, les assurances rétorquent : "Vous voulez créer un nouvel impôt. C'est injuste." À mon avis, c'est leur attitude qui est égoïste et anti-américaine. Nous devons nous battre pour cette idée et vous pouvez participer à ce combat. Nous devons faire évoluer les mentalités de telle sorte que les décideurs de ces grandes entreprises éprouvent la même compassion dont M. Oesterreicher et son entreprise ont d'ores et déjà fait preuve.

Ainsi, au nom des quarante-neuf millions d'Américains handicapés (cinq cent millions de personnes sur l'ensemble de la planète), nous saluons les initiatives de JCPenney. Nous vous remercions pour tout ce que vous avez fait.

Parlez-en autour de vous. Pensez le monde comme une grande famille unie et ne laissons personne à la traîne.

Il est très facile d'ignorer ce problème. Comme je le crois, nous sommes une seule et même grande famille, mais à bien des égards qui ne fonctionne pas car nous ne nous considérons pas comme unis. Au fond de nous, nous pensons : «Heureusement, je ne suis pas dans cette situation, ça ne m'est pas arrivé à moi." Mais, détrompez-vous, cela peut arriver à chacun d'entre nous. À tout moment, une maladie ou un accident cérébral peuvent frapper : maladie d'Alzheimer, de Parkinson, sclérose en plaques ou lésion de la moelle épinière. Et ces calamités ne feront qu'augmenter au fur et à mesure que l'Amérique vieillit. Le simple fait de réaliser qu'il n'y a pas de frontières entre valides et handicapés est déjà en soi un progrès.

Nous sommes réunis aujourd'hui pour rendre hommage à ces entreprises qui ont pris conscience que leur position sociale leur permettait de jouer un rôle déterminant pour exclure l'exclusion, donner l'exemple et passer le message que nous sommes tous une grande famille. Ce qui m'arrive pourrait très bien arriver à mon frère, à ma sœur, à ma mère, à ma grand-mère. Une fois cette idée admise, il devient alors plus facile de penser qu'il est inacceptable d'exclure qui que ce soit. Il est inacceptable que mon frère, ou tout autre personne, ne trouve pas de travail, ne fasse pas partie de la société. C'est totalement inacceptable. Au contraire, accueillir, admettre, dire : "Toi aussi, tu as une place dans le monde, tu n'es pas mis sur la touche, on ne t'entretient pas par pitié", est la clé pour devenir une société juste et équitable.

Ce que nous célébrons aujourd'hui, c'est ce sentiment d'égalité. Vous, M. Oesterreicher [PDG de JCPenney] et tous les autres membres de l'entreprise montrez le chemin. Il faut suivre leur exemple et se demander comment il est possible de refuser à un jeune homme un fauteuil spécial pour prendre une douche ; comment il est possible de refuser du matériel d'exercice à un patient, c'est mon cas, qui lui éviterait que ses muscles ne s'atrophient. La recherche permet d'entrevoir le jour où il sera possible de rétablir complètement les fonctions motrices. Comment est-il possible que le souci du profit soit plus fort que le sentiment de compassion ? En tout cas, des entreprises comme JCPenney donnent la priorité à la compassion. Leur exemple doit être suivi. »

Remerciements

Je voudrais remercier, à Random House, Harry Evans à qui je dois d'avoir écrit sur mon passé alors que j'étais plus qu'incertain de l'avenir ; Wanda Chappell, Ruth Fecyth et Ann Godoff qui m'ont rejoint à bord et ont mené ce projet à bon port.

Je suis reconnaissant à Barbara Walters, Katie Couric et à d'autres journalistes des médias de ne pas s'être contentés de m'écouter mais d'avoir su informer le public sur les lésions de la moelle épinière.

Je suis particulièrement redevable à June Fox qui est devenue beaucoup plus qu'un simple transcripteur de mes pensées. Sans elle, je n'aurais littéralement pas pu écrire ce livre.

Merci aussi à Dan Strope, mon agent littéraire, qui a toujours été présent pour m'aider.

Scott Henderson, mon ami de longue date et agent, Joel Faden, mon chargé d'affaires, et Lisa Kasteler mon attachée de presse font partie d'une espèce rare de généreux et indéfectibles alliés dans un métier où les alliances sont si versatiles. Chacun d'eux s'est tenu à mes côtés contre vents et marées. Qu'ils en soient remerciés.

Je voudrais dire ma reconnaissance à Marsha et Robin Williams, Steven Spielberg, la bande de HBO, ainsi qu'à des amis et collègues si nombreux que je ne peux tous les citer, de m'avoir aidé à dépasser des limites autant réelles qu'imaginaires.

Ma gratitude va aussi à mes assistants, Michael Manganiello, Sarah Houghton et Rachel Strife qui ont trouvé des photos, m'ont aidé à relire les épreuves et ont travaillé sans relâche à gérer seuls les problèmes quotidiens pour me permettre de me concentrer sur ce livre.

J'ai la chance d'avoir une équipe hors pair d'infirmières, d'aides-soignants, de fournisseurs de matériel médical sans lesquels ma vie quotidienne ne serait pas envisageable, sans même parler de la raconter : je voudrais leur exprimer ici ma reconnaissance.

Je remercie ma famille qui s'est si souvent détournée de son chemin pour venir me voir, parfois seulement pour quelques heures, qui m'a surtout aidé à me souvenir de détails de ma vie passée et m'a conforté, rassuré.

Et par-dessus tout, je voudrais témoigner ma profonde gratitude et mon amour éternel à Dana, Matthew, Alexandra et Will dont l'amour inconditionnel, l'humour, la joie et l'appétit de vivre me stimulent tous les jours.

Maquette intérieure : Emmanuelle Richetti

Impression réalisée sur CAMERON par
BRODARD ET TAUPIN
La Flèche

Imprimé en France
Dépôt légal : juin 1998
N° d'édition : 9805 – N° d'impression : 1948U-5
49-80-1121-0/1
ISBN : 2-86391-868-0